O CAMINHO DA AUTOTRANSFORMAÇÃO

*THE PATHWORK OF
SELF-TRANSFORMATION*

EVA PIERRAKOS
Compilado e organizado por Judith Saly

O CAMINHO DA AUTOTRANSFORMAÇÃO

THE PATHWORK OF SELF-TRANSFORMATION

Tradução
EUCLIDES L. CALLONI
CLEUSA M. WOSGRAU

Editora
Cultrix
SÃO PAULO

Título original: *The Pathwork of Self-Transformation.*

Copyright © 1990 The Pathwork Foundation.

Copyright da edição brasileira © 1993 Editora Pensamento-Cultrix Ltda.

1ª edição 1993.

22ª reimpressão 2023.

Publicado mediante acordo com Bantam Books, uma divisão da Bantam Doubleday Dell Publishing Group, Inc.

Todos os direitos reservados. Nenhuma parte deste livro pode ser reproduzida ou usada de qualquer forma ou por qualquer meio, eletrônico ou mecânico, inclusive fotocópias, gravações ou sistema de armazenamento em banco de dados, sem permissão por escrito exceto nos casos de trechos curtos citados em resenhas críticas ou artigos de revistas.

A Editora Cultrix não se responsabiliza por eventuais mudanças ocorridas nos endereços convencionais ou eletrônicos citados neste livro.

Dados Internacionais de Catalogação na Publicação (CIP)
(Câmara Brasileira do Livro, SP, Brasil)

O Caminho da autotransformação / [canalizado por] Eva Pierrakos ; compilado e organizado por Judith Saly ; tradução de Euclides L. Calloni, Cleusa M. Wosgrau. -- São Paulo : Cultrix, 2007.

Título original : The pathwork of self-transformation
12ª reimpr. da 1ª ed. de 1993.
ISBN 978-85-316-0004-3

1. Autorrealização 2. Obras psicografadas 3. Vida espiritual I. Pierrakos, Eva, 1915-1979. II. Saly, Judith.

07-2303   CDD-133.93

Índices para catálogo sistemático:
1. Mensagens espíritas : Espiritismo 133.93

Direitos de tradução para a língua portuguesa adquiridos com exclusividade pela EDITORA PENSAMENTO-CULTRIX LTDA, que se reserva a propriedade literária desta tradução.
Rua Dr. Mário Vicente, 368 – 04270-000 – São Paulo, SP – Fone: (11) 2066-9000
http://www.editoracultrix.com.br
E-mail: atendimento@editoracultrix.com.br
Foi feito o depósito legal.

Agradecimentos

A Pathwork Foundation expressa seus agradecimentos à entusiástica equipe editorial que colaborou na preparação desta obra: Judith Saly, Jan Bresnick, John Saly, Donovan Thesenga, Susan Thesenga, Iris Connors, Rebecca Daniels e Hedda Koehler.

Sumário

Introdução 13

1. *O que é o caminho?* 19
   - Anseio por um estado de consciência mais amplo e pleno 20
   - O desejo falso 21
   - O anseio realista 21
   - Aprender a suportar o estado de felicidade 23
   - O caminho e a psicoterapia 24
   - O caminho e a prática espiritual 24
   - Como encontrar o seu verdadeiro eu 25
   - A positividade e a negatividade são uma única corrente de energia 27
   - "Imagens" ou conclusões errôneas 28
   - Progresso no caminho 30
   - A liberação do eu espiritual 33
   - Deixando de lado as ilusões 33
   - A vida permeada pelo espírito 34

2. *A auto-imagem idealizada* 37
   - O eu superior, o eu inferior e a máscara 37
   - Medo do sofrimento e do castigo 39
   - A máscara moral do eu idealizado 40
   - A aceitação de si mesmo 42
   - O tirano interior 42
   - Afastamento do verdadeiro eu 44
   - A renúncia ao eu idealizado 46
   - A volta para casa 47

7

3. *A compulsão de recriar e de superar as feridas da infância* 49
   - A falta de um amor maduro 49
   - Tentativas de curar as feridas da infância na idade adulta 52
   - A falácia dessa estratégia 53
   - A revivescência das feridas da infância 55
   - Como deixar de recriar? 57

4. *O Deus real e a imagem de Deus* 61
   - O falso conceito de Deus 61
   - A dissolução da imagem de Deus 64
   - Deus não é injusto 65
   - O verdadeiro conceito de Deus 65
   - As eternas leis divinas 67
   - Deus está em você e cria por seu intermédio 69

5. *Unidade e dualidade* 71
   - O caminho para o plano unificado é a compreensão 72
   - Empecilhos para a descoberta do verdadeiro eu 79
   - Seu ego *versus* seu centro divino 80
   - A transição do erro dualista para a verdade unificada 83

6. *As forças do amor, de eros e do sexo* 86
   - O significado espiritual da força erótica 87
   - A diferença entre eros e amor 88
   - O medo de eros e o medo do amor 89
   - A força do sexo 90
   - A parceria ideal do amor 91
   - A busca da outra alma 92
   - As armadilhas do casamento 93
   - O casamento verdadeiro 95
   - A separatividade 96
   - A escolha do parceiro 96
   - Eros como ponte 97

7. *O significado espiritual do relacionamento* 104
   - O desenvolvimento desigual das partes da consciência 105
   - Elementos de divergência e de unificação 106
   - A realização como medida padrão de desenvolvimento pessoal 107
   - Quem é responsável pelo relacionamento? 108
   - Interações destrutivas 110
   - Como alcançar a realização e o prazer 112

8. *O desenvolvimento emocional e sua função 116*
- O entorpecimento dos sentimentos para evitar a infelicidade 118
- O isolamento 119
- A necessidade de exercitar as emoções 120
- O afloramento dos sentimentos imaturos 122
- Como ativar o processo de desenvolvimento 124
- O que é segurança verdadeira? 125
- Se os sentimentos são tolhidos, o amor não pode crescer 126

9. *Verdadeiras e falsas necessidades 132*
- O despertar dos potenciais espirituais latentes 133
- A não-satisfação das legítimas necessidades da criança 134
- Como superar o sofrimento das necessidades legítimas não-satisfeitas 136
- A superação da resistência em expor necessidades falsas 137
- O sofrimento atual é conseqüência da busca de falsas necessidades 139
- O abandono da exigência de satisfação das necessidades irreais 140

10. *Infinitas possibilidades de experiência tolhidas pela dependência emocional 142*
- Tudo no mundo existe em estado de potencialidade 143
- A motivação negativa impede novas perspectivas 144
- Um conjunto difundido de concepções errôneas 145
- Artifícios para esconder dos outros nossa fraqueza e dependência 146
- A criança dependente que existe em você ainda quer a aprovação dos outros 146
- Círculo vicioso e corrente de pressão 148
- Abandono – libertação 151
- Retire a amarra do seu pescoço 153

11. *O sentido espiritual da crise 156*
- A força autoperpetuadora das emoções negativas 158
- A crise pode pôr um fim à autoperpetuação negativa 159
- O crescimento é possível sem "noites escuras" 160
- Crise exterior e crise interior 161
- A superação das crises 162
- A mensagem das crises 164

12. O sentido do mal e sua transcendência 170
- O mal existe? 171
- A aceitação correta do mal 172
- O mal como poder criador distorcido 173
- A libertação da beleza interior 176
- A transformação 177

13. Auto-estima 180
- O conflito interior entre auto-indulgência e auto-rejeição 181
- O que produz o respeito por si mesmo? 182
- O uso do poder da mente consciente 183
- Conexão com a vida instintiva 188
- A unificação do amor e do prazer 191

14. Meditação em relação a três vozes: ego, eu inferior, eu superior 193
- O ego como mediador 194
- A atitude meditativa 196
- As mudanças efetuadas pela meditação do "caminho" 197
- A reeducação do eu destrutivo 199
- Uma técnica para começar a meditação 203
- Reconciliação dos paradoxos da sua vida 203

15. Conexão entre o ego e o poder universal 207
- O princípio de vida universal e o ego "desmemoriado" 207
- O conflito entre o anseio e o temor do eu verdadeiro 209
- Interpretações errôneas do princípio de vida universal por parte da religião 210
- Como renunciar ao ego 212
- Analogia com a lei da gravidade 212
- A reação humana ao verdadeiro eu – vergonha e fingimento 214
- O simbolismo bíblico da nudez 216

16. Consciência: fascínio com a criação 218
- Conhecimento, sentimento e vontade como ferramentas da consciência criadora 219
- Três condições para conhecer a si mesmo como espírito universal 220
- Auto-observação e purificação em três níveis 223
- A origem do "pecado" ou do mal 225
- Como sair da criação negativa 229

17. O vazio criador 232
- Como se abrir à nova consciência 233
- O caminho conduz através de contradições aparentes 234
- Uma nova plenitude começa a se manifestar 235
- A abertura do circuito fechado da mente 236
- Como tornar sua mente um instrumento de unificação 239
- Em direção ao vazio 240
- A experiência efetiva 241
- A nova pessoa como receptáculo da inteligência universal 242
- A função do intelecto na nova pessoa 243
- Entrada na vida nova e mais ampla 244

A voz interior: Uma meditação inspirada pelo Guia 245

Panorama geral: O Guia, Eva Pierrakos e a Fundação Pathwork 247

Lista das palestras da "Pathwork Foundation" 250

Introdução

A leitura que você agora inicia o ajudará a ver a si mesmo e à vida sob uma nova luz, independentemente do lugar onde resida, da profissão que exerça, dos problemas que tenha e da idade em que se encontre. Esta nova luz concilia a razão com o amor e ilumina um caminho que conduz ao seu eu mais profundo.

O conteúdo deste livro foi obtido mediante canais. Seu verdadeiro autor é um ser desencarnado que não atribuiu nenhum nome a si mesmo, e por isso passou a ser conhecido como o Guia. Por intermédio de Eva Pierrakos, ele pronunciou 258 palestras sobre a natureza da realidade psicológica e espiritual e sobre o processo do desenvolvimento espiritual pessoal. Este processo ficou conhecido como o Caminho, e as transmissões receberam o título de Palestras do Caminho ou Palestras do Guia.

Existem muitos livros de conteúdo canalizado hoje em dia; por esta razão, é bom que nos empenhemos ao máximo para que o possível leitor tenha condições de distinguir este livro dos muitos outros. As duas características principais que diferenciam a orientação do Caminho são:

1. Os ensinamentos canalizados do Guia do Caminho traçam um *caminho completo* para a transformação pessoal e para a auto-realização espiritual.

2. Este caminho inclui uma compreensão profunda da negatividade pessoal — suas origens, conseqüências, e um processo para situá-la e transformá-la. Este processo, como é ensinado pelo Guia, não tem semelhante em nenhum outro tempo ou lugar.

O *trabalho psicológico pessoal* tem por objetivo possibilitar nossa auto-realização, concretizar nosso potencial humano individual para a execução de uma tarefa significativa no mundo e para o desenvolvimento de relações afetuosas com os outros. A *prática espiritual* tem por objetivo alcançar a iluminação, ou a consciência unitiva, nossa unicidade com todas as coisas. A meta principal do trabalho espiritual é conhecer nossa identidade mais profunda como seres inspirados por Deus, plenos de amor e de luz.

Um *caminho completo* deve orientar-nos, quer quanto às frustrações que nos detêm na realização da nossa vida pessoal, quer quanto às limitações que impedem nosso despertar espiritual. A maioria das propostas de desenvolvimento pessoal e espiritual nos ajuda apenas em parte nessa jornada. Ainda continuamos a nos perguntar: *Como posso ir de onde estou para onde quero estar?*

Grande parte do material canalizado atual, à semelhança da tradição esotérica da maioria das religiões, afirma que somos nós que criamos nossa própria realidade. *Mas se isso é verdade, se sou eu que de fato crio minha vida, que parte de mim cria situações que reputo absolutamente desagradáveis? Por que meu trabalho de criação não dá origem à vida que acredito querer? Por que é tão difícil mudar alguns aspectos meus?*

A contribuição mais valiosa dada pelo Guia à moderna busca psicológica e espiritual é um modo prático, racional e honesto de passarmos de onde estamos para onde queremos estar. Todos os mestres espirituais descrevem o estado iluminado de amor e harmonia em que a pessoa se sente unida a todos e se entrega alegremente a Deus. Também tivemos ocasião de ler descrições que psicólogos humanistas e transpessoais fizeram da vida plena vivida pela pessoa auto-realizada.

Se somos honestos com nós mesmos, porém, sabemos que não atingimos essas metas. Necessitamos de algo que nos leve a aceitarnos totalmente como somos agora e que nos oriente a trabalhar com o que bloqueia nossa evolução pessoal e espiritual. Precisamos de mapas da psique que não idealizem nem dourem nossas deficiências humanas. O Caminho elabora um mapa da consciência humana que inclui nossos demônios e nossos anjos, a criança vulnerável e o adulto competente, os interesses mesquinhos do ego e também os anseios visionários sublimes.

14

Precisamos de orientação que nos ampare à medida que nossos passos nos levam da pessoa que somos agora para a pessoa mais elevada, mais realizada e mais consciente que podemos ser. O Caminho nos incentiva a parar de tentar fingir que somos uma imagem idealizada de nós mesmos, a pessoa que pensamos que deveríamos ser. O Guia nos ajuda a aquietar-nos na aceitação da maneira que honestamente somos e do que honestamente sentimos, momento a momento. Se formos autênticos com nós mesmos, poderemos descobrir dentro de nós sentimentos e atitudes desagradáveis e egocêntricas.

Apesar disso, porém, não nos sentimos pessoas más. Gostaríamos de seguir a Regra de Ouro. A maioria de nós acredita que se pudéssemos amar a nós mesmos, e a nosso próximo como a nós mesmos, nos sentiríamos bem melhor. *Por que é tão difícil para mim fazer isso? Por que continuo a ser tão egocêntrico ou, alternativamente, tão autodepreciativo?*

Falando de maneira geral, recebemos bem pouca ajuda efetiva nessas questões. A maioria das religiões nos prescreve mandamentos morais, freqüentemente reforçados por culpa ou medo, ameaças ou persuasão, e assim não fazemos emergir nossa negatividade. Quando falhamos, como inevitavelmente acontece, somos admoestados a tentar com mais empenho. Somos orientados a oferecer nossas imperfeições a outra pessoa – a Cristo, à igreja ou ao guru. Ou, numa orientação mais moderna, espera-se que nos "elevemos" acima de nossas limitações e que consideremos nossa negatividade como ignorância meramente temporária de nossa divindade. *Como posso reconhecer minha negatividade sem dourá-la ou sem ser por ela destruído?*

Nem tampouco a maioria das tendências psicológicas responde a essas perguntas. Muito pelo contrário, elas até nos desestimulam inadvertidamente no sentido de assumir a responsabilidade total por nossa negatividade. Por ser a culpa uma emoção muito deprimente, em geral o enfoque psicológico nos encoraja a não pensarmos em nós mesmos como pecadores ou mesmo como imperfeitos. De um modo ou de outro, podemos lançar a culpa nos outros – nossos pais, nossas vidas passadas, nas normas repressivas da sociedade. Consideramo-nos vítimas. Descarregamos nossos sentimentos maus sobre os que achamos que nos magoaram e esperamos que os pensamentos ruins e sentimentos negativos se dispersarão. Mas isso não acontece.

Tenho de viver com minhas imperfeições? Se não posso superá-las, sou condenado por elas? Intimamente tememos ser intrinsecamente maus, a ponto de não podermos mudar. Esta é a fonte de grande parte de nosso desespero e desânimo.

As Palestras do Caminho nos oferecem o elemento que falta para o desenvolvimento pessoal e que está ausente tanto na abordagem contemporânea como na tradicional. Ao mesmo tempo que nos oferece a perspectiva espiritual de que somos fundamentalmente divinos, de que em nosso centro somos um com tudo o que é, o Guia ensina que todos temos uma camada de negatividade a que chama de *eu inferior*. O eu inferior é aquela parte de nós que de modo ativo, embora em geral inconsciente, *escolhe* a negatividade, a separação, o egoísmo, o medo e a desconfiança. Entretanto, visto que o eu inferior, em última análise, é uma distorção da energia divina que anima o universo, ele pode ser novamente transformado em sua original vitalidade afirmadora de vida. Nas Palestras do Caminho, o Guia nos mostra *como* essa transformação ocorre.

É tarefa muito árdua posicionar-se frente a frente com o eu inferior, e a maioria de nós gostaria de evitar esse encontro. É por isso que nos agarramos às nossas auto-imagens idealizadas. Esta é a razão por que evitamos o trabalho emocional profundo onde tais sentimentos negativos se manifestam. Entretanto, o reconhecimento e a aceitação de nossas emoções negativas não são tão difíceis quando temos a perspectiva e a experiência espirituais que nos dizem que nossa essência é divina. Os sentimentos turbulentos que encontramos dentro de nós podem ser transformados quando os reconhecemos sem fugas e aprendemos a reconvertê-los em sua natureza divina original. Como diz o Guia:

Além das portas da percepção da sua fraqueza, posta-se a sua força.
Além das portas da percepção da sua dor, posta-se o seu prazer e a sua alegria.
Além das portas da percepção do seu medo, posta-se a sua segurança e a sua proteção.
Além das portas da percepção da sua solidão, posta-se a sua capacidade de ter realização, amor e companhia.
Além das portas da percepção da sua desesperança, posta-se a verdadeira e justificada esperança.

Além das portas da aceitação das carências da sua infância, posta-se a sua realização agora.

O Guia nos oferece não apenas um enfoque espiritual ao problema do mal, mas também um caminho sistemático e completo para liberar a luz que se oculta atrás de nossas imperfeições. Gentil e amorosamente, ele nos conduz através de nossa escuridão. A prática da confrontação honesta e compassiva com o eu inferior, ao mesmo tempo que nos faz aderir cada vez mais solidamente ao eu superior, acarreta a libertação pessoal suprema. Este é um caminho de fortalecimento através da auto-responsabilidade.

A experiência iluminadora maior é ser capaz de relacionar os acontecimentos da própria vida – tanto os positivos como os negativos – com as forças interiores que os criaram. Ela nos conduz para casa, para o cerne unitivo em nós mesmos, para nossa identidade criadora verdadeira.

* * *

As palestras aqui incluídas foram cuidadosamente selecionadas para representar os ensinamentos fundamentais do Guia e para nos mostrar um panorama amplo e geral. Recomendamos sua leitura em seqüência, pois os conceitos são introduzidos gradual e progressivamente. Todavia, você terá condições de compreendê-las mesmo que prefira os títulos que mais lhe chamarem a atenção.

Você pode trabalhar com as palestras individualmente, praticando os exercícios de autoconscientização propostos pelo Guia. É também aconselhável formar um pequeno grupo no qual as palestras possam ser discutidas e onde o trabalho sobre si possa ser compartilhado. Os Centros ligados à Pathwork Foundation oferecem *workshops* introdutórios e programas continuados de ensino e treinamento que podem ajudá-lo a aplicar o material das palestras em seu desenvolvimento pessoal. Esses mesmos Centros treinaram colaboradores que têm condições de dar atendimento a indivíduos e a grupos. Você pode também utilizar as Palestras do Caminho em suas sessões com um terapeuta de linha espiritualista. Muitos psicoterapeutas e psiquiatras já perceberam que as palestras do Guia contêm material sobre a transformação da negatividade que *não se encontra em nenhum outro lugar.* E muitos clérigos e outras pessoas que prestam assistência espiritual utilizam essas conferências como apoio prático para concretizar sua vocação. De fundamental importância em tudo isso é o compromisso com sua verdade pessoal, com seu próprio caminho interior.

Os ensinamentos do Guia ensejam nossa purificação para que possamos cumprir nossa missão na Terra, para que nos tornemos pessoas auto-realizadas e para que aprendamos a amar no verdadeiro sentido da palavra. Como membros da sociedade, nossa tarefa é transformar o planeta Terra e criar uma irmandade global através da difusão da nova consciência e do desenvolvimento de novos meios de comunicação, interação e de solução de problemas. A compreensão de nossa evolução pessoal como parte da evolução do planeta Terra e o esforço de nos tornarmos co-criadores conscientes de uma realidade nova e expandida constituem as metas mais auspiciosas e positivas deste caminho.

Absorver essas conferências é começar a *trilhar o Caminho*. Permita que elas o toquem profundamente, na sua mente e no seu coração. E que essas palestras sejam instrumento de inspiração.

Judith Saly e Donovan Thesenga

1
O que é o caminho?

Uma jornada das regiões conhecidas para as desconhecidas da alma é semelhante à busca narrada nos contos de fada. O herói ou heroína inexperiente abandona seu mundo familiar, comum, movido pelo anseio de encontrar uma vida mais rica, diferente da rotina ordinária de uma existência limitada. Seguem-se imediatamente encontros ameaçadores e provas de todos os tipos. Se você passar nos testes, encontrará a felicidade. O prêmio será a riqueza e um companheiro de vida; você se tornará rei ou rainha: um adulto realizado.

Se levada a sério, a busca interior também requer coragem, passa por regiões de trevas, conduz à maturidade – e o tesouro sempre é encontrado. Como nos contos de fada, o herói não fica à espreita do dragão, mas o ataca, e não foge da velha bruxa, mas lhe presta ajuda, assim, você também deve enfrentar suas forças destrutivas interiores e lidar com elas.

Nesta palestra, o Guia mostra como acompanhar o anseio e como liberar os poderes latentes no seu interior, para que você possa encontrar o tesouro do seu Eu divino, sábio e amoroso.

* * *

Meus amigos, saúdo a todos vocês e lhes dou minhas boas-vindas. Sejam todos abençoados. Na palestra de hoje, eu gostaria de falar sobre o caminho que leva à realização de seus anseios mais profundos.

Anseio por um estado de consciência mais amplo e pleno

Todo ser humano sente um anseio interior mais profundo do que os anseios de realização emocional e criativa, embora esses, sem dúvida, façam parte do desejo mais íntimo e essencial. Este anseio provém da sensação de que *deve existir um outro estado de consciência, mais plenificador, e uma capacidade maior para viver a vida.* Ao traduzir esse anseio em termos conscientes, você se envolve em confusões e contradições. As confusões e as aparentes contradições derivam da consciência dualista da mente humana. O dualismo está sempre presente, pois os humanos percebem a realidade em termos de ou...ou, bom ou mau, certo ou errado, preto ou branco. Esta maneira de perceber a vida, quando muito é apenas meia verdade: pode-se perceber apenas fragmentos de realidade; a verdade plena jamais pode ser encontrada. A verdade sempre vai mais além do modo dualista de ver a realidade.

Uma dessas confusões pode ser: "Estou almejando algo irreal? Não seria sinal de maior realismo e maturidade deixar de lado essas aspirações e aceitar o fato de que a vida é pura e simplesmente esse lugar raso, sombrio e cinzento? Não ouvimos sempre dizer que a aceitação é necessária para estarmos em paz com nós mesmos e com a vida? Em vista disso, eu realmente deveria deixar de lado esses anseios."

A saída para essa sua confusão só pode ser encontrada quando você der um passo além do dualismo implícito nesse dilema. É verdade que você deve aceitar seu estado atual. É verdade que a vida, como se manifesta, não pode ser perfeita. Todavia, não é este fato que o torna infeliz. O que cria o problema é sua exigência de que a vida deve ser perfeita e de que lhe deve ser entregue em sua perfeição. Se você for bastante fundo, irá inevitavelmente descobrir que existe uma parte sua que nega a dor e a frustração; um lugar onde você abriga a raiva e o rancor porque não existe uma autorização amável e disponível que eliminará por você as experiências que lhe são indesejáveis. Assim, é verdade que seu anseio por este tipo utópico de estado de maior felicidade é irreal e deve ser abandonado.

O desejo falso

Significa isto que o anseio *per se* brota de atitudes imaturas, ambiciosas ou neuróticas? Não, meus amigos, não é assim. Existe uma voz interior que lhe diz que *a vida é muito mais, que você mesmo é muito mais do que é capaz de vivenciar neste momento.* Como, então, podemos ter clareza sobre o que é real e o que é falso com relação a nossos anseios mais profundos? O desejo é falso quando sua personalidade deseja amor e realização, perfeição e felicidade, ou prazer e expansão criadora sem pagar o preço de uma autoconfrontação mais rigorosa. É falso quando você não assume a responsabilidade por seu estado atual ou pelo estado ao qual aspira. Por exemplo, se você se entristece consigo mesmo por sua vida vazia, e se de algum modo culpa os outros por seu estado atual, não importa quão errados esses outros possam estar, quer sejam seus pais, seus companheiros, seus amigos, ou a vida como um todo, então você não está assumindo nenhuma responsabilidade. Se este for o caso, de certo modo você desejará receber também o estado novo e melhor como uma recompensa não merecida. Você pode tentar ser um seguidor obediente de uma alta autoridade apenas para ser recompensado. Na verdade, porém, visto que o prêmio nunca vem de fora, independentemente do que faça, você se sentirá desapontado, ressentido, ludibriado e raivoso, e apelará sempre de novo a seus padrões antigos e destrutivos que são os verdadeiros responsáveis pelo estado que cria seu anseio não realizado.

O anseio realista

O anseio é realista quando você parte da premissa de que a *pista para a realização deve estar em você*; quando você deseja descobrir as atitudes que o impedem de viver a vida de uma maneira plena e significativa; quando interpreta o anseio como uma mensagem oriunda do âmago do seu ser interior, mensagem essa que o dirige por um caminho que o ajudará a encontrar o seu verdadeiro eu.

Entretanto, quando a mensagem interior é mal interpretada pela personalidade negativa, ambiciosa, mesquinha e exigente, a confusão se instala. Nesse caso, o anseio entra por canais de fantasias mágicas irrealizáveis. Você acredita que a realização lhe é devida como direito em vez de ser conquistada através da coragem e da honestidade de olhar para si como é agora, mesmo para áreas que preferiria evitar. Se uma situação de vida for dolorosa e você reagir com raiva, queixas e outras defesas contra o viver essa dor de modo limpo, você não estará sendo verdadeiro com relação a seu estado presente. Mas se apenas deixar que a dor aconteça, e se a sentir sem usar de artifícios como "ela vai acabar comigo", ou "durará para sempre", a experiência liberará energias criadoras intensas que trabalharão cada vez mais a seu favor e abrirão os canais para seu eu espiritual. O fato de sentir a dor também produzirá uma compreensão mais profunda, plena e sábia das relações entre causa e efeito. Por exemplo, você verá como chegou a atrair este determinado sofrimento. Uma percepção intuitiva assim pode não se manifestar imediatamente, pois quanto mais você a forçar, mais ela o evitará; mas manifestar-se-á se você parar de lutar e de resistir interiormente.

Não abandone o anseio em si. Leve-o a sério. Na verdade, cultive-o e aprenda a compreendê-lo, de modo a poder seguir sua mensagem e tomar o caminho interior para seu íntimo; aborde o aspecto que você procura evitar, que é o verdadeiro culpado e único responsável por seu estado de vazio e de insatisfação.

Não abandone o anseio que provém da sensação de que sua vida pode ser muito mais, de que existe um estado em que você pode viver sem confusões dolorosas e perturbadoras, um estado em que você pode operar num nível de elasticidade, de satisfação e de segurança interior, em que você é capaz de sentimentos profundos, de prazer elevado e tem condições de expressá-los, em que pode entregar-se à vida sem medo porque não mais teme a si mesmo. Então, você passará a considerar sua vida e até os problemas que ela lhe traz como um desafio estimulante. Se seus problemas internos puderem tornar-se um desafio que dê sabor à sua vida, a paz resultante será ainda mais doce. O enfrentamento desses problemas lhe proporcionará uma percepção da sua própria força, da sua riqueza de recursos e da sua habilidade criadora. Você sentirá o eu espiritual fluir através de suas veias, de seus pensamentos, de sua visão e de suas percepções, levando-o a tomar decisões a partir do âmago do seu ser. Quando você adotar esse modo de viver, problemas externos ocasionais serão o sal da sua vida e se tornarão quase agradáveis. Eles serão cada vez mais raros, e um viver de paz, de alegria e de criatividade se tornará a regra.

Aprender a suportar o estado de felicidade

Na situação presente, o mais triste de seu anseio é que no seu foro mais íntimo você sabe que seu corpo e sua alma são incapazes de aceitar e de sustentar um prazer intenso. O prazer se faz presente em todos os níveis, no espiritual, no físico, no emocional e no mental. Entretanto, o prazer espiritual, separado dos níveis de funcionamento diário, é uma ilusão, porque a verdadeira felicidade espiritual compreende a personalidade global. Portanto, a personalidade deve aprender a suportar um estado de felicidade. Mas ela não conseguirá fazer isso se não aprender a suportar tudo o que estiver contido no interior da psique neste momento: dor, mesquinharia, malícia, ódio, sofrimento, culpa, medo, pavor. Todos esses conteúdos devem ser transcendidos. Então, e somente então, poderá a personalidade humana funcionar num estado de felicidade. O desejo que você tem de experimentar mais prazer é uma mensagem para que trilhe um caminho que lhe propicie a possibilidade de ser feliz.

O estado de existência que descrevi não precisa ser deixado de lado como irreal ou utópico. Não precisa ser deixado de lado porque você o merecerá e o tornará seu próprio passando por tudo o que o impeça de experimentá-lo. Esse estado já existe dentro de você como um potencial latente. Não é algo que lhe possa ser dado por outros ou que possa ser alcançado através do estudo ou do esforço. Ele se desenvolve organicamente como um subproduto do seu avanço num caminho como este que tenho o privilégio de mostrar-lhe.

Isto nos leva à questão básica do que seja o caminho. Este caminho não é novo: ele existiu sob muitas formas diferentes durante todo o tempo da existência dos seres humanos nesta Terra. As formas e os modos mudam à medida que a humanidade evolui, mas o caminho fundamental permanece o mesmo. O caminho particular — o "Caminho" — pelo qual eu o oriento está ancorado na sabedoria antiga e perene e, todavia, é também novo. Ele oferece ajuda para o seu desenvolvimento psicológico e espiritual no atual estágio crítico da evolução da humanidade.

O caminho e a psicoterapia

Este caminho não é psicoterapia, embora alguns de seus aspectos devam necessariamente ter relação com áreas tratadas também pelas ciências psicoterapêuticas. No esquema geral do caminho, a abordagem psicológica é apenas uma questão colateral, uma maneira de lidar com as obstruções. É fundamental tratar das confusões, das concepções interiores errôneas, das incompreensões, das atitudes destrutivas, das defesas alienantes, das emoções negativas e dos sentimentos entravados, questões essas que também a psicoterapia procura abordar e nas quais, inclusive, concentra sua meta fundamental. Em contraposição, o caminho adentra sua fase mais importante somente depois de concluir este primeiro estágio. A segunda fase, a mais importante, consiste em aprender a ativar a consciência maior que habita em cada alma humana.

Muitas vezes a segunda fase se sobrepõe à primeira, relativa à superação dos bloqueios, porque a segunda fase do caminho, ou fase espiritual, é essencial para executar efetivamente a primeira. A primeira parte do trabalho não pode ser bem-sucedida se o contato com o eu espiritual não for regularmente cultivado e utilizado. Entretanto, quando e como isto pode ser feito varia muito e depende da personalidade e da predisposição, dos preconceitos e dos bloqueios do indivíduo que se aventura nessa jornada. Quanto antes você puder usar, explorar e ativar a fonte inexaurível da força e inspiração interiores, mais fácil e rapidamente terá condições de lidar com as obstruções. Fica, assim, claro em que este caminho difere da psicoterapia, embora alguns pontos básicos e mesmo métodos possam, às vezes, assemelhar-se-lhe.

O caminho e a prática espiritual

Este caminho também não é uma prática espiritual que tenha como meta alcançar uma consciência espiritual superior. Existem muitos métodos e práticas que procuram a realização do eu espiritual. Embora utilizando métodos válidos para alcançar esse objetivo de maneira forçada, muitas disciplinas espirituais não dão a devida atenção àquelas áreas do ego que estão mergulhadas na negatividade e na destrutibilidade. Qualquer sucesso alcançado desse modo tem sempre vida curta e é ilusório, embora algumas experiências possam ser genuínas. Um estado espiritual obtido de maneira tão unilateral não é sólido e não pode ser mantido a menos que seja incluída a personalidade como um todo. Visto que os seres humanos relutam em aceitar e em lidar com certas partes de si mesmos, eles freqüentemente buscam refúgio em caminhos que prometem ser possível evitar essas áreas interiores problemáticas. Se, para você, um caminho espiritual é a prática da meditação pela própria meditação, ou pela esperança de alcançar experiência e consciência cósmicas de felicidade, então não é este o caminho que você deve seguir.

É grande a tentação de fazer uso de práticas espirituais para obter felicidade e realização e para evitar negatividades, confusões e sofrimentos já existentes. Mas essa atitude aborta o propósito; ela provém da ilusão e a ela reconduz. Uma dessas ilusões é que qualquer coisa que exista em você possa ser evitada. Outra é a crença de que o que existe em você precisa ser temido e negado. A verdade, porém, é que, por mais destruidor que seja, qualquer aspecto em você pode ser transformado. Somente quando você evita o que está no seu interior é que sua ilusão torna-se verdadeiramente nociva a você e aos outros.

Deixe-me recapitular o que disse até agora. Este caminho não é psicoterapia, nem é um caminho espiritual no sentido comum da palavra; mas, ao mesmo tempo, ele é ambas as duas realidades. Será útil levar em conta os pontos que seguem se você estiver considerando a possibilidade de iniciar esta jornada.

Como encontrar o seu verdadeiro eu

Ao longo deste caminho, você inicia uma jornada que o introduz no novo território do seu universo interior. Quer você tenha passado por análise terapêutica – satisfatória e bem-sucedida ou não – quer esteja perturbado e precise de ajuda para viver sua vida de modo pleno, ainda assim, e por bastante tempo, você precisará prestar atenção principalmente àquelas suas áreas interiores que são negativas, destrutivas e que estão equivocadas. Você pode não gostar de fazer isso, mas se realmente deseja encontrar o seu verdadeiro eu, o âmago do seu ser do qual brota todo o bem, este enfoque se faz imprescindível. "Quanto tempo durará?", você pode perguntar. Isto depende do seu próprio estado mental ou sentimental e da manifestação da sua vida exterior. Quando suas negatividades interiores forem superadas, este novo estado se expressará por si mesmo em sua vida: não haverá nenhuma dúvida. Seu caminho conduzi-lo-á organicamente a interesses e enfoques diferentes. A meta deste caminho não é curá-lo de alguma doença mental ou emocional, embora possa fazer isso muito bem e o fará se você fizer o trabalho. Mas você não deve iniciar esse caminho com essa finalidade em mente.

Não entre nesse caminho se espera que ele o fará esquecer sua tristeza e dor ou que lhe permitirá encobrir os aspectos de sua personalidade que você menos aprecia ou mesmo que rejeita cabalmente. Sua rejeição pode não ser "neurótica". Você pode estar certo em rejeitar esses aspectos, mas não está certo em acreditar-se desesperançadamente mau devido a eles. Assim, este caminho deve ensinar-lhe a enfrentar tudo o que esteja em você, porque, só quando fizer isso poderá verdadeiramente amar a você mesmo. É só então que poderá encontrar sua essência e seu verdadeiro Eu divino. Se quiser encontrar sua essência, mas se recusar a encarar o que está em você, então este caminho aqui indicado não é o seu caminho.

Não há como negar que a expansão da consciência de uma mente limitada é tarefa tremendamente difícil, porque todos os seres humanos dispõem apenas de uma mente limitada quando começam. Esta mente limitada deve transcender a si mesma para poder exercer sua força e realizar seu escopo ilimitado. Por isso, este caminho exige constantemente que sua mente transponha o abismo de suas próprias limitações pela consideração de novas possibilidades e pela acolhida de outras alternativas para o eu, para a vida e para a expansão do eu na vida.

Não se engane: este não é um caminho fácil. Mas a dificuldade não é incontornável nem insuperável. Ela existe apenas enquanto a personalidade tem interesse em evitar aspectos do eu. Quando você assume o compromisso de ser verdadeiro com o eu, a dificuldade se dissipa. E o que inicialmente parecia uma dificuldade, agora passa a tornar-se um desafio, uma jornada excitante, um processo que torna a vida tão intensamente real e plena, tão segura e plenificadora, que você não desejará renunciar a ela por nada neste mundo. Em outras palavras, a dificuldade existe exclusivamente na falsa crença de que se você tem uma certa atitude negativa, então tudo em você é mau. Tal crença faz com que seja difícil ou mesmo impossível encarar o eu. Daí ser necessário descobrir as crenças subjacentes a qualquer resistência forte de enfrentar as áreas sombrias do eu.

Este caminho exige de você o que a maioria das pessoas não tem a menor disponibilidade de dar: *lealdade para com o eu, revelação do que existe agora, eliminação de máscaras e dissimulações e a experiência da própria vulnerabilidade.* É uma exigência rigorosa, mas é a única que leva à paz e à plenitude autênticas. Uma vez comprometido com ela, porém, não é mais uma exigência rigorosa, mas sim um processo orgânico e natural.

A positividade e a negatividade são uma única corrente de energia

Este caminho é simultaneamente o mais difícil e o mais fácil. Tudo depende apenas de que perspectiva você o observa e decide experimentá-lo. A dificuldade pode ser medida em termos da veracidade para com você mesmo. Dependendo do quanto você deseja a verdade, o caminho não parecerá difícil demais nem dará a impressão de tratar "em demasia o lado negativo da vida e do eu", nas palavras de alguns de seus críticos. Porque, na essência, o negativo é o positivo. Negativo e positivo não são dois aspectos de energia e consciência: são uma única e mesma energia. Qualquer partícula de energia e consciência em seu eu que se tenha tornado negativa deve ser novamente transformada em seu modo positivo original de ser. Isto não pode ser feito sem que você assuma a responsabilidade plena pela negatividade presente em você.

A relutância em ser autêntico consigo mesmo aplica-se até mesmo às pessoas mais honestas. Uma pessoa pode ser notada por sua honestidade e integridade num nível, e todavia podem existir níveis mais profundos onde isso não ocorre. Este caminho conduz aos níveis mais sutis, ainda ocultos, difíceis de apontar com precisão, mas que certamente são verificáveis.

"Imagens" ou conclusões errôneas

Concepções errôneas formam-se desde a infância nesses níveis ocultos e inconscientes. Essas percepções distorcidas da realidade continuam a influenciar o comportamento do adulto. Elas se desenvolvem e terminam por se tornar conclusões firmemente arraigadas a respeito da vida, às quais gosto de chamar de "imagens", porque formam padrões rígidos como que encravados na substância da alma. Uma imagem é feita de concepções errôneas, de sentimentos distorcidos e de bloqueios físicos. Uma conclusão tirada de uma percepção distorcida é uma conclusão errônea; portanto, as imagens são realmente conclusões errôneas sobre a natureza da realidade, tão firmemente impressas na psique de uma pessoa que se tornam sinais de controle do comportamento nas situações da vida. Uma pessoa pode ter várias imagens, mas subjacente a todas elas existe uma imagem principal, a qual constitui a chave relativa à atitude negativa básica concernente à vida.

Vou dar alguns exemplos. Uma imagem formada devido a uma situação específica na família da criança pode ser a de que a manifestação de emoções, especialmente as de sentimentos afetivos, é um sinal de fraqueza e faz com que a pessoa termine magoada. Embora essa seja uma imagem pessoal, ela pode ser reforçada pela imagem de massa social que preconiza que a demonstração e a expressão física de sentimentos afetivos, especialmente para o sexo masculino, não são próprias de um homem e demonstram fraqueza porque denotam perda de controle. Em qualquer situação em que poderia abrir-se emocionalmente, um indivíduo com essa imagem irá sempre obedecer ao sinal das imagens em vez de responder à situação real ou à outra pessoa espontaneamente, o que seria a resposta positiva, afirmadora da vida. Seu modo de agir com relação aos outros também será tal que eles reagirão negativamente e confirmarão a sua falsa crença. Assim agindo, esse indivíduo se priva do prazer e comprime o fluxo de força da vida, criando tensões interiores e alimentando ainda mais a sua imagem. Criam-se desse modo padrões compulsivos negativos ou círculos viciosos que se autoperpetuam.

Outro exemplo: a menina ainda bebê chora porque está com fome, mas a mãe não a atende. Por outro lado, quando ela não chora, a mãe chega e a alimenta. Assim, a criancinha conclui que se ela expressa sua necessidade, não será ouvida, mas se não o fizer, receberá atenção. A conclusão a que chega, então, é esta: "Para satisfazer minhas necessidades, não devo demonstrar que tenho necessidades." Com essa mãe em particular, a não-expressão de uma necessidade talvez tenha funcionado realmente por algum tempo, mas, obviamente, uma atitude dessas, com o passar dos anos, irá produzir exatamente o resultado oposto. Uma vez que ninguém saberá que essa mulher tem qualquer necessidade específica, ninguém a preencherá. Entretanto, dado que ela desconhece totalmente sua "imagem", isto é, a conclusão errônea a respeito da manifestação das necessidades, porque há muito tempo se instalou em seu inconsciente, ela passará pela vida expondo suas necessidades cada vez menos, na esperança de que finalmente alguém a recompense por ser tão despretensiosa, e não entendendo por que não se sente realizada. Ela não sabe que é seu comportamento que faz com que a vida confirme sua crença errônea. Com efeito, as imagens têm um poder magnético.

As conclusões errôneas que formam uma imagem são tiradas em estado de ignorância ou de conhecimento incompleto e, portanto, não podem permanecer na mente consciente: e poderiam, inclusive, provir de encarnações anteriores. À medida que a criança cresce, seu conhecimento intelectual obtido mais recentemente entra em contradição com o "conhecimento" emocional antigo. A pessoa vai abafando o conhecimento emocional até que desapareça da visão consciente. Porém, *quanto mais o conhecimento emocional é asfixiado, mais forte se torna*. Assim, essas imagens inconscientes limitam o desenvolvimento do potencial da pessoa. Um grande esforço consciente deve, portanto, ser feito para levar essas imagens à consciência e para aprender a neutralizar sua força.

Para descobrir se imagens inconscientes desse tipo existem em você num nível mais profundo, você pode usar uma chave infalível que lhe dará respostas irrefutáveis. Essa chave é: Como você se sente com relação a si mesmo e a sua vida? Até que ponto sua vida tem sentido, é plena e rica? Você se sente seguro com os outros? Você se sente à vontade com relação a seu eu mais íntimo na presença de outros, ou pelo menos com certas pessoas com quem você tem alguns objetivos em comum? Quanta alegria você é capaz de sentir, de dar e de receber? Você é atormentado por ressentimentos, ansiedade e tensão ou pela solidão e por uma sensação de isolamento? Você precisa de superatividade para aliviar sua ansiedade? Na verdade, o fato de não sentir-se ansioso conscientemente não prova que você não tenha ansiedade. Muitos iniciam a caminhada sem consciência de sua ansiedade, mas se sentem estagnados, entorpecidos, apáticos e paralisados. Este pode ser um sinal de que a ansiedade foi superada por um processo amortecedor artificial. Este caminho não pode omitir a fase de levá-lo antes a sentir sua ansiedade e depois a sentir tudo o que a ansiedade esconde. É só então que a verdadeira sensação de viver começa a se manifestar.

O ânimo, o entusiasmo, a alegria e a fusão única de excitação e paz e que resultam em plenitude espiritual são resultado da verdade interior. Quando esses estados estão ausentes, é sinal que está ausente a verdade. A coisa é muito simples, meus amigos.

Por isso, se você está preparado para iniciar a jornada para dentro de você mesmo para descobrir, reconhecer e extrair o que estiver em você, se você tem condições de reunir toda sua verdade interior e todo o seu compromisso para com a jornada, se você encontrar a coragem e a humildade para não parecer outro que não você mesmo, e isso aos seus próprios olhos, então você tem todo o direito de esperar que este caminho o ajude a realizar plenamente a sua vida e a satisfazer seus anseios de todos os modos concebíveis. Esta é uma esperança realista. Você perceberá cada vez mais que é isso que acontece.

Progresso no caminho

Pouco a pouco você começará a agir a partir do seu centro mais íntimo, o que é uma experiência bem diferente daquela de atuar a partir da periferia. No momento, você está tão acostumado a esta última situação que não consegue sequer imaginar como poderia ser de outro modo. Agora você depende constantemente do que acontece ao seu redor. Você depende da consideração e da aprovação dos outros, de ser amado e de ter sucesso segundo os critérios do mundo exterior. Quer esteja ciente disso ou não, você luta interiormente para garantir a obtenção de todo esse apoio externo para ter paz e realização.

Quando você age a partir do centro, a segurança e a satisfação brotam de uma fonte interior profunda. Não estou dizendo, porém, que quando isso acontece você está fadado a viver sem aprovação, sem apreciação, amor ou sucesso. Esta é outra concepção dualista errônea. Você pensa: ''Ou vivo de acordo com o meu centro, e então devo privar-me de todo amor e reconhecimento dos outros e isolar-me, ou devo prescindir do meu eu interior porque não posso pretender uma vida tão solitária assim.'' Na realidade, quando você se propõe a atuar a partir do centro liberado do seu ser mais recôndito, você atrai toda a abundância da vida para você, mas não fica na dependência dela. Ela o enriquece e é a satisfação de uma necessidade legítima, mas não é a substância da vida. A substância está dentro de você.

Na vida saudável de todo ser humano deve haver troca, intimidade, comunicação, partilha, amor mútuo, prazer mútuo, o dar e o receber afeto e abertura. Ainda, todo ser humano precisa de reconhecimento pelo que faz. Mas há uma diferença enorme entre querer esse reconhecimento de uma maneira sadia e depender do reconhecimento exterior a ponto de tornar-se incapaz de viver sem ele o tempo todo. Neste último caso, o eu começa a sacrificar sua integridade de maneiras trágicas que custam cada vez mais. O eu verdadeiro é então traído e a busca de reconhecimento frustra a si mesma. Esse caminho dispõe de instrumentos para encontrar o seu centro, a realidade espiritual interior, profunda, e não uma fuga religiosa ilusória. Bem ao contrário, esse caminho é enormemente pragmático, porque a verdadeira vida espiritual nunca está em contradição com a vida prática na Terra. Deve haver harmonia entre esses dois aspectos do todo. Renunciar ao viver diário não é espiritualidade verdadeira. Na maioria dos casos, é simplesmente outro tipo de fuga. Para muitos, é mais fácil sacrificar algo e punir a si mesmos do que encarar e lidar com seus aspectos sombrios. A culpa por estes últimos é incessantemente expiada por autoprivações que supostamente se constituem em portas para o céu. Entretanto, essa culpa não pode ser eliminada a não ser que a personalidade se relacione diretamente com a escuridão interior. Nesse caso, o sacrifício e a privação se tornam não apenas desnecessários, mas até mesmo contraditórios para o verdadeiro desenvolvimento espiritual. O universo é abundante em satisfações, prazer e felicidade: os seres humanos devem vivê-los, e não renunciar a eles. Nenhuma quantidade de renúncia extinguirá a culpa por evitar a purificação da alma.

Gostaria de mencionar outra característica específica dos blo-

31

queios interiores que devem ser encarados para que possam ser transcendidos. É necessário primeiro compreender que todos os pensamentos e sentimentos são agentes poderosos de energia criadora. É irrelevante se os pensamentos são verdadeiros e sensatos ou falsos e limitados, e se os sentimentos são amorosos ou odiosos, raivosos ou benignos, de medo ou de tranqüilidade: sua energia cria de acordo com a natureza deles. Pensamentos e opiniões criam sentimentos, e ambos criam atitudes, comportamentos e emanações que, por sua vez, criam as circunstâncias da vida. Devemos nos relacionar com essas seqüências, compreendê-las e reconhecê-las plenamente. Este é um aspecto essencial do caminho.

O medo que você tem de seus sentimentos negativos é injustificado. Os sentimentos em si mesmos não são terríveis nem insuportáveis. Entretanto, suas crenças e atitudes podem transformá-los nisso. Os que seguem este caminho comprovam este processo constantemente, porque descobrem que a dor mais profunda é uma experiência revivificadora. Ela libera a energia contraída e a criatividade entorpecida. Ela possibilita às pessoas sentirem prazer na medida em que elas estão dispostas a sentir dor.

O mesmo se aplica ao medo. Sentir o medo em si não é algo arrasador: uma vez experimentado, o medo instantaneamente se torna um túnel pelo qual você passa, não liberando a sensação de medo até que ela o leve a um nível de realidade mais profundo. O medo é uma negação de outros sentimentos. Quando o sentimento original é aceito e vivenciado, o nó se desfaz. Assim, nunca é o sentimento em si que é insuportável: é a sua atitude que pode torná-lo tal.

O medo dos seus sentimentos faz com que você se afaste deles. Assim, você se separa da vida. Seu centro espiritual não pode se desenvolver, se manifestar e se unir a seu ego a menos que você aprenda a acolher plenamente todos os seus sentimentos, a deixar-se conduzir por eles e assumir responsabilidade por eles. Se responsabilizar os outros por seus sentimentos, você estará em dificuldades porque você ou os negará ou os exteriorizará de modo destrutivo contra os outros. Nenhuma dessas alternativas é desejável e nenhuma delas pode trazer qualquer solução.

A liberação do eu espiritual

Seu eu espiritual não pode ser liberado se você não aprender a viver todos os seus sentimentos e se não aceitar cada parte do seu ser, por mais destrutiva que possa ser agora. Por mais negativa, mesquinha, fútil ou egoísta que alguma parte de sua personalidade possa ser – em contraste com outras, mais desenvolvidas – é absolutamente necessário que todos os aspectos do seu ser sejam aceitos e trabalhados. Nenhum aspecto deve ser omitido ou encoberto na esperança presunçosa de que não interessará e de que de algum modo se dissipará. Mas, meus amigos, interessa. Nada do que está em você é desprovido de força. Por mais recôndito que um aspecto sombrio possa estar, ele cria condições de vida que você deve deplorar. Este é um dos motivos pelos quais você deve aprender a aceitar os aspectos negativamente criativos em você. Outro motivo é que *por mais destrutivo*, cruel e mau que possa ser, cada aspecto de energia e consciência é ao mesmo tempo belo e positivo em sua essência original. As distorções devem ser novamente transformadas em sua essência original. A energia e a consciência terão condições de tornar-se novamente fatores positivos de criação somente quando a luz do conhecimento e a intencionalidade positiva se concentrarem sobre elas. Se você não fizer isso, não poderá penetrar em seu âmago criador.

Deixando de lado as ilusões

Basicamente, o caminho é este. A grande dificuldade é que você se agarra às ilusões de como é, de como deveria ser, e de que não deveria ter certos problemas. A menos que se desvencilhe dessas ilusões e leve em consideração tudo o que está em seu interior, você continuará alienado de sua própria essência espiritual. Essa essência se auto-renova constantemente; está continuamente conciliando conflitos aparentemente insolúveis. Sua essência espiritual lhe fornece tudo o que você precisa para viver e para cumprir a missão que lhe foi destinada por nascimento. É seu centro divino. Assim, você é expressão de tudo o que existe – o todo-consciência. Enquanto você permanecer desligado desse centro por medo de renunciar à sua vaidade, seu anseio não terá condições de ser satisfeito, pois não há panacéia que possa lhe dar o que você precisa e justamente deseja sem tomar o caminho que o conduza na direção de suas próprias trevas e através delas. Práticas espirituais por si sós não têm condições de satisfazer seu anseio, independentemente do tempo que você permanecer sentado em meditação e concentração. A meditação e a visualização criativa, entretanto, podem ser instrumentos muito adequados quando usados em conjunto com a autoconfrontação.

Poucas, muito poucas pessoas nesta Terra desejam comprometer-se com o tipo de caminho que acabo de descrever-lhes. Mas, para aqueles que têm a coragem de prosseguir, inarredável e pacientemente, que glória os aguarda em seu centro mais íntimo!

A vida permeada pelo espírito

O caminho é maravilhoso quando você ultrapassa os estágios iniciais nos quais luta contra as suas próprias idéias falsas que sempre criam duas alternativas inaceitáveis. Quando o caminho se abre a partir do seu interior, você passa a experimentar, talvez pela primeira vez na vida, seu próprio potencial de ser, sua própria divindade. Você passa a sentir seu potencial para o prazer e para a segurança, a consciência de si mesmo e dos outros, e portanto seu poder infinitamente maior de se relacionar com os outros, compreendê-los e ficar com eles sem temê-los.

A decisão inicial de comprometer-se com um caminho como este deve ser tomada realisticamente, para que possa funcionar. Você está disposto a deixar de lado as ilusões sobre si mesmo e sobre suas expectativas – que procedem da sua resistência em deixar de se enganar a si mesmo – do que os outros deveriam fazer por você? Você está disposto a livrar-se de seus falsos medos de quais sentimentos deveria ou não deveria, poderia ou não poderia experimentar? Se você se comprometer consigo mesmo a aceitar-se totalmente como é agora e a continuar a tentar conhecer os aspectos seus que ainda não conhece, você descobrirá que está diante da mais excitante e significativa jornada para seu mundo interior. Você terá toda a ajuda de que precisar, pois ninguém consegue empreender essa jornada sozinho. A ajuda lhe será dada; ela chegará até você.

Quando seu centro espiritual começa a se manifestar, seu ego-consciência se integra com ele e você começa a ser "permeado", por assim dizer, pelo espírito. Sua vida se transforma num fluxo espontâneo, suave.

Ponho-me agora à disposição para perguntas.

Pergunta: *Em que este caminho era diferente em épocas e culturas anteriores?*

Resposta: Em épocas anteriores, o desenvolvimento da humanidade precisava de um enfoque diferente. Por exemplo, na Idade Média, as pessoas eram aptas a expressar seus impulsos cruéis. Elas não eram capazes de separar-se suficientemente de seus impulsos para identificá-los, confessá-los e assumir responsabilidade por eles. Sentiam-se compelidas a dar vazão a eles e tornavam-se totalmente envolvidas por eles. Por isso, necessitavam de uma autoridade externa rigorosa para manter sua natureza inferior sempre sob observação. Só quando a personalidade humana tornou-se capaz de usar o autocontrole é que o passo evolutivo seguinte pôde ser dado. Esse controle rigoroso deve agora ser afrouxado.

Em outros tempos, a pessoa comum estava muito distante do seu íntimo para buscar a vida espiritual a partir de dentro; esse íntimo precisava ser projetado para fora. Essa incapacidade de assumir responsabilidade pelo eu levava então à criação de um demônio externo que poderia possuir um indivíduo e de um Deus externo que poderia ajudar.

Agora tudo isso mudou. Por exemplo, hoje, o maior obstáculo da humanidade é o orgulho egoísta. As pessoas conseguiram realizar muitas coisas com o poder do ego. Elas precisavam desenvolver esses poderes para não continuarem por muito mais tempo como crianças desamparadas e irresponsáveis. Mas esses poderes devem agora ser exercidos a partir de dentro pelo próprio centro espiritual e não ser atribuídos ao ego. O orgulho do ego torna isso difícil. Surgem perguntas como estas: "O que os outros vão dizer? Vão achar que sou ingênuo, tolo, ou empírico?" Hoje, é tarefa de todos superar esse orgulho e essa dependência em relação à opinião dos outros. Com quanta freqüência as pessoas traem sua verdade espiritual expressando o que supõem ser inteligente sem nem sequer deixarem que o seu Eu divino as inspire! Estes são os critérios para o caminho atualmente.

Cada estágio da evolução da consciência espiritual requer um enfoque diferente. Há uma exceção, todavia. Em todas as épocas, sempre houve uma pequena minoria de pessoas que se desenvolveram além do nível da pessoa comum. Para elas, o caminho foi sempre o mesmo. Essas poucas pessoas formavam sociedades secretas desconhecidas e nada populares. Um grupo como o de vocês pode também não ser um movimento popular, porque mesmo hoje há muito poucas pessoas capazes ou desejosas de seguir um caminho como este. Mas certamente há muitos mais hoje que poderiam fazer isso do que em tempos anteriores; muitos poderiam, mas poucos o farão.

Vou agora me retirar deste instrumento através do qual estou autorizado a me manifestar. Uma grande energia espiritual protege todos vocês. Alguns de vocês podem não compreender isto, mas trata-se de uma realidade, meus amigos. Há todo um outro mundo além desse que vocês conhecem, tocam e vêem. É somente explorando a si mesmos e penetrando em seu âmago que encontrarão esse mundo, e então ele se revelará na sua realidade pura e na sua glória suprema. Esse mundo existe dentro e ao redor de vocês, e os inspirará a partir da sua própria sabedoria à medida que procurarem alcançá-lo.

Sejam todos abençoados. Aqueles dentre vocês que desejarem entregar-se ao seu ser interior e que querem se beneficiar da ajuda que este caminho em particular pode proporcionar serão abençoados e guiados em todas as suas ações; e os demais que ainda não têm intenção de dar esse passo ou que são atraídos por outros ensinamentos, também são abençoados. Que a paz os acompanhe.

2

A auto-imagem idealizada

Quase todos nós crescemos acreditando que não somos suficientemente bons para sermos amados pelo que somos. Por isso, procuramos desesperadamente igualar-nos a uma imagem que criamos de como deveríamos ser. O esforço contínuo para sustentar essa versão idealizada é responsável por grande parte dos nossos problemas. Assim sendo, é importante que você descubra sobre quais bases construiu sua imagem idealizada e como ela deu origem ao sofrimento e à frustração em sua vida. Você perceberá que o resultado dessa imagem foi exatamente o oposto do que você esperava. Esta descoberta pode ser dolorosa, mas lhe possibilitará reavaliar sua postura frente ao mundo e o ajudará a tornar-se o seu verdadeiro eu, sem tensões.

* * *

Saudações. Deus os abençoe, meus caros amigos.

O eu superior, o eu inferior e a máscara

Num esforço para compreender melhor a natureza humana, imagine-a representada por três esferas concêntricas. A esfera central, o núcleo mais interior, é o *eu superior*, que faz parte da inteligência e do amor universal que permeia a vida; em suma, Deus. É a centelha divina. O eu superior é livre, espontâneo, criativo, amoroso, generoso, onisciente e capaz de alegria e felicidade infinitas. Você sempre pode entrar em contato com ele quando está na verdade, quando dá de coração e por meio da meditação e da oração.

A camada que recobre o Eu divino é o mundo oculto de egocentricidade que denominamos *eu inferior*. Esta é a sua parte não desenvolvida, que ainda contém emoções negativas, pensamentos negativos e impulsos como medo, ódio, crueldade.

A camada mais externa, que as pessoas utilizam como um escudo protetor para encobrir o eu inferior e muitas vezes também o seu eu superior, é a *máscara* ou auto-imagem idealizada.

Cada um desses níveis de consciência contém muitos graus e estágios. O modo como se sobrepõem, se neutralizam e se emaranham, bem como seus efeitos colaterais e reações em cadeia, precisa ser pesquisado e compreendido. Neste caminho, você se dedica a esse trabalho de pesquisa. Todos esses aspectos da personalidade podem ser conscientes ou inconscientes em graus diversos. Quanto mais inconsciente você estiver de algum deles, maior conflito haverá em sua vida e menos você estará preparado para lidar com os desafios que surgem em sua jornada. Se sua consciência for turva, ela reduzirá a velocidade do processo de transformação, processo esse que tem por objetivo integrar o seu eu inferior e a sua máscara ao seu Centro divino.

É sobre a máscara, ou a auto-imagem idealizada, que desejo falar-lhes nesta noite.

O sofrimento faz parte da experiência humana, e tem seu início com o nascimento. Embora as experiências dolorosas sejam inevitavelmente seguidas por vivências prazerosas, o conhecimento e o medo do sofrimento estão sempre presentes. A contramedida mais significativa a que as pessoas recorrem, na falsa crença de que ludibriarão a infelicidade, o sofrimento e mesmo a morte, é a criação de uma auto-imagem idealizada como uma pseudoproteção universal. Supõe-se que essa auto-imagem seja um meio de evitar a infelicidade. A infelicidade, a insegurança e a falta de fé em si mesmo estão interligadas. Simulando o que não somos, isto é, criando uma auto-imagem idealizada, esperamos restabelecer a felicidade, a segurança e a autoconfiança.

Na verdade e na realidade, autoconfiança verdadeira é paz de espírito. É segurança e independência sadia e possibilita que alcancemos um máximo de felicidade através do desenvolvimento das potencialidades inerentes a cada um, que vivamos uma vida construtiva e

38

que estabeleçamos relações humanas frutíferas. Mas, como a autoconfiança estabelecida através da auto-imagem idealizada é artificial, o resultado não pode ser o que se esperava. De fato, a conseqüência é exatamente o extremo oposto, e frustrante, porque causa e efeito não são para você coisas óbvias.

Você precisa apreender e captar o significado, os efeitos, os danos e os elos existentes entre a sua infelicidade e a sua auto-imagem idealizada, e reconhecer plenamente de que modo específico ela se manifesta no seu caso individual. Muito trabalho é necessário para descobrir isso. O único modo possível de encontrar o seu eu verdadeiro, de chegar à serenidade e ao respeito de si mesmo e de viver sua vida plenamente é proceder à dissolução da auto-imagem idealizada.

Medo do sofrimento e do castigo

Independentemente de suas circunstâncias específicas, quando criança você foi doutrinado com recomendações sobre a importância de ser bom, de ser santo e perfeito. Quase toda vez que seu comportamento não correspondia a essa diretriz, de uma forma ou de outra você era castigado. É muito possível que o pior castigo tenha sido o de seus pais lhe negarem afeto; eles se enraiveciam e você tinha a impressão de que não o amavam mais. Não admira que "maldade" fosse, então, associada com castigo e infelicidade, e "bondade", com recompensa e felicidade. Daí que ser "bom" e "perfeito" se tornou um dever absoluto, uma questão de vida ou morte. Ainda assim, você sabia perfeitamente bem que não era tão bom e tão perfeito como o mundo parecia esperar que você fosse. E isto precisava ser escondido; tornou-se uma culpa secreta, e você começou a construir um falso eu. Este, pensava você, seria a sua proteção, o seu meio de alcançar o que desejava desesperadamente – vida, felicidade, segurança, autoconfiança. A consciência dessa aparência falsa começou a se desvanecer, mas você estava e está permanentemente traspassado pela culpa de fingir ser o que não é. Você se empenha cada vez mais para se tornar esse falso eu, esse eu idealizado. Você estava, e inconscientemente ainda está, convencido de que se se esforçar o bastante, algum dia você será esse eu. Mas através dessa tentativa artificial de comprimir-se dentro de algo que não é, você jamais chegará ao auto-aperfeiçoamento, à autopurificação e a um desenvolvimento autênticos. Você começou a construir um eu irreal sobre bases falsas e deixou de lado o seu verdadeiro eu. Na verdade, você está escondendo isso desesperadamènte.

A máscara moral do eu idealizado

A auto-imagem idealizada pode assumir muitas formas. Ela nem sempre dita padrões de *perfeição geralmente aceitos*. Muitas vezes, a auto-imagem idealizada impõe altos padrões morais, fazendo com que seja ainda mais difícil questionar sua validade: "Não é certo querer ser sempre decente, afetuoso, compreensivo? Não é certo procurar não ter raiva, não cometer faltas, mas tentar alcançar a perfeição? Não é isso que se espera que façamos?'' Considerações desse tipo tornam difícil você perceber a atitude compulsiva que nega a imperfeição presente, como o orgulho e a falta de humildade, que o impedem de aceitar-se como é agora. Isso inclui a simulação e a vergonha que acompanham esse estado de imperfeição, o medo de expor-se, o disfarce, a tensão, o esforço, a culpa e a ansiedade. É necessário certo avanço nesse trabalho antes de você começar a experimentar a diferença no sentir entre o desejo autêntico de trabalhar gradualmente para o desenvolvimento e a falsa pretensão imposta pelos ditames do seu eu idealizado. Você descobrirá o medo profundamente secreto que sussurra que seu mundo terminará se você não viver conforme seus padrões. Você sentirá e conhecerá muitos outros aspectos e diferenças entre o eu autêntico e o não-autêntico. E descobrirá também o que o *seu eu idealizado individual reclama*.

Dependendo da personalidade, das condições de vida e das influências iniciais, existem também facetas do eu idealizado que não são e não podem ser consideradas boas, éticas ou morais. Tendências agressivas, hostis, arrogantes e ambiciosas são exaltadas ou idealizadas. É verdade que essas tendências negativas existem por trás de todas as auto-imagens idealizadas. Mas elas estão escondidas, e porque contradizem grosseiramente os padrões moralmente elevados do eu idealizado particular, provocam maior ansiedade de que o eu idealizado seja exposto pela fraude que é. A pessoa que enaltece tais tendências negativas, acreditando que se constituem em prova de força e independência, de superioridade e distanciamento, ficaria profundamente desconcertada com a espécie de bondade que o eu idealizado de outra pessoa usa como fachada, e a consideraria fraqueza, vulnerabilidade e dependência num sentido malsão. Uma pessoa assim subestima inteiramente o fato de que nada torna alguém tão vulnerável quanto o orgulho; nada desperta tanto medo.

Na maioria dos casos, existe uma combinação dessas duas tendências: padrões morais superexigentes impossíveis de seguir e orgulho de ser invulnerável, distante e superior. A coexistência desses dois modos mutuamente excludentes apresenta um contratempo particular para a psique. Desnecessário dizer, a percepção consciente desta contradição não acontece até que este trabalho esteja bem adiantado.

Há muitas facetas mais, possibilidades e pseudo-soluções individuais que combinam todos os tipos de comportamento mutuamente excludentes. Tudo isso precisa ser descoberto individualmente.

Vamos agora comentar alguns efeitos gerais e algumas implicações da existência do eu idealizado. Uma vez que é impossível cumprir os padrões e ditames do eu idealizado, você nunca abandona a tentativa de mantê-los e cultiva dentro de si uma tirania da pior espécie. Você não se dá conta de que é impossível ser tão perfeito quanto seu eu idealizado exige, e por isso passa o tempo se flagelando, se castigando e se sentindo um fracasso total sempre que fica patente que não consegue corresponder às suas exigências. Uma sensação de inutilidade desprezível se abate sobre você e o envolve em estado de miséria quando não consegue atender essas exigências fantásticas. Às vezes esse estado de miséria é consciente, mas, na maioria das vezes, não é. Mesmo que o seja, você não percebe o significado todo, a impossibilidade do que você espera de si mesmo. Quando tenta esconder suas reações a seu próprio "fracasso", você adota meios especiais para não vê-lo. Um dos expedientes mais comuns é projetar a culpa do seu "fracasso" no mundo, nos outros, na vida.

Quanto mais você tentar se identificar com sua auto-imagem idealizada, maior será seu desencanto toda vez que a vida o puser diante de uma situação em que esse disfarce não pode ser mantido. Muitas crises pessoais originam-se nesse dilema, mais do que em problemas de ordem externa. Essas dificuldades tornam-se então uma ameaça a mais, além de sua dificuldade objetiva. A existência de problemas e de dificuldades é uma prova de que você não é o seu eu idealizado, e isso lhe retira a autoconfiança falsa que procurou assumir com a criação do eu idealizado. Há tipos de personalidade que sabem muito bem que não podem identificar-se com seu eu idealizado. Mas não sabem isso de uma maneira sadia. Desesperam. Acreditam que deveriam ser capazes de corresponder a essas imposições. Toda sua vida é permeada por uma sensação de fracasso, enquanto que o tipo comum das pessoas experimenta esse fracasso somente em níveis mais conscientes quando condições exteriores e interiores culminam em mostrar o fantasma do eu idealizado como realmente é: uma ilusão, uma dissimulação, uma desonestidade. Equivale a dizer: "Sei que sou imperfeito, mas faço de conta que sou perfeito." Não reconhecer essa desonestidade é relativamente fácil quando entra em ação o processo de racionalização pela consciência, pelos padrões e metas meritórios e pelo desejo de ser bom.

A aceitação de si mesmo

O desejo verdadeiro de melhorar leva a aceitar a própria personalidade como ela é neste momento. Se esta premissa básica for a principal força orientadora de sua motivação para a perfeição, qualquer descoberta daquilo que o impede de realizar seus ideais não o lançará na depressão, na ansiedade e na culpa, mas, antes, o fortalecerá. Você não terá necessidade de exagerar a "maldade" do comportamento detectado, nem se defenderá contra ele com a desculpa de que é problema dos outros, da vida ou do destino. Você adquirirá uma visão objetiva de si mesmo com relação a isto, e essa visão o libertará. Você assumirá total responsabilidade pelas suas atitudes imperfeitas, desejoso de assumir as conseqüências sobre si mesmo. Ao dar expressão ao seu eu idealizado, não é outro seu temor senão esse, pois assumir a responsabilidade por suas deficiências equivale a dizer: "Não sou o meu eu idealizado."

O tirano interior

Sentimentos de fracasso, de frustração e de compulsão, como também de culpa e de vergonha, são as indicações mais notórias de

42

que seu eu idealizado está em atividade. Dentre todas as que permanecem ocultas, estas são emoções sentidas conscientemente. Na realidade, a base da tirania da auto-imagem idealizada é a sensação de *falsa vergonha* e de *falsa culpa* que essa imagem produz quando não se consegue atender suas exigências. Além disso, o eu idealizado também manifesta *falsas necessidades*, que são acrescentadas e criadas artificialmente, como a necessidade de glória, de triunfo, para satisfazer a vaidade ou o orgulho. A busca dessas necessidades nunca resulta em realização verdadeira.

O eu idealizado foi chamado à existência para alcançar a autoconfiança e, finalmente, por conseqüência, a felicidade, o prazer supremo. Quanto mais forte for a presença do eu idealizado mais a autoconfiança autêntica se desvanece. Como não consegue atender às exigências do eu idealizado, você se considera ainda mais inferior do que o fazia inicialmente. Portanto, é óbvio que a autoconfiança verdadeira só pode ser estabelecida quando você remove a superestrutura, que é o tirano cruel, seu eu idealizado.

Sim, você poderia ter autoconfiança se o eu idealizado fosse realmente você; e se pudesse alcançar o seu modelo. Visto que isso é impossível e visto que, no fundo, você sabe muito bem que não é nada parecido com o que pensa que deve ser, você aumenta a insegurança com esse "supereu", e um número maior de círculos viciosos aparece. A insegurança original, que presumivelmente desapareceu com a consolidação do eu idealizado, aumenta constantemente. Ela se transforma numa bola de neve, e se torna cada vez pior. Quanto mais inseguro você se sente, mais rígidas se tornam as exigências da superestrutura ou eu idealizado, menos é capaz de satisfazê-las, e mais e mais inseguro se sente. É muito importante observar como esse círculo vicioso funciona. Mas isso não pode ser feito até que e a menos que você se torne plenamente consciente dos meios emaranhados, sutis e inconscientes sob os quais essa auto-imagem idealizada existe em seu caso particular. Pergunte a si mesmo em que áreas particulares ela se manifesta. Que causas e efeitos estão relacionados com ela?

Afastamento do verdadeiro eu

Outra conseqüência dramática desse problema é o afastamento sempre crescente em relação ao verdadeiro eu. O eu idealizado é uma falsidade. É uma imitação rígida, construída artificialmente, de um ser humano vivo. Você pode revesti-lo com muitos aspectos do seu ser real, mas ele continuará sempre uma construção artificial. Quanto mais você investir suas energias, sua personalidade, suas categorias de pensamento, conceitos, idéias e ideais nele, mais força você retirará do centro do seu ser, responsável único pelo crescimento. Este centro de seu ser é sua única parte, o eu real, que pode viver, desenvolver-se e ser. É a única parte que pode orientá-lo adequadamente. Somente ele funciona com todas suas capacidades. É flexível e intuitivo. Somente seus sentimentos são verdadeiros e válidos, mesmo se, por um momento, não estejam ainda plenamente na verdade e na realidade, na perfeição e na pureza. Mas os sentimentos do verdadeiro eu funcionam em perfeição relativa pelo que você é agora. Quanto mais você retira daquele centro vivo para investir no robô que criou, mais você se afasta do verdadeiro eu e mais o enfraquece e empobrece.

No desenvolvimento deste trabalho, às vezes você se fez essa pergunta intrigante e assustadora: *"Quem sou realmente?"* Este é o resultado da discrepância e da luta entre o verdadeiro eu e o falso. Somente depois de responder a esta pergunta vital e profunda seu centro responderá e funcionará em sua capacidade plena; só então sua intuição começará a operar plenamente; só então você se tornará espontâneo, livre de toda compulsão, confiando em seus sentimentos porque terão uma oportunidade para amadurecer e desenvolver-se. Seus sentimentos se tornarão tão confiáveis quanto seu raciocínio e seu intelecto.

Tudo isso é a descoberta última do eu. Antes que isso aconteça, muitas barreiras precisam ser transpostas. A impressão que terá é a de que se trata de uma luta de vida ou morte. Você ainda acredita que precisa do eu idealizado para viver e ser feliz. Quando começar a acreditar que não é assim, você terá condições de abandonar a pseudodefesa que faz a manutenção e o cultivo do eu idealizado parecerem tão necessários. Quando compreender que a expectativa com relação ao eu idealizado era a de que ele resolvesse os problemas específicos da sua vida acima e além da sua necessidade de felicidade, de prazer e de segurança, você perceberá a conclusão errônea dessa teoria. À medida que avançar e reconhecer o malefício que o eu idealizado causou à sua vida, você se desfará dele pelo jugo que ele representa. Nenhuma convicção, teoria ou palavra que possa ouvir farão com que você o abandone; apenas o reconhecimento do que especificamente você esperava que ele resolvesse e dos males que provocou e que continua provocando lhe permitirá dissolver essa que, de todas, é o protótipo das imagens.

Não é preciso dizer que você também deve reconhecer de modo muito particular e detalhado quais são as exigências e os padrões específicos do seu eu idealizado; além disso, deve perceber a insensatez e a impossibilidade dessas exigências e padrões. Quando acometido por um sentimento de ansiedade aguda e de depressão, leve em conta o fato de que seu eu idealizado pode estar se sentindo questionado e ameaçado, quer por suas próprias limitações, quer pelos outros ou pela vida. Perceba o autodesprezo que subjaz à ansiedade ou à depressão. Quando está compulsivamente irritado com os outros, considere a possibilidade de que isso não passa de uma exteriorização de sua raiva contra si mesmo por não alcançar os padrões do seu falso eu. Não deixe que ele fuja usando a desculpa de problemas externos responsáveis por depressão aguda ou por medo. Considere a questão sob esse novo ângulo. Seu trabalho pessoal o ajudará nessa direção, mas é quase impossível realizá-lo sozinho. Somente depois de progredir substancialmente é que você reconhecerá que muitos desses problemas externos são conseqüências diretas ou indiretas da discrepância que existe entre suas capacidades e os padrões do seu eu idealizado e do modo como você lida com esse conflito.

Assim, à medida que prosseguir nessa fase específica do trabalho, você compreenderá a natureza exata do seu eu idealizado: suas exigências e solicitações imperiosas são no sentido de você e outros manterem a ilusão. Ao perceber plenamente que o elogiável para você, na verdade, é orgulho e pretensão, você terá alcançado a percepção intuitiva mais substancial que lhe possibilita enfraquecer o impacto do eu idealizado. Então, e somente então, você se dará conta da tremenda autopunição que impõe a si mesmo. Porque quando você fracassa, como fatalmente acontece sempre, você se sente tão impaciente, tão irritado, que seus sentimentos podem tornar-se uma bola de neve de fúria e cólera contra si mesmo. Esta fúria e cólera em geral são projetadas nos outros porque é absolutamente insuportável estar consciente do próprio ódio nutrido contra si mesmo, a menos que a pessoa desdobre esse processo todo e o veja por inteiro, à luz. Entretanto, mesmo que esse ódio seja descarregado sobre os outros, o efeito sobre o eu ainda permanece aí e pode provocar doenças, acidentes, perdas e fracassos exteriores sob as mais variadas formas.

A renúncia ao eu idealizado

Ao dar os primeiros passos na direção da renúncia ao eu idealizado, você terá uma sensação de liberdade como nunca antes. Então você terá verdadeiramente renascido. Seu eu verdadeiro emergirá. Você tomará assento no âmago do seu verdadeiro eu. Você, então, crescerá realmente, não somente nas partes mais externas que podem não ter sido subjugadas pela ditadura do eu idealizado, mas em cada parte do seu ser. Isto desencadeará a mudança de muitas coisas. Em primeiro lugar, surgirão alterações em suas reações com respeito à vida, aos acontecimentos, a si mesmo e aos outros. Essas reações serão de fato surpreendentes, mas, pouco a pouco, as coisas externas, com certeza, também mudarão. Suas atitudes, agora diferentes, terão novos efeitos. A superação do seu eu idealizado significa a superação de um importante aspecto da dualidade entre a vida e a morte.

No momento, você não está sequer consciente da pressão do seu eu idealizado, da vergonha, da humilhação, do abandono que teme e às vezes sente, da tensão, da pressão e da compulsão. Se você tiver uma percepção rápida de tais emoções, você ainda não as relacionará com as exigências fantasiosas do seu eu idealizado. É só depois de perceber plenamente essas expectativas fantasiosas e seus imperativos, muitas vezes contraditórios, que você será capaz de se desfazer deles. A incoativa liberdade interior assim obtida permitirá que você passe a relacionar-se e a dar-se bem com a vida. Você não precisará mais agarrar-se freneticamente ao eu idealizado. A simples atividade interior de aferrar-se com tanta veemência gera um clima impregnante de prender-se a tudo de maneira geral. Às vezes isto se manifesta em atitudes externas, mas via de regra é uma característica ou atitude interior. À medida que prosseguir nessa nova fase do trabalho, você sentirá esse aperto interior e irá paulatinamente reconhecendo o malefício básico que ele causa. Ele impossibilita a atitude de renúncia diante de muitas coisas. Ele torna desmedidamente difícil passar por mudanças que permitiriam que a vida lhe proporcionasse satisfação e um espírito de vitalidade. Você fica preso em si mesmo e, por assim agir, vai contra a vida num dos seus aspectos mais fundamentais. Palavras são insuficientes; você precisa, muito mais, sentir o que estou querendo dizer. Quando tiver enfraquecido o seu eu idealizado pela compreensão plena da sua função, de suas causas e de seus efeitos, então você terá alcançado a verdadeira compreensão das coisas. Será o momento de conquistar a grande liberdade de entregar-se à vida porque não existirá mais a necessidade de esconder o que quer que seja de si mesmo e dos outros. Você será capaz de entregar-se incondicionalmente à vida, não de modo doentio e irracional, mas de modo sadio à semelhança da própria natureza que se entrega sem medida. Então, e somente então, você conhecerá a beleza da vida.

Você não pode abordar esta parte essencial do seu trabalho interior com um conceito geral. Como de costume, suas reações diárias mais insignificantes, consideradas deste ponto de vista, produzirão os resultados necessários. Por isso, continue a busca de si tomando por base essas novas considerações e não seja impaciente se o processo exigir tempo e esforço sem tensão.

A volta para casa

Uma palavra mais: em geral, a diferença entre o eu verdadeiro e o idealizado não é uma questão de quantidade, mas de qualidade, isto é, a motivação original de ambos é diferente. Não é fácil perceber isso, mas à medida que você reconhece as exigências, as contradições, as seqüências de causa e efeito, a diferença de motivação gradualmente se tornará clara. Outra observação importante é relativa ao elemento tempo. O eu idealizado quer ser perfeito, de acordo com suas exigências específicas, agora, neste exato momento. O verdadeiro eu sabe que não pode ser assim e não julga a situação angustiosa.

É claro que você não é perfeito. Seu eu atual é um complexo de tudo o que você é no momento. É claro que você tem sua egocentricidade básica, mas se você a admitir, poderá enfrentá-la. Você pode aprender a compreendê-la e portanto a diminuí-la com cada nova percepção. Você então experimentará realmente a verdade de que quanto mais egocêntrico você for, menos autoconfiante será. O eu idealizado acredita exatamente no contrário. Suas exigências de perfeição são motivadas por razões puramente egocêntricas, e esta mesma egocentricidade inviabiliza a autoconfiança.

A grande liberdade de *voltar para casa*, meus amigos, é encontrar o caminho de retorno para o eu verdadeiro. A expressão "volta para casa" tem sido usada muitas vezes na literatura espiritual e nos ensinamentos, mas freqüentemente foi muito malcompreendida. Muitas vezes é interpretada como significando o retorno ao mundo do espírito depois da morte física. "A volta para casa", porém, significa muito mais do que isso. Você pode padecer muitas mortes, ter uma vida terrena após outra, mas se não tiver encontrado seu verdadeiro eu, não poderá retornar para casa. Você pode estar perdido e continuar perdido até encontrar o caminho para o centro de seu ser. Por outro lado, pode encontrar o caminho para casa exatamente aqui e agora enquanto ainda permanece no corpo. Quando reunir coragem para tornar-se o seu verdadeiro eu, você descobrirá que ele é muito superior ao eu idealizado, embora inicialmente lhe possa parecer o contrário. Então você sentirá a paz de estar em casa dentro de si mesmo. Então você encontrará segurança. Então você operará como um ser humano completo. Então você terá quebrado a chibata de aço de um capataz a quem é impossível obedecer. Então você saberá o que paz e segurança realmente significam. Você cessará de uma vez por todas de procurá-las através de meios falsos.

Possam vocês todos encontrar a verdade, o amparo e a iluminação através das palavras que lhes dirigi esta noite. Entretanto, devem compreender que um entendimento teórico de nada lhes servirá. Essas palavras não os ajudarão enquanto permanecerem teoria. Quando começarem ou continuarem a trabalhar nesta direção e se permitirem sentir e observar suas reações emocionais relacionadas a seu eu idealizado, então progredirão substancialmente em sua própria libertação e autodescoberta no sentido mais verdadeiro da palavra.

Meus caríssimos, receba cada um em particular nosso amor, nossa energia e nossas bênçãos. Permaneçam em paz, permaneçam em Deus!

3
A compulsão de recriar e de superar as feridas da infância

O Guia afirma que a psicologia profunda é uma disciplina espiritual, porque é somente através do autoconhecimento que você pode purificar sua alma, isto é, limpá-la dos padrões de autodestruição e deixá-la em condições de relacionar-se com o Deus interior. A "compulsão à repetição" é bem conhecida em psicologia; porém, em nenhuma outra ocasião como nesta palestra foi exposto com tanta clareza o propósito desse fenômeno psicológico. Nossas experiências negativas repetidas estão ligadas não somente à nossa infância, mas também a encarnações anteriores. Com a ajuda desta conferência, podemos descobrir por que continuamos nos debatendo em nossas gaiolas de esquilo e como podemos parar de fazer isso.

* * *

Saudações, meus caros amigos. Deus os abençoe a todos. Possam as bênçãos divinas derramadas sobre todos, ajudá-los a assimilar as palavras que agora lhes dirigirei, transformando esta noite numa ocasião abundante em frutos.

A falta de um amor maduro

Pelo fato de que, como crianças, as pessoas raramente recebem amor maduro e afeto suficientes – e a menos que essa carência e feridas se tornem conscientes e sejam tratadas adequadamente – elas passam toda sua vida desejando preencher-se com esses sentimentos.

Se não tomarem medidas definitivas, *como adultos, passarão pela vida clamando inconscientemente pelo que não tiveram na infância*. Isto as tornará incapazes de amar com maturidade. Você pode ver como essa condição se transmite de geração em geração.

O remédio não pode ser encontrado apenas desejando-se que as coisas sejam diferentes do que são e que as pessoas aprendam a praticar o amor maduro. O remédio está única e exclusivamente em você. É verdade que se seus pais lhe deram esse amor maduro, você provavelmente não tem esse problema, do qual não está real e verdadeiramente consciente. Mas se esse não for o caso, não deixe que o fato perturbe você e sua vida. Apenas torne-se consciente dele, observe-o e reorganize seus desejos, arrependimentos, pensamentos e conceitos inconscientes anteriores alinhando-os com a realidade de cada situação. Como conseqüência, você se tornará uma pessoa mais feliz e com condições de oferecer amor maduro aos outros – a seus filhos, se os tiver, ou às pessoas de suas relações – de modo que uma reação em cadeia propícia será iniciada. Uma autocorreção realista dessa espécie se situa no extremo oposto do seu comportamento interior atual, sobre o qual falaremos agora.

Todas as pessoas, inclusive aquelas poucas que já começaram a analisar sua mente e emoções inconscientes, em geral subestimam a forte ligação que existe entre as aspirações e a sua não-realização na criança e as dificuldades e problemas atuais do adulto. Bem poucas pessoas experimentam pessoalmente – e não apenas teoricamente – a força desse elo. É fundamental que se tenha consciência total dele.

Podem existir casos isolados, excepcionais, em que um dos pais oferece um grau suficiente de amor maduro. Mesmo que um dos pais tenha esse amor em alguma medida, provavelmente o outro não o terá. Visto que um amor maduro, nesta Terra, só existe em certo grau, a criança sofrerá pelas deficiências até mesmo de um pai/mãe amoroso.

Com mais freqüência, entretanto, ambos os pais são emocionalmente imaturos e não conseguem dar o amor desejado pela criança, ou apenas o dão em medidas insuficientes. Durante a infância, raramente essa necessidade é consciente. A criança não tem meios de formular suas necessidades em pensamentos. Ela não consegue comparar o que tem com o que os outros têm. Não sabe que alguma outra

50

coisa pode existir. Acredita que tudo é como deve ser. Ou, em casos extremos, sente-se isolada de modo muito idiossincrático, acreditando que a parcela que lhe cabe não pode se comparar à de mais ninguém. Ambas as atitudes a desviam da verdade. Em ambos os casos a emoção real não é consciente e, portanto, não pode ser adequadamente avaliada nem bem equacionada. Assim, a criança cresce sem nunca entender bem por que é infeliz, e nem sequer se é infeliz. Muitos de vocês olham para trás, para a sua infância, convencidos de que tiveram todo o amor que queriam apenas porque tiveram, de fato, um pouco de amor.

Há um sem-número de pais que dão grandes demonstrações de amor. São capazes, inclusive, de superproteger seus filhos. Esse excesso de afagos e mimos pode ser uma compensação e uma espécie de pedido de desculpas por uma inabilidade, profundamente suspeita, de amar com maturidade. A criança sente a verdade com muita intensidade. Pode não pensar sobre ela conscientemente, mas em seu interior sente agudamente a diferença entre amor maduro e autêntico e a alternativa substitutiva imatura e aparatosa que lhe é oferecida.

Os pais têm responsabilidade de dar aos filhos uma orientação adequada e a segurança que lhes é devida e ambas exigem que eles exerçam sua autoridade. Há pais que jamais se atrevem a castigar ou a praticar uma autoridade sadia. Esse defeito se deve à culpa, porque o amor real, generoso, afetuoso e alentador não é parte integrante de sua personalidade imatura. Outros pais chegam a ser muito severos, rigorosos demais. Assim, exercem uma autoridade dominadora maltratando a criança e impedindo o desenvolvimento de sua individualidade. Ambos os tipos fracassam como pais, e suas atitudes errôneas, absorvidas pela criança, abrirão feridas e prepararão a caminhada da não-realização.

Nos filhos de pais rigorosos, o ressentimento e a rebeldia são mais expostos, e por isso mais fáceis de rastrear. No caso de pais brandos, a rebeldia também é forte, mas oculta e, portanto, infinitamente mais difícil de detectar. Se você tivesse um pai/mãe que o asfixiasse com afeição ou pseudo-afeição, e no entanto não oferecesse carinho verdadeiro, ou se tivesse um pai/mãe que fizesse tudo certo conscientemente, mas que também não tivesse afeição, inconscientemente você perceberia isso como criança e ficaria ressentido. Pode acontecer que você não tenha percebido isso de modo consciente, porque, quando criança, não podia pôr o seu dedo no que estava faltando. Externamente, você ganhava tudo o que queria e de que precisava. Como poderia traçar a linha divisória tênue, a sutil distinção entre o afeto verdadeiro e a pseudo-afeição com seu intelecto de criança? O fato de que algo o incomodava sem que você fosse capaz de explicá-lo racionalmente o fazia sentir-se culpado e inseguro. Assim, você afastava tudo isso do seu campo de visão o mais que podia. Enquanto as mágoas, decepções e necessidades não satisfeitas dos seus anos iniciais permanecerem inconscientes, você não conseguirá chegar a um acordo com elas. Não importa o quanto ame seus pais, existe em você um ressentimento inconsciente que o impede de perdoá-los pelo desgosto que lhe causaram. Você poderá esquecer e perdoar somente se entrar em contato com sua mágoa e ressentimento profundamente escondidos. Como um ser humano adulto, você verá que seus pais também são apenas seres humanos. Eles não estavam livres de deficiências nem eram perfeitos como a criança pensava e esperava que fossem, e não devem ser rejeitados agora porque tinham seus próprios conflitos e atitudes imaturas. A luz da razão consciente deve ser projetada sobre essas mesmas emoções das quais você nunca se permitiu estar plenamente consciente.

Tentativas de curar as feridas da infância na idade adulta

Enquanto você não tomar consciência do conflito entre seu anseio por um amor perfeito da parte de seus pais e seu ressentimento contra eles, você será compelido a tentar remediar a situação nos anos seguintes. Este esforço pode manifestar-se em vários aspectos de sua vida. Você se defronta constantemente com problemas e padrões repetidos que têm sua origem na sua tentativa de *reproduzir a situação da infância para corrigi-la*. Esta compulsão inconsciente é um fator muito forte, mas permanece totalmente oculta à sua compreensão consciente.

A maneira mais comum de tentar corrigir a situação está em sua *escolha dos parceiros de amor*. Inconscientemente, você saberá escolher, no parceiro, aspectos do pai/mãe que de modo particular falhou em dar afeição e amor efetivo e autêntico. Mas você também procura no seu parceiro aspectos do outro pai/mãe que mais se aproximou do atendimento de suas necessidades. É importante encontrar seu pai e sua mãe representados em seus parceiros, mas é ainda mais importante e difícil encontrar aqueles aspectos que representam o pai/mãe que particularmente o desapontou e o magoou, aquele contra quem você tem mais ressentimento ou que mais despreza e a quem você dedicou pouco ou nenhum amor. Assim, você procura os pais novamente – de uma maneira sutil que nem sempre é fácil de detectar – em seu parceiro, marido/esposa, em suas amizades ou em outras relações humanas. Em seu subconsciente, as seguintes reações se apresentam: visto que a criança em você não pode abandonar o passado, não pode chegar a um acordo com ele, não pode perdoar, não pode compreender e aceitar, essa mesma criança sempre cria condições semelhantes, procurando vencer para controlar a situação em vez de ser por ela controlado. Perder significa ser esmagado – isto deve ser evitado a todo custo. Os custos, na verdade, são altos, pois toda a estratégia é impraticável. O que a criança em você se propõe a realizar jamais pode concretizar-se.

A falácia dessa estratégia

Todo este procedimento é altamente destrutivo. Em primeiro lugar, é uma ilusão que você tenha sido derrotado. Portanto, é uma ilusão que você possa ser vitorioso agora. Além disso, é uma ilusão que a falta de amor, por mais triste que isso possa ter sido quando criança, seja na verdade a tragédia que seu subconsciente ainda sente ser. A única tragédia reside no fato de que você obstrui sua felicidade futura continuando a reproduzir a situação passada e procurando controlá-la. Meus amigos, este processo é profundamente inconsciente. Naturalmente, nada mais está distante de sua mente quando focaliza suas metas e desejos conscientes. Será necessário escavar muito para desenterrar as emoções que o conduzem sempre de novo a situações em que seu objetivo secreto é sanar suas aflições da infância.

Ao procurar reproduzir a situação da infância, inconscientemente você escolhe um parceiro com aspectos semelhantes àqueles de um dos pais. E, entretanto, são esses mesmos aspectos que tornarão impossível receber o amor maduro que com justiça você almeja há longo tempo agora como aconteceu então. Cegamente, você acredita que por desejá-lo mais forte e vigorosamente, o pai/mãe-parceiro irá agora ceder, enquanto que na realidade o amor não pode chegar desse modo. Somente quando estiver livre dessa repetição sempre continuada é que você não mais clamará para ser amado pelo pai/mãe. Em vez disso, você procurará um parceiro ou outros relacionamentos humanos com o objetivo de descobrir a maturidade que realmente necessita e deseja. Ao não exigir ser amado como uma criança, você desejará igualmente amar. Entretanto, a criança em você acha isto impossível, não importa o quanto você seja capaz de fazê-lo através do desenvolvimento e do progresso. Este conflito oculto eclipsa sua alma que, de outro modo, prosseguiria em seu desenvolvimento.

Se você já tem um parceiro, o fato de desenterrar este conflito pode mostrar-lhe como esse parceiro é semelhante a seus pais em certos aspectos imaturos. Mas visto que você agora sabe que dificilmente há uma pessoa realmente madura, esses aspectos imaturos em seu parceiro não mais serão a tragédia que eram enquanto você constantemente buscava um de seus pais ou os pais novamente, o que naturalmente jamais poderia acontecer. Com sua imaturidade e incapacidade agora trazidas à consciência, você pode construir uma relação mais madura, livre de compulsão infantil a recriar e corrigir o passado.

Você não faz idéia de como seu subconsciente está preocupado com o processo de reinterpretação da peça, por assim dizer, apenas esperando que "desta vez será diferente". Mas nunca é! Com o passar do tempo, cada desapontamento pesa mais e sua alma se torna cada vez mais deprimida.

Para aqueles meus amigos que ainda não desceram a certas profundezas de seu subconsciente inexplorado, isto pode soar bastante absurdo e forçado. Entretanto, aqueles dentre vocês que chegaram a dar-se conta da força de suas tendências, compulsões e imagens ocultas, não apenas acreditarão prontamente, mas irão muito rapidamente experimentar a verdade dessas palavras em sua própria vida pessoal. Por outras descobertas feitas, você já sabe como é forte o funcionamento de sua mente subconsciente, como ela percorre com astúcia seus caminhos destrutivos e ilógicos.

A revivescência das feridas da infância

Se aprender a observar seus problemas e sua não-realização sob este ponto de vista e se seguir o processo de expor suas emoções, você obterá uma grande percepção intuitiva. Mas, meus amigos, será necessário reviver o anseio e as feridas da criança chorona que você foi uma vez, embora fosse também uma criança feliz. Sua felicidade pode ter sido válida e livre de decepções frente a si mesmo. Pois é possível ser feliz e infeliz ao mesmo tempo. Você pode estar agora perfeitamente consciente dos aspectos felizes de sua infância, mas aquilo que o feriu profundamente e aquele algo a que você aspirou intensamente – sem nem mesmo saber bem o quê – disso você não estava consciente. Você assumiu a situação como definitiva. Você não sabia o que estava faltando ou mesmo que houvesse algo faltando. Essa infelicidade fundamental precisa voltar à consciência agora, se você de fato deseja continuar seu desenvolvimento interior. Você tem de reviver a dor aguda que uma vez experimentou mas que escondeu de sua visão. Agora você precisa contemplar essa dor com a consciência da compreensão que adquiriu. Somente agindo assim é que você compreenderá o valor da realidade dos seus problemas atuais e passará a vê-los sob sua verdadeira luz.

Mas, *como você pode reviver mágoas tão antigas?* Só existe um jeito, meu amigo. Considere um problema do momento. Remova dele todas as camadas sobrepostas de suas reações. A primeira e mais importante camada, a que está mais à mão, é a da racionalização, aquela que "prova" que os outros, ou as situações, é que são os culpados; por ela, não são seus conflitos mais íntimos que fazem você assumir a atitude errônea com relação ao problema real com que você se defronta. A camada seguinte pode representar a raiva, o ressentimento, a ansiedade, a frustração. Sob qualquer dessas reações você encontrará a ferida produzida pela falta de amor. Ao experimentar a mágoa de não ser amado em sua situação presente, essa ferida reacenderá o sofrimento da infância. Ao mesmo tempo que enfrenta a mágoa presente, olhe para trás e tente reconsiderar a situação com seus pais: o que eles lhe deram, como você se sentiu realmente com relação a eles. Você perceberá que em vários sentidos lhe faltou alguma coisa que nunca viu claramente antes – você não quis ver.

Você se dará conta de que isso deve tê-lo magoado quando era criança, mas pode ter esquecido essa mágoa num nível consciente. Acontece, porém, que você não esqueceu, absolutamente. A ferida do seu problema atual é exatamente a mesma ferida de então. Faça isso, reavalie sua ferida atual, comparando-a com a mágoa da infância. Você verá claramente que se trata de uma só e da mesma ferida. Por mais verdadeira e compreensível que seja sua dor presente, ela é a mesma da infância. Num segundo momento, você perceberá como contribuiu para dar origem ao sofrimento presente devido a seu desejo de corrigir a dor da infância. Mas no começo, você apenas precisa sentir como os dois sofrimentos são semelhantes. Isto, porém, exige um grande esforço, porque existem muitas emoções que encobrem a dor do presente e também a do passado. Você não compreenderá nada nesse sentido sem antes ter êxito na cristalização da dor que está vivendo agora.

Uma vez que você sincronize esses dois sofrimentos e perceba que são um só e o mesmo, o passo seguinte será muito mais fácil. Então, percebendo o padrão repetitivo em suas várias dificuldades, você aprenderá a reconhecer as semelhanças entre seus pais e as pessoas que lhe causaram sofrimentos ou que o estão magoando agora. O fato de experimentar essas semelhanças emocionalmente o fará avançar no caminho para a dissolução desse conflito básico. A mera avaliação intelectual não produzirá nenhum benefício. Para ser frutífero e produzir resultados efetivos, o processo de renunciar à recriação deve ir além do mero conhecimento intelectual. Você deve permitir-se sentir o sofrimento de certas não-realizações de agora e também da sua infância e comparar as duas até que, como duas tomadas fotográficas, elas gradualmente se dirijam para o foco e se tornem uma. *Através da vivência do sofrimento de agora e do passado*, lentamente você chegará a compreender como pensou que tinha de escolher a situação atual porque em seu íntimo você absolutamente não admitia a "derrota". Quando isso acontecer, a percepção intuitiva que você obtém e a experiência que sente exatamente como a exponho aqui, lhe permitirão dar o passo seguinte.

É desnecessário dizer que muitas pessoas não têm consciência de nenhum sofrimento, passado ou presente. Elas prontamente o afastam de sua visão. Seus problemas não aparecem como "sofrimento". Para elas, a primeira coisa a fazer é conscientizar-se de que esse sofrimento existe e que fere infinitamente mais enquanto permanecerem inconscientes dele. Muitas pessoas têm medo desse sofrimento e acreditam que por ignorá-lo podem fazê-lo desaparecer. Tais pessoas escolheram essas forma de alívio apenas porque seus conflitos se tornaram grandes demais para elas. Quão maravilhoso é escolher esta opção com a sabedoria e a convicção de que um conflito oculto, a longo prazo, causa tanto malefício quanto um conflito exposto. Então, elas não terão medo de desenterrar a emoção verdadeira e, até na experiência temporária do sofrimento, sentirão que naquele momento ele se transforma num sofrimento saudável, livre de amargura, de tensão, de ansiedade e de frustração.

Há também os que toleram o sofrimento, mas de uma maneira negativa, sempre esperando que ele seja aliviado de fora. De certo modo, essas pessoas estão mais próximas da solução porque será mais fácil para elas perceber como o processo infantil ainda funciona. O exterior é o pai/mãe ofensor, ou ambos os pais, projetado em outros seres humanos. Elas apenas precisam redirecionar o enfoque para seus sofrimentos. Elas não têm necessidade de desenterrá-los.

Como deixar de recriar?

Só depois de experimentar todas essas emoções e depois de sincronizar o "agora" e o "então" é que você se conscientizará do modo como procurou corrigir a situação. Você perceberá a tolice do desejo inconsciente de recriar a mágoa da infância, sua inutilidade frustrante. Você passará a avaliar todas suas ações e reações com essa nova compreensão e percepção intuitiva, o que lhe permitirá libertar-se de seus pais. Sua infância ficará realmente para trás e outro comportamento assumirá o lugar do anterior, um comportamento novo, interior, infinitamente mais construtivo e recompensador para você e para os outros. Sua tentativa de controlar a situação que não conseguiu controlar quando criança, deixará de existir. Você prosseguirá a partir do ponto em que se encontra, esquecendo e perdoando sinceramente dentro de você, sem nem sequer pensar que agiu assim. Não haverá mais necessidade de ser amado como quando você era criança. Primeiro, surge a percepção de que é isto que você ainda quer, mas logo você deixa de buscar esse tipo de amor. Por não ser mais uma criança, sua procura será a de um amor diferente, oferecendo-o em vez de esperá-lo. Sempre se deve enfatizar, entretanto, que muitas pessoas não têm consciência de que o esperam. O fato de a expectativa infantil, inconsciente, ter sido tantas vezes frustrada, fez com que se auto-induzissem a desistir de toda expectativa e desejo de amor. Obviamente, não há nisso verdade nem proveito: trata-se apenas de um extremo errôneo.

É da maior importância que todos vocês trabalhem este conflito interior, para que obtenham uma nova visão e uma maior clareza na busca de si mesmos. Inicialmente, pode acontecer que essas palavras provoquem em vocês apenas um lampejo ocasional, uma emoção que se irradia momentaneamente, mas devem ser de ajuda e abrir uma porta que os ajude a se conhecerem melhor e que os faça chegar a uma avaliação de sua vida a partir de uma visão mais realista e mais madura.

Terminada esta parte, gostaria de saber se há alguma pergunta relacionada com o tema desta palestra.

Pergunta: Tenho muita dificuldade em compreender que uma pessoa escolha de modo contínuo um objeto de amor que tenha exatamente as mesmas tendências negativas presentes no pai ou na mãe. É verdade que essa pessoa em particular tem essas tendências? Ou trata-se de projeção e reação?

Resposta: Pode ser ambas as coisas ou pode ser uma ou outra. Na verdade, em geral trata-se de uma combinação. A pessoa procura inconscientemente alguns aspectos e os encontra, e são realmente semelhantes. Mas as semelhanças existentes são ampliadas pela pessoa que está procedendo à recriação. Não se trata apenas de qualidades projetadas que não se fazem realmente presentes; são latentes em certo grau sem serem manifestas. Estas são estimuladas e vigorosamente postas em evidência pela atitude da pessoa com o problema interior não percebido. A pessoa estimula algo na outra provocando uma reação que é semelhante à do pai/mãe. Apesar de ser totalmente inconsciente, a provocação é um fator da maior importância aqui.

A personalidade humana é um todo constituído de muitos aspectos. Desses, digamos que três ou quatro podem efetivamente assemelhar-se a algumas características do pai/mãe do recriador. A mais destacada seria uma semelhança de imaturidade e de incapacidade de amar. Só isso já é suficiente e, em essência, forte o bastante para reproduzir a mesma situação.

A mesma pessoa não reagirá diante de outros como reage com relação a você porque é você que constantemente a provoca, reproduzindo assim condições semelhantes às da sua infância para que você possa corrigi-las. Seu medo, sua autopunição, sua frustração, sua raiva, sua hostilidade, seu retraimento em dar amor e afeição, todas essas tendências da criança em você, constantemente provocam a outra pessoa e ampliam a reação proveniente da parte fraca e imatura. Entretanto, uma pessoa mais madura afetará os demais de modo diferente e extrairá deles o que é maduro e inteiro, pois não existe pessoa que não tenha alguns aspectos maduros.

Pergunta: *Como posso distinguir se é a outra pessoa que me provoca ou se sou eu que a provoco?*

Resposta: Não é preciso saber quem começou tudo, pois trata-se de uma reação em cadeia, de um círculo vicioso. É bom começar por perceber sua própria provocação, talvez em reação a uma provocação manifesta ou oculta de outra pessoa. Assim, você perceberá que provoca a outra pessoa porque foi provocado. E porque você age assim, o outro também reage na mesma moeda. Mas se examinar a razão profunda, não a superficial, o motivo por que foi magoado inicialmente e em seguida provocou, de acordo com a palestra desta noite, você não irá mais considerar essa mágoa como algo desastroso. Sua reação à mágoa será diferente e, como conseqüência, esta irá diminuir automaticamente. Assim, você não terá mais necessidade de provocar a outra pessoa. Além disso, visto que a necessidade de reproduzir a situação da infância diminuiu, você se tornará menos retraído e magoará os outros cada vez menos freqüentemente, de modo que estes não precisarão mais provocá-lo. Se o fizerem, você terá condições de compreender, agora, que reagiram com base nas mesmas necessidades infantis, cegas, que impulsionaram você. Agora você pode ver como atribui motivos diferentes à provocação da outra pessoa, motivos diferentes dos que atribui à sua própria provocação, mesmo que e quando realmente percebe que foi você quem deu início à provocação. À medida que você amplia sua visão sobre sua própria mágoa, entendendo sua verdadeira origem, você obtém o mesmo distanciamento da reação da outra pessoa. Você encontrará exatamente idênticas reações em si mesmo e no outro. Enquanto o conflito da criança continuar sem solução em seu interior, a diferença parece enorme, mas ao perceber a realidade, você começará a romper o círculo vicioso, repetitivo. Sua percepção dessa mútua influência aliviará o sentimento de isolamento e de culpa de que você está sobrecarregado. Você está constantemente oscilando entre sua culpa e sua acusação de injustiça que dirige aos que estão ao seu redor. A criança em você se sente totalmente diferente dos outros, num mundo todo seu. Ela vive numa ilusão prejudicial enorme. À medida que resolver esse conflito, sua consciência das outras pessoas aumentará. Mas no momento, você está totalmente inconsciente da realidade das outras pessoas. Por um lado, você as acusa e é magoado por elas porque não compreende a si mesmo e, por conseqüência, não as compreende. Por outro lado, e ao mesmo tempo, você se recusa a conscientizar-se quando fica magoado. Isto parece paradoxal, mas não é. Quando experimentar por si mesmo as interações apresentadas esta noite, você descobrirá que isto é verdade. Enquanto você, às vezes, exagera na grandeza de alguma mágoa, outras vezes não se permite sequer saber que ela aconteceu, porque pode ocorrer que isso não se adapte ao quadro que você esboçou da situação toda. A mágoa pode prejudicar a idéia que você fazia a respeito de si mesmo, ou pode não corresponder ao seu desejo no momento. Se a situação parecer favorável e se se adaptar à sua idéia preconcebida, você omite tudo o que o desagrada, deixando que corroa por baixo e crie hostilidade inconsciente. Toda essa reação inibe suas faculdades intuitivas, pelo menos no que diz respeito a esta questão em particular.

A constante provocação que acontece entre os seres humanos, enquanto oculta de sua consciência agora, é uma realidade que você chegará a perceber com muita clareza. O resultado será um efeito totalmente libertador em você mesmo e nas circunstâncias ao seu redor.

Sigam o seu caminho, meus caríssimos, e que as bênçãos que trazemos a todos possam envolver e penetrar em seu corpo, em sua alma e em seu espírito, de modo que possam abrir sua alma e tornar-se seu eu real, seu próprio eu verdadeiro. Sejam abençoados, meus amigos, permaneçam na paz e fiquem com Deus.

4

O Deus real e a imagem de Deus

Ninguém pode deixar de abordar a questão da existência de Deus. Esse Ser existe realmente? Como e onde posso encontrá-Lo? Qual é a verdade oculta sob as respostas que me dei até o momento ou que se esconde na confusão que sinto? E que pode o Guia do Caminho – uma entidade de consciência superior, uma entidade com perspectiva angélica – ensinar-nos e que ainda não tenhamos lido ou ouvido antes?

* * *

Saudações. Trago-lhes as bênçãos em nome de Deus. Abençoada seja esta hora, meus caríssimos amigos.

A existência de Deus é tão freqüentemente questionada e a Presença Divina é tão raramente experimentada na alma humana devido à imagem distorcida de Deus que a maioria dos seres humanos conserva dentro de si.

O falso conceito de Deus

A criança vive seu primeiro *conflito com a autoridade* ainda na mais tenra idade. Também aprende que *Deus é a autoridade suprema.* Não admira, pois, que projete suas experiências subjetivas com a autoridade sobre as fantasias que alimenta acerca do Ser supremo. Decorre daí que chega a uma conclusão errônea sobre Deus, conclusão essa que a acompanha inconscientemente até a idade adulta.

A criança vivencia todos os tipos de autoridade. Quando é proibida de fazer alguma coisa que aprecia muito, sente a autoridade como hostil. Quando a autoridade dos pais é condescendente, experimenta-a como benigna. Se houver predominância de um desses tipos de autoridade na infância, a reação a essa predominância se transformará numa atitude inconsciente com relação a Deus. Em muitos casos, porém, a criança tem experiências de ambos os tipos. Nesse caso, será a combinação dos dois tipos de autoridade que formará a sua imagem de Deus. Na medida em que uma criança sente medo e frustração, nessa mesma medida ela sentirá, inconscientemente, medo e frustração com relação a Deus. Deus, então, será sentido como uma força punidora, severa, e muitas vezes até arbitrária e injusta com a qual se deve lutar. Sei, meus amigos, que vocês não pensam de modo tão consciente como a descrição que faço. Mas, no caminho, é mister que cada um descubra as reações emocionais que não correspondem aos conceitos conscientes que tenha sobre qualquer assunto. Quanto menos o conceito inconsciente coincidir com o consciente, maior será o choque ao se perceber a discrepância existente.

Praticamente tudo aquilo de que a criança mais gosta é proibido. Tudo o que lhe dá mais prazer é proibido, em geral para seu próprio bem; a criança não consegue entender isso. Acontece que os pais também agem assim movidos por sua própria ignorância e medo. Grava-se então na mente infantil que tudo o que causa mais prazer está sujeito ao castigo de Deus, a autoridade mais elevada e mais rigorosa.

Além disso, *é forçoso que você se depare com a injustiça humana* ao longo de toda sua vida, tanto na infância como na idade adulta. De modo muito particular, se as injustiças forem perpetradas por pessoas que representam autoridade e que, portanto, são inconscientemente associadas a Deus, ficará fortalecida sua crença inconsciente na injustiça severa de Deus. Tais experiências intensificam seu medo com relação a Deus.

Tudo isso forma uma imagem que, se analisada adequadamente, transforma Deus num monstro. *Esse deus que vive na sua mente inconsciente, na verdade se parece mais com um demônio.*

Em seu trabalho de autotransformação, você mesmo precisa descobrir até que ponto tudo isto é verdade no seu caso individual. Sua alma está impregnada de conceitos errôneos desse tipo? Quando uma impressão assim entra no campo da consciência de um ser humano em crescimento, em geral não há a compreensão de que esse conceito de Deus é falso. Então a pessoa afasta-se completamente de Deus e não quer que se descubra nenhuma parte do monstro que paira na sua mente. A propósito, com freqüência esse é o verdadeiro motivo do ateísmo de muitas pessoas. O afastamento, porém, é tão errôneo quanto o extremo oposto, que consiste em temer a um Deus severo, injusto, pretensioso e cruel. A pessoa que inconscientemente mantém uma imagem distorcida de Deus teme com razão essa divindade e recorre à adulação para obter favores. Você tem aí um bom exemplo de dois extremos antagônicos, ambos igualmente falsos.

Examinemos agora o caso de uma criança que experimenta uma autoridade benigna mais do que o medo e a frustração de uma autoridade negativa. Vamos supor que pais superprotetores satisfaçam todos os caprichos da criança. Eles não incutem nela o senso de responsabilidade e assim essa criança pode fazer praticamente tudo que quiser. Observando superficialmente, a imagem de Deus que resulta de uma situação dessas está mais próxima do verdadeiro conceito de Deus – misericordioso, "bom", amoroso, indulgente. Isto induz a personalidade a pensar inconscientemente que pode passar despercebida aos olhos de Deus, que pode enganar a vida e evitar a própria responsabilidade. Para começar, uma criança assim conhecerá muito menos medo. Mas, como a vida não pode ser burlada, essa atitude errônea produzirá conflitos, e o medo se produzirá por uma reação em cadeia do ato errôneo de pensar, sentir e agir. Uma confusão interior surgirá, visto que a vida real não corresponde ao conceito e à imagem do Deus indulgente que está no inconsciente.

Podem coexistir muitas subdivisões e combinações dessas duas categorias principais na mesma alma, e o desenvolvimento alcançado em encarnações anteriores, nesse sentido em particular, também influencia a psique. Por isso, é muito importante, meus amigos, descobrir qual é a sua imagem de Deus. Essa imagem é básica e determina todas as outras atitudes, imagens e padrões ao longo de toda a existência. Não se deixem enganar por suas convicções conscientes. Antes, procurem examinar e analisar suas reações emocionais com relação à autoridade, a seus pais, a seus temores e expectativas. Através delas irão progressivamente descobrir o que *sentem* a respeito de Deus, e não o que *pensam* sobre Ele. Toda a escala entre os dois pólos opostos de pais "monstros" a superprotetores reflete-se na imagem que você tem de Deus, desde a desesperança e o desespero até a auto-indulgência, a rejeição da responsabilidade diante de sua própria vida e a expectativa de um deus indulgente.

A dissolução da imagem de Deus

Põe-se agora a questão da dissolução de uma imagem assim. Como você pode dissolver essa imagem, como desfazer uma conclusão errônea como essa? Primeiramente, você precisa estar plenamente consciente do conceito errôneo. Em segundo lugar, você deve orientar adequadamente suas idéias intelectuais. É da maior importância compreender que a formação apropriada do conceito intelectual não deve se sobrepor ao conceito emocional falso remanescente. Isso apenas causaria supressão. Perceba que os conceitos errôneos até aqui suprimidos, precisam expandir-se com clareza no interior da consciência. Formule o conceito correto. Em seguida, compare os dois. Você precisa avaliar constantemente o quanto se desvia emocionalmente do conceito intelectual correto.

Faça isso calmamente, sem pressa interior ou raiva contra si mesmo pelo fato de suas emoções não seguirem seu pensamento tão rapidamente quanto você gostaria. Dê-lhes tempo para que se desenvolvam. A melhor maneira de fazer isso é observar e comparar constantemente o conceito errado e o certo. Perceba que suas emoções necessitam de tempo para ajustar-se e também observe a sua resistência à mudança e ao desenvolvimento. O eu inferior da personalidade humana é muito astuto. Fique atento.

As injustiças do mundo muitas vezes são atribuídas a Deus. Se você está convencido da injustiça, a melhor atitude é examinar sua própria vida e perceber nela como você contribuiu para e mesmo provocou acontecimentos que, pelo menos, parecem totalmente injustos. Quanto mais você compreender a força magnética das imagens e a força irresistível de todas as correntes psicológicas e inconscientes, melhor você compreenderá e experimentará a verdade destes ensinamentos, e mais profundamente estará convencido de que *não há injustiça*. Descubra a *causa e o efeito* de suas ações interiores e exteriores.

Deus não é injusto

Se, para conhecer seus próprios defeitos, você empregar metade do esforço que faz para descobrir as deficiências alheias, você *perceberá a ligação com sua própria lei de causa e efeito e será suficiente este fato para libertá-lo,* para mostrar-lhe que não existe injustiça. Bastará isto para comprovar-lhe que não é Deus, nem o destino, nem nenhuma ordem cósmica injusta que determina que você deva sofrer as conseqüências das limitações das outras pessoas. Você verá que foi sua ignorância, seu medo, seu orgulho e egoísmo que direta ou indiretamente atraíram para sua vida tudo aquilo que você não deseja. Encontre esse elo oculto e você verá a verdade. Você perceberá que *não é presa das circunstâncias* ou das imperfeições das outras pessoas: é você mesmo que verdadeiramente cria sua vida. As emoções são forças criadoras poderosas, porque seu inconsciente afeta o inconsciente das outras pessoas. Esta verdade é da mais alta relevância para a descoberta de como você atrai os acontecimentos de sua vida, bons ou maus, favoráveis ou desfavoráveis.

Experimentando isto, você pode dissolver a imagem que faz de Deus, quer você tenha medo de Deus porque acredita viver num mundo de injustiça e receia ser vítima das circunstâncias sobre as quais não tem nenhum controle, quer rejeite a responsabilidade por si próprio e espere que um Deus indulgente e complacente viva a vida por você, decida por você e o alivie de seus sofrimentos auto-infligidos. A percepção de como você causa os efeitos de sua vida dissolverá toda essa imagem de Deus. Este é um dos pontos decisivos.

O verdadeiro conceito de Deus

Deus *é.* As leis de Deus são feitas de uma vez por todas e, por assim dizer, funcionam automaticamente. Pense em Deus como sendo, entre muitas outras coisas, *vida e força da vida.* Pense em Deus como uma *corrente elétrica dotada de inteligência suprema.* Essa ''corrente elétrica'' está aí, em você, ao seu redor, fora de você. Depende de você saber usá-la. Você pode utilizar a eletricidade com objetivos construtivos, até mesmo para a cura, ou pode empregá-la para matar. Isso não torna a corrente elétrica boa ou má. Você a faz boa ou má. Essa corrente é um aspecto importante de Deus e é a que mais nos toca.

Este conceito pode levantar a questão de se Deus é pessoal ou impessoal, inteligência diretiva ou lei e princípio. Por interpretarem a vida com uma consciência dualista, os seres humanos tendem a acreditar ou na personalidade ou na impessoalidade de Deus. E todavia Deus é ambos os aspectos. O aspecto pessoal de Deus, porém, não significa personalidade. Deus não é uma pessoa que resida num certo lugar, embora seja possível ter uma experiência de Deus pessoal no interior do eu, pois *o único lugar em que Deus pode ser procurado e encontrado é no interior*, e em nenhum outro lugar. Exteriormente ao eu, a existência de Deus pode ser deduzida a partir da beleza da Criação, através das manifestações da natureza, pela sabedoria acumulada por filósofos e cientistas. Mas essas observações se tornam uma experiência de Deus somente quando sua presença é sentida, em primeiro plano, interiormente. A experiência interior de Deus é a mais extraordinária de todas porque contém em si todas as experiências que se possam desejar.

Esta vivência de uma sensação tão particular pode ser chamada de *sensação cósmica*. A sensação cósmica não é uma compreensão teórica ou uma sensação *sobre* o cosmos. Trata-se, sim, de uma verdadeira sensação física, mental, emocional e espiritual que envolve a pessoa toda. Não posso descrever essa experiência adequadamente devido às limitações da linguagem humana.

A experiência cósmica não separa mais o sentimento do pensamento. Ela é *uma unidade de sentimento e pensamento*. É muito difícil imaginar isso quando nunca se teve uma experiência dessas. Mas alguns de vocês podem ter tido um lampejo ocasional. A unicidade é total. É uma experiência de bem-aventurança; a compreensão da vida è de seus mistérios, um amor todo-envolvente, um conhecimento de que tudo está bem e de que não há nada a temer.

No estado de sensação cósmica você experimenta a imediação da *presença de Deus dentro de você*. A imediação dessa presença inacreditavelmente poderosa, de início chega a ser chocante. A sensação boa é chocante. É como se, literalmente, um choque elétrico percorresse todo seu sistema. Por isso, o ego-personalidade precisa tornar-se suficientemente forte e saudável para poder aclimatar-se às elevadas vibrações da presença interior de Deus. Então você vivencia essa manifestação como sua realidade eterna, como seu estado eterno, como sua verdadeira identidade.

Ao perceber-se nesse estado, você se dá conta da maneira mais profunda, de que sempre conheceu o que agora descobre. Você apenas afastou-se temporariamente do estado de sensação e de saber, de experimentação e de percepção da vida como *ela é realmente*. É natural que esta descrição seja extremamente limitada, porque as palavras não conseguem transmitir a experiência. No momento, o que você pode fazer para ter uma idéia dessa realidade é rezar para ter condições de provar um pouco do seu sabor. Meu amigo, abra suas faculdades interiores, seu eu superior, para a compreensão de um nível mais elevado.

As eternas leis divinas

O amor de Deus não é pessoal apenas pela Sua presença na alma humana, mas também pelas *leis divinas*, pela própria existência dessas leis. O amor aparentemente impessoal presente nas leis *que são* – compreenda o que está implícito nas palavras "que são" – mostra-se claramente no fato de que são feitas de tal modo a conduzir o homem à luz e à bem-aventurança, independentemente do quanto ele se desvie delas. Quanto mais você as viola, mais se aproxima delas pelo sofrimento que a violação inflige. Esse sofrimento fará com que você tome nova direção, num ponto ou outro. Alguns mais cedo, outros mais tarde, todos chegaremos a perceber que somos nós mesmos que determinamos nossa miséria ou nossa bem-aventurança. Este é o amor da lei – este é o "Plano da Salvação". O desvio da lei é o próprio remédio para curar o sofrimento causado pelo desvio e, portanto, é ele que o conduz para mais perto da meta: a união com Deus.

Deus deixa que você se desvie das leis universais, se você assim o desejar. Você é feito à semelhança de Deus, significando que é totalmente livre para escolher. Você não é obrigado a viver na bem-aventurança e na luz, embora possa, se quiser. Tudo isso expressa o amor de Deus.

Quando você tiver dificuldade em compreender a justiça do universo e da própria responsabilidade na sua vida, não pense em

Deus como "Ele" ou "Ela". Antes, pense em Deus como o Grande Poder Criador à sua disposição. Não é Deus que é injusto; a injustiça é causada pelo uso errado da corrente de energia à sua disposição. Se você começar com base nessa premissa e se meditar sobre ela e, ainda, se de agora em diante você tentar descobrir onde e como abusou nesciamente da corrente de poder em você, Deus lhe responderá. Isso eu posso prometer.

Se descobrir a causa e o efeito em sua vida, você não faz idéia do que essa descoberta significará para você. Quanto maior a resistência inicial a ela, maior a vitória. Você não pode imaginar o quanto ela o tornará livre e seguro. Você compreenderá a maravilha da criação dessas leis que, com a corrente poderosa da vida, lhe permitem agir à vontade na criação de sua própria vida. Isto lhe dará a confiança e o conhecimento profundo e absoluto de que você não tem nada a temer.

O universo é um todo do qual a humanidade é uma parte orgânica. Experimentar Deus é perceber-se a si mesmo como parte integrante dessa unicidade. Entretanto, em seu estado de desenvolvimetno interior atual, a maioria dos seres humanos apenas consegue experimentar Deus sob o duplo aspecto da consciência espontaneamente ativa e da lei automática. Na realidade, esses dois aspectos formam uma unidade interativa.

O aspecto da consciência espontânea é o princípio ativo, que em termos humanos é chamado de aspecto masculino. É a força da vida que cria; é energia potente. Essa força de vida permeia a criação inteira e todas as criaturas. Ela pode ser usada por todos os seres vivos conscientes.

O aspecto da lei automática é o princípio passivo, receptivo, a substância da vida ou aspecto feminino, que o princípio criador modela, forma e influencia. Esses dois aspectos, em conjunto, são necessários para criar todas as coisas. Elas constituem as condições da criação e estão presentes em cada forma criada, quer se trate de uma galáxia ou de uma simples engenhoca.

Ao falar de Deus, é importante compreender que todos os aspectos divinos são reproduzidos no ser humano, que vive, e cujo ser repousa sobre as mesmas condições, princípios e leis como os pertencentes à Inteligência Cósmica. Ambos são o mesmo em essência, diferentes apenas em grau. Auto-realização, pois, significa ativação do potencial máximo de Deus em si próprio.

Deus está em você e cria por seu intermédio

Como inteligência deliberada, espontânea, orientadora, Deus não age *para* você mas *através* de você, estando *em* você. É muito importante que você compreenda essa diferença sutil, mas decisiva. Neste sentido, quando seu enfoque de Deus é errôneo, você vagamente espera que Deus atue por você, e se ressente dos inevitáveis desapontamentos; a partir disso, você conclui que não há Criador. Se alguém pudesse entrar em contato com uma divindade exterior, poder-se-ia logicamente esperar que essa divindade agisse pela pessoa. Mas esperar respostas exteriores ao eu significa orientar-se para a direção errada. Quando você entra em contato com Deus no interior do eu, as respostas devem chegar e, o que é mais, você as perceberá e compreenderá. Tais manifestações da presença de Deus no interior do eu demonstram o aspecto pessoal de Deus. Elas demonstram inteligência ativa, deliberada, orientadora, sempre em mudança, e renovada, adaptada em sabedoria infinita a qualquer situação. Essas manifestações expressam o Espírito de Deus através do espírito do ser humano.

Quando descobre a si mesmo e, conseqüentemente, conhece o papel que desempenha na criação de seu destino, você realmente se encontra. Você não é mais orientado, mas é o mestre da sua vida. Não sendo mais dominado por forças que não compreende, você pode deliberadamente utilizar esses poderes de modo mais construtivo, expressar mais o que há de melhor em você, expandir-se para potenciais cada vez maiores, acrescentar mais à vida e, como conseqüência, extrair dela o melhor.

Você deve descobrir esse poder e a liberdade de controlar sua vida por você mesmo. Se a vida o forçasse ao seu verdadeiro direito inato para livrá-lo do sofrimento, você jamais seria uma criatura livre. O próprio sentido de liberdade implica que nenhuma força ou coação pode ser usada, nem mesmo para resultados bons ou desejáveis. Nem mesmo a maior de todas as descobertas no caminho de sua evolução teria qualquer significado se você fosse compelido a experimentá-la. A decisão de orientar-se para a direção que lhe propiciará a verdadeira liberdade e energia interiores deve ser deixada a cada indivíduo. Quando aprofundada, a autodescoberta – primeiro no nível mundano, também chamado psicológico – deve conduzir à percepção de que você é mestre do universo na exata proporção em que é mestre de si mesmo. Este autocontrole depende de um autoconhecimento pleno e da profundidade e extensão dos conceitos que sua mente é capaz de abranger. Por ser criado à imagem de Deus, *você também deve criar*. Você faz isso todo o tempo, quer o saiba quer não. Você cria sua vida, seu destino, suas experiências. Cada pensamento, cada reação, cada emoção, intenção, ação, opinião e motivação é um processo criador. Quando alguém está dividido em contradições e conflitos entre motivações mutuamente excludentes, quando se flutua entre reflexos automáticos cegos e a ação deliberada, o resultado de tudo isso é criação da própria pessoa. Idéias, intenções, pensamentos, vontade, sentimentos e atitudes expressos por seres conscientes são as maiores forças do universo. Isto significa que o poder do espírito é superior a todas as outras energias. Se esse poder for compreendido e utilizado de acordo com sua lei inerente, ele suplantará todas as outras manifestações de poder. Nenhum poder físico pode ser tão forte quanto o poder do espírito. Visto que o ser humano é espírito e inteligência, ele é intrinsecamente capaz de dirigir toda lei automática, cega. É através dessa capacidade que verdadeiramente podemos experimentar Deus.

Quando você, deliberadamente, entra em contato com o seu eu superior, que contém todos os aspectos divinos, e pede orientação e inspiração, e quando você experimenta o resultado deste ato interior, você saberá que Deus está presente em você. Assim, meus caros amigos, que cada qual descubra a imagem distorcida que tem de Deus, descubra qual a imagem que se interpõe no caminho de sua experiência de Deus como a sensação cósmica total e bem-aventurada que é na realidade. Abram-se para ela. Possam as palavras que lhes dirijo trazer paz à sua alma, à sua vida. Permitam que elas penetrem em seu coração. Permitam que sejam um instrumento que os liberte das ilusões. Abençôo todos vocês, individual e coletivamente. O mundo de Deus é um mundo maravilhoso e tudo o que existe é motivo de alegria em qualquer plano em que vivam, sejam quais forem as ilusões ou padecimentos que temporariamente suportem. Permitam que estes sejam um remédio para vocês; que tudo o que lhes acontecer seja para que possam desenvolver-se com vigor e alegria. Que Deus abençoe a todos. Fiquem na paz. Fiquem com Deus!

5

Unidade e dualidade

Vivemos num plano de dualidade. Todas as nossas experiências são filtradas por uma consciência dualista. O estado de dualidade é angustiante porque oscilamos entre alternativas opostas; percebemos a vida como uma série de acontecimentos que classificamos como bons ou maus. A dualidade mais assustadora é a que separa a vida e a morte. Sabemos, no entanto, que existe uma consciência superior num plano unificado e que a felicidade maior consiste em estar em contato com essa consciência. Esforçamo-nos para alcançar a unificação, mas como chegar a ela sem renegar partes de nosso ser atual?

Esta palestra explica nossa condição dualista e indica como podemos transformar as partes de nós mesmos que impedem a unificação.

* * *

Saudações, meus caros amigos. Possa este início de noite ser uma bênção e um enriquecimento para cada um de vocês que me ouve e para todos os que lerem estas palavras. Possam todos abrir sua mente e seu coração para compreenderem a si mesmos em profundidade. E mesmo que não consigam entender minhas palavras de imediato, possam algumas delas enraizar-se em sua mente e amadurecer com o tempo. A compreensão plena desta conferência somente pode ocorrer à medida que cada um penetrar nas camadas profundas de seu inconsciente, o lugar onde se aplica tudo o que digo.

Há dois modos básicos de considerar a vida e o eu. Em outras palavras, existem duas possibilidades fundamentais para a consciência humana: a do plano dualista e a do plano unificado. A maioria dos seres humanos vive principalmente no plano dualista, onde se percebe e vivencia tudo por oposições: ou...ou, bom ou mau, certo ou errado, vida ou morte. Ou seja, praticamente tudo o que você encontra, todo problema humano, está moldado por este dualismo. O princípio unificado combina os opostos do dualismo. Transcendendo o dualismo, você transcenderá também a angústia causada por ele. Poucos seres humanos transcendem o plano dualista, e por isso a maioria das pessoas experimenta apenas um sabor casual da perspectiva ilimitada, da sabedoria e da liberdade do plano unificado.

No plano unificado de consciência não há opostos. Não há bom *ou* mau, não existe certo *ou* errado nem vida *ou* morte. Há somente bom, somente certo, somente vida. Entretanto, não se trata do tipo de bom, de certo ou de vida evidenciado por um dos pólos opostos do dualismo. O tipo a que me refiro transcende ambos os extremos e é totalmente diferente tanto de um como do outro. O bom, o certo e a vida que existem no plano unificado de consciência unem os pólos dualistas, fato que elimina o conflito. Esta é a razão por que viver num estado unificado, numa realidade absoluta, cria a felicidade, a bem-aventurança, a liberdade ilimitada, a plenitude e aquela realização infinita de potenciais que a religião chama de céu. Em geral, pensa-se que o céu é um lugar situado no tempo e no espaço. Obviamente, não é isso que acontece. O céu é um estado de consciência que pode ser concretizado a qualquer momento por qualquer entidade, quer seja um ser humano em carne e osso, quer se trate de alguém que não vive num corpo material.

O caminho para o plano unificado é a compreensão

O estado de consciência unificado é alcançado através da compreensão ou da sabedoria. A vida no plano dualista é um problema constante. Você tem de lutar contra a divisão arbitrária e ilusória do princípio unificado, divisão essa que cria as oposições, que, por sua vez, dão origem aos conflitos. Esta criação de opostos irreconciliáveis gera a tensão interior e, como decorrência, o conflito com o mundo externo.

Vamos compreender um pouco melhor esta luta peculiar, e portanto a situação humana. *Apesar de seu desconhecimento e inconsciência dele, você já tem um estado de mente unificado no seu verdadeiro eu.* Esse verdadeiro eu encarna o princípio unificado. Mas, mesmo os que nunca ouviram falar disso têm um anseio profundo e uma sensação quase totalmente inconsciente de um estado mental e de uma experiência de vida diferentes daqueles que conhecem. Eles aspiram à liberdade, à felicidade e ao domínio da vida que o estado de consciência unificado proporciona.

Esse anseio é mal interpretado pela personalidade, em parte porque ele se constitui numa aspiração inconsciente à felicidade e à realização. Mas procuremos entender com mais precisão o que essas palavras realmente significam. Elas traduzem a unificação dos opostos dualistas, de modo a não mais haver nenhuma tensão, nenhum conflito, nenhum medo. Conseqüentemente, o mundo torna-se vivo e o eu é o mestre, não de um modo tenso e hostil, mas no sentido de que a vida pode ser exatamente o que o indivíduo decide que ela seja. Esta liberdade, domínio e regozijo, esta libertação, tudo é buscado consciente e inconscientemente.

A interpretação errônea desse anseio acontece em parte porque ele é inconsciente – apenas uma sensação vaga enterrada no fundo da alma. Mas mesmo quando existe o conhecimento teórico de tal estado, ainda assim é mal interpretado por uma razão diferente. Quando a liberdade, o domínio, a unificação e o bem-estar resultantes do estado unificado de consciência são buscados no plano dualista, disso resulta um conflito enorme, porque é absolutamente impossível alcançar essas realidades nesse plano. Você luta para que a realização de seu anseio profundo transcenda e encontre, fundo em você, um novo estado de consciência onde tudo é um. Ao procurar isso num plano onde tudo é dividido, você jamais encontrará o que busca. Você se desesperará e se dividirá ainda mais em conflitos, pois a ilusão cria a dualidade.

Isto acontece particularmente com as pessoas que desconhecem essas possibilidades, mas ocorre também com pessoas mais preparadas espiritualmente, mas que ignoram as diferenças entre esses dois planos e também como podem aprender a transcender o plano dualista em sua vivência prática diária.

Quando o anseio vago pelo plano de consciência unificado ou

seu conhecimento teórico preciso é mal compreendido e, por causa disso, é procurado no plano dualista, então, o que acontece é isto: você sente que existe apenas o bem, a liberdade, a justiça, a beleza, o amor, a verdade, a vida, sem um oposto ameaçador, mas quando aplica isto no plano dualista, você é imediatamente lançado no próprio conflito que procura evitar. Você então se põe a defender um dos aspectos dualistas, em detrimento do outro. E essa opção sua torna a transcendência impossível.

Vou demonstrar isso com um problema humano familiar, do dia-a-dia, para que todos possam compreender estas palavras de modo mais prático. Vamos supor que você esteja em desavença com um amigo. Sob seu ângulo de visão, você está convencido de que está com a razão e que, por conseqüência, seu amigo está errado. Sob o ângulo dualista, tudo se reduz a ou...ou. Parece importar mais o resultado do que o fato em si, porque quando a intensidade das emoções é realmente testada, em geral ela não tem relação com a questão em foco. Ela se igualaria a uma questão de vida ou morte. Embora isso possa parecer-lhe irracional num nível consciente, no nível inconsciente estar errado significa, de fato, estar morto, porque estar errado significa ser negado pelo outro. No plano dualista, seu sentido de identidade está associado com a outra pessoa, não com o seu verdadeiro eu. *Enquanto você for apenas um ego exterior, você dependerá dos outros.* Daí que uma simples rixa se torna uma questão de vida ou morte, o que explica a intensidade das emoções quando se trata de provar o acerto seu e o erro do outro. Somente depois de tomar consciência do Centro do seu ser, que corporifica a unificação, é que sua vida deixa de depender dos outros.

No plano dualista, todas as questões terminam ou em vida ou em morte. A vida se torna de fundamental importância para evitar a morte. Muitas vezes as pessoas temem tanto a morte, que se lançam para ela de peito aberto. Indivíduos assim não se livram do medo da morte. Bem ao contrário. Sua luta constante com a vida, que resulta de seu medo e de sua luta contra a morte, os torna tão infelizes que acreditam não temer a morte. Essa é uma ilusão característica enquanto a vida é percebida no plano dualista; um lado é considerado mais importante e a pessoa luta por ele, enquanto o outro é visto como uma ameaça e a pessoa luta contra ele. Enquanto você sentir que deve vencer porque considera o seu lado verdadeiro e o do outro falso, você estará profundamente envolvido no mundo da dualidade, e portanto na ilusão, no conflito e na confusão. Quanto mais você lutar desse modo, maior se tornará a confusão.

Os seres humanos geralmente passam por períodos de aprendizagem que fazem parte de sua formação, e tudo o que aprendem do meio em que vivem resume-se em que cada um deve lutar por si mesmo e contra o outro, seja qual for o número de opostos. Isso não se aplica somente às questões materiais, mas também aos conceitos, e de maneira bem mais decisiva. Toda verdade pode assim ser dividida em dois opostos, um ao qual se deve aderir como sendo o "certo", e o outro ao qual se deve rejeitar por ser "errado". Na realidade, entretanto, ambos se complementam mutuamente. No plano unificado, não se pode pensar um aspecto sem o outro. Aí os complementos não são "inimigos" ou negações um do outro; é somente no plano de consciência dualista que eles se opõem. Neste, todo conflito se multiplica em subdivisões intrincadas da divisão dualista primária. Visto que tudo isto é produto da ilusão, quanto mais o conflito continuar, menos condições você terá de resolvê-lo e mais desesperançadamente você nele se enredará.

Retornemos agora ao nosso exemplo e demonstremos como isto acontece. Quanto mais você tentar provar que seu amigo está errado, mais aumentará a fricção e você ganhará menos do que pensava ganhar pela tentativa de provar que você estava certo e seu amigo errado. Você acredita que, provando que está certo e seu amigo errado, este irá aceitá-lo e amá-lo novamente e tudo voltará a ficar bem. Quando isso não acontece, você interpreta o fato erroneamente e tenta ainda mais, porque pensa que não provou suficientemente que você está certo e que o outro está errado. A brecha aumenta, sua ansiedade cresce, e quanto maior o número de armas que você usar para vencer, mais profundas serão suas dificuldades, até o ponto de prejudicar a si mesmo e ao outro e de agir contra seus próprios interesses. Então surge um conflito ainda maior, decorrente da primeira divisão dualista. Para evitar uma quebra total, com todas as ameaças reais e imaginárias que esta pode provocar – porque o dano real começou a ser forjado –, você enfrenta as alternativas de ter de ceder para apaziguar seu amigo e para evitar maiores danos a você mesmo, ou de continuar lutando. Por ainda estar convencido de que existe um *certo* versus um *errado*, a atitude de apaziguar o priva de seu auto-respeito e você luta contra isso. Quer utilize essa "solução" ou não, você estará dividido entre lutar ou submeter-se. Ambas as situações criam tensão, ansiedade e danos interiores e exteriores. Assim, uma segunda dualidade se desenvolve a partir da primeira. A primeira é: "Quem está certo e quem está errado? Só eu posso estar certo. Se não for assim, tudo estará arruinado." A segunda é: ou ceder a um erro que você não pode admitir, por tratar-se de um erro absoluto, ou continuar lutando. Em certo sentido, admitir um erro significa morte. Assim, você se defronta com as alternativas: admitir o erro, o que significa morte na psique profunda, para evitar conseqüências danosas e a possibilidade de um risco real, pondo sua vida em sério perigo, novamente a morte, no seu sentido mais profundo, ou insistir em que está totalmente certo. Para qualquer lado que se volte, você vê morte, perda, aniquilação. Quanto mais você luta a favor ou contra, menos há para lutar a favor e mais todas as alternativas se voltam contra você. A ilusão de que um dos lados era bom e o outro era mau o levou à etapa seguinte, inevitável nessa rota de ilusão, que é que todas as alternativas são más. Toda luta dualista está fadada a conduzi-lo a mais armadilhas, sendo todas produtos da ilusão.

Logo que você se decide pelo caminho que conduz ao princípio unificado, imediatamente o que de início lhe parecia um bem certo e um mal definido perde sua característica, e você inevitavelmente encontra o bem e o mal em ambos os lados. Ao aprofundar-se nesse caminho, todo o mal desaparece, permanecendo apenas o bem. A via ao princípio unificado conduz às profundezas do verdadeiro eu, à verdade que está muito além dos interesses medrosos do pequeno ego. Quando a pessoa desce a essas profundezas do eu para encontrar essa verdade, ela se aproxima do estado de consciência unificado. Nosso exemplo é bem comum e pode ser aplicado a muitas situações do dia-a-dia, simples ou complexas. Ele pode tomar a forma de uma pequena rixa entre colegas ou de um conflito bélico entre países. Ele está presente em todas as dificuldades que o homem encontra, individual e coletivamente. Enquanto permanecer nesse conflito dualista ilusório, você viverá na desesperança, porque não há outra saída no plano dualista do pensar. Enquanto sua própria existência se identificar com o ego, e portanto com o enfoque dualista da vida, você não terá outro jeito senão desesperar, quer esse desespero esteja encoberto quer seja momentaneamente aliviado por um sucesso ocasional de uma das alternativas dos dois opostos. O desamparo e a desesperança – a energia dissipada da luta dualista – roubam-lhe seu direito inato. *É somente no plano da unificação que você pode encontrar seu direito inato.* Tudo o que você aprende através da educação e do mundo circunstante está atrelado a padrões dualistas, e por isso não é de admirar que você esteja totalmente submetido e adaptado a esse estado de consciência. Tanto isto é verdade que você fica chocado quando descobre que existe outra alternativa. Você não consegue acreditar nela e se apega ao seu padrão costumeiro. Isto cria um círculo vicioso em que as regras e preceitos dualistas que o condicionam a este modo de vida são eles mesmos um resultado de seu medo de renunciar ao estado egoísta que por si só parece assegurar a vida. Você tem a impressão de que abandonar esse estado de ego é o mesmo que aniquilar sua individualidade, o que, naturalmente, é absolutamente errado. Assim, você tem essas regras dualistas por causa de seus medos errôneos e se aferra aos falsos temores devido à sua educação.

Antes de analisar mais detalhadamente o motivo que o leva a apegar-se ao estado dualista angustiante, apesar da possibilidade de acesso imediato ao plano unificado de consciência, gostaria de dizer alguma coisa mais sobre *o modo de concretizar a unificação dentro de você mesmo*. O verdadeiro eu, o princípio divino, a inteligência infinita – ou qualquer que seja o nome que você dê a esse centro interior que existe em todo ser humano – contém toda a sabedoria e toda a verdade que se possa eventualmente imaginar. A verdade é tão abrangente e tão diretamente acessível que nenhum conflito existe quando ela tem condições de operar. Os "se" e os "mas" do estado dualista deixam de existir. O conhecimento dessa inteligência inata ultrapassa em muito a inteligência do ego. É um conhecimento totalmente objetivo; ele não dá atenção ao auto-interesse mesquinho – é por isso que você tem medo de entrar em contato com ele e o evita. A verdade que flui dele iguala o eu com os outros. Longe de ser o aniquilamento que o ego teme, essa verdade abre as portas do depósito de força e energia vibrante de vida que você em geral utiliza apenas em pequenas proporções e que emprega mal ao dirigir sua atenção e esperanças ao plano dualista, com as opiniões ferreamente sustentadas, com as idéias falsas, vaidade, orgulho, obstinação e medo que esse plano comporta. Quando esse centro vivo o ativa, você começa seu desenvolvimento ilimitado, um processo cujas concretizações se tornam possíveis pre-

77

cisamente porque o pequeno ego não quer mais utilizá-las para encontrar a vida, como o fez, no plano dualista. *Sempre se pode entrar em contato com o verdadeiro eu unificado.* Retomemos nosso exemplo para ver como isso acontece. A coisa mais difícil de se fazer, embora, na verdade, seja a mais fácil, é perguntar-se: "Qual é a verdade da situação?" Ao buscar mais a verdade do que as provas de que está certo, você entra em contato com o princípio divino da verdade transcendente, unificada. Se o desejo de estar na verdade é genuíno, a inspiração deve manifestar-se. Por mais que as circunstâncias apontem para uma direção, você deve estar disposto a ceder e a questionar se o que você vê é tudo o que diz respeito ao problema. Este ato generoso de *integridade* abre caminho para o verdadeiro eu.

Será mais fácil prosseguir se você chegar à conclusão de que não se trata necessariamente de uma questão de ou...ou, mas que podem existir aspectos de *certo* na visão da outra pessoa e de *errado* na sua, aspectos que, até agora, você não percebeu porque sua atenção não se deu ao trabalho de considerar essa possibilidade. Uma abordagem assim imediatamente abre caminho para o plano unificado de existência e na direção do verdadeiro eu. Ela de imediato libera uma energia que é sentida claramente quando isso é feito com intenção profunda e sincera. Ela traz alívio à tensão.

O que você acaba descobrindo é sempre completamente diferente tanto do que esperava como do que temia no plano dualista. Você descobre que não é tão certo e inocente quanto pensava nem tão errado quanto temia. E o mesmo acontece com seu desafeto. Você imediatamente passa a conhecer aspectos da situação que não vira antes, embora fossem bastante visíveis até. Você começa a compreender como o desentendimento surgiu, o que o provocou, qual foi sua história antes mesmo de sua eclosão. Com tais descobertas você alcança a compreensão da natureza do relacionamento. Você aprende sobre si mesmo e sobre o outro, e ao mesmo tempo aumenta seu entendimento sobre as leis da comunicação. Quanto mais ampliar sua visão, mais livre, forte e seguro você se sentirá. Essa visão não apenas elimina este conflito em particular e mostra o modo correto de elucidá-lo, mas também revela aspectos importantes das dificuldades que você tem e facilita sua eliminação através dessa compreensão. A paz vibrante que deriva dessa compreensão ampliada é de valor duradouro. Ela afeta sua auto-realização e sua vida diária. O que descrevi é um exemplo típico de compreensão intuitiva e unificada: de conhecimento da verdade. Depois da necessidade inicial aparente de coragem e da resistência momentânea em ver uma verdade maior do que a verdade egoísta, seu caminho se torna bem mais fácil do que a luta que resulta do plano ou...ou da vida dualista.

Antes que você possa situar-se no modo unificado de pensar e de ser, a tensão elevar-se-á, pois enquanto permanece no plano dualista, você luta contra a unificação porque acredita falsamente que ao admitir e ver onde está errado e o outro certo, você se rende e se escraviza. Você se torna nada, inútil, insignificante – a partir desse ponto, basta um passo para a aniquilação de sua vida de fantasia. Daí que, para você, abandonar o plano dualista é o maior perigo. A tensão aumentará enquanto seus conflitos se avolumaram. Mas no momento em que você se decidir pela verdade, no momento em que você estiver ansioso e preparado para não ver apenas o seu lado, sua pequena verdade, e para não ceder à pequena verdade do outro por medo das conseqüências se não o fizer, no momento em que você desejar possuir a *verdade maior, mais abrangente*, que transcende pequenas verdades de ambos, uma tensão específica será removida de sua psique. Estará, então, preparado o caminho para a manifestação do verdadeiro eu.

Empecilhos para a descoberta do verdadeiro eu

Recapitulando: os dois empecilhos mais significativos para a descoberta do verdadeiro eu são: primeiro, a ignorância de sua existência e da possibilidade de entrar em contato com ele e, segundo, um estado psíquico tenso, comprimido, com movimentos tensos e comprimidos da alma. Esses dois fatores tornam impossível o contato com o verdadeiro eu e, portanto, com um estado unificado de existência. Enquanto permanecer num plano dualista, você estará passando por uma tensão constante em sua alma. Ao lutar contra um dos aspectos dualistas e se aliar ao outro, *observe seus movimentos de alma*. Superficialmente, você pode apoiar-se na justificativa aparente da posição a que se alia. Você pode dizer, "Não estou perfeitamente justificado por combater este erro no mundo?'' No plano dualista, as coisas podem passar-se desse modo. Mas com essa perspectiva limitada, você ignora que esse erro existe apenas por causa de seu enfoque dualista quanto ao problema e de sua ignorância básica da existência de outro enfoque. A tensão resultante empana a visão de que existem outros aspectos que unificam tanto o que você considera certo como o que julga errado, independentemente de qual seja realmente o erro. Este simples ato de querer a verdade requer várias condições, sendo a mais importante a disposição de renunciar àquilo que a pessoa se apega, quer seja uma crença, um medo ou um modo de vida agradável. Quando digo renunciar, quero dizer questionar e estar disposto a ver que há algo mais além dessa perspectiva. Isto nos leva de volta ao motivo de você se apavorar pelo fato de abandonar o estado do ego, o seu modo de vida dualista e angustiante. Por que você resiste tanto em entregar-se a este centro interior profundo que unifica todo o bem e é acessível instantaneamente? Ele está, contudo, além das pequenas considerações pessoais do ego.

Seu ego versus seu centro divino

O plano dualista é o plano do ego. O plano unificado é o mundo do centro divino, o eu maior. O ego encontra toda sua existência no plano em que se sente à vontade. Renunciar a esse plano significa abandonar as exigências do pequeno ego. Isso não significa aniquilação, mas para o ego parece ser exatamente isso. Na verdade, o ego é uma partícula, um aspecto isolado da inteligência-mestra, o eu interior, verdadeiro. Aquele não é diferente desta; apenas há nele menos do verdadeiro eu. Por ser separado e limitado, ele é menos confiável que aquele do qual brota. Mas isso não significa que o ego deve ser destruído, aniquilado. Na verdade, chegará o momento em que o ego se integrará ao verdadeiro eu, formando um único eu, mais pleno, mais bem equipado, mais sábio. Ele terá um patrimônio maior e melhor do que você pode imaginar.

Mas o ego separado pensa que esse desenvolvimento significa aniquilação. No seu modo néscio, limitado, o ego existe apenas como um ser separado; daí que ele busca ainda maior separação. Visto que a consciência limitada desconhece a existência do verdadeiro eu —

mesmo que seja aceito como uma teoria, sua realidade estará sujeita à dúvida enquanto os equívocos pessoais não forem eliminados –, ela teme afrouxar e soltar seu punho apertado, exatamente o movimento da alma que conduz ao verdadeiro eu. Esta é a luta constante do ego até que cesse de enfrentar um oposto através de reconhecimentos repetidos de uma verdade maior em cada questão pessoal menor. O verdadeiro eu não pode manifestar-se enquanto os problemas pessoais não forem resolvidos. Mas o processo de resolver esses problemas e os primeiros indícios de auto-realização freqüentemente se sobrepõem; um auxilia o outro. Esta maneira de ver sua luta humana básica pode ajudá-lo consideravelmente. Enquanto houver identificação total com seu ego, você continuará a cultivar mais separação, e a conseqüência será a auto-idealização. Deste ponto de vista, a autoglorificação e a idealização parecem ser a salvação e a garantia que ameniza seus medos existenciais. O ego pensa, "Se todos ao meu redor me considerarem especial, melhor que outros, esperto, bonito, talentoso, feliz, infeliz ou mesmo 'mau' – ou qualquer característica que tenha escolhido para sua autoglorificação idealizada – então receberei a aprovação, o amor, a admiração e a concordância de que necessito para viver". Este argumento significa que, em algum ponto em seu interior, você acredita que pode existir apenas se for percebido, afirmado e confirmado por outros. Você sente que se passar despercebido, você deixa de viver. Isto pode parecer exagero, mas não é. Isto explica por que sua auto-imagem idealizada é tão destrutiva. *Você se sente mais confiante quando faz de tudo para ser notado do que quando faz esforços positivos.*

Assim, sua salvação parece estar nos que reconhecem sua existência somente se você for especial. Ao mesmo tempo, a mensagem emitida pelo verdadeiro eu, e que você interpreta mal, quer que você domine a vida, mas você a domina no plano errado e acredita que deve vencer toda resistência que se interponha em seu caminho. Toda *pseudo-solução* pessoal é um artifício de que você dispõe para eliminar os obstáculos que o impedem de ser algo especial. A pseudo-solução que você escolhe depende de aspectos específicos de seu caráter individual, das circunstâncias e das influências dos primeiros anos de vida. Quaisquer que sejam as soluções – e há três soluções básicas: a da *agressão*, a da *submissão* e a da *retirada* –, elas estão destinadas a suplantar as outras e a definir sua liberdade e realização.

Sua existência parece estar assegurada quando você é plenamente amado, aceito e servido por outros, e você espera chegar a isto triunfando sobre eles. Agora você pode ver que é governado por uma sucessão de conclusões errôneas, todas completamente diferentes na realidade.

Naturalmente, todas as suas reações e crenças podem ser constatadas somente quando você tiver aprendido a aceitá-las. Você também precisa questionar o sentido de uma reação particular e observar o que há atrás da fachada, o que está além do que ela pretende significar. Quando você admite isso, é fácil verificar que todas essas interpretações errôneas o dominam e lhe roubam a beleza da realidade. Você também chegará a entender não como uma teoria, mas como uma realidade – que sua vida não depende de que outras pessoas afirmem sua existência; que você não precisa ser especial e separado dos outros; que essa mesma exigência o aprisiona na solidão e na confusão; que outros lhe darão amor e o aceitarão no momento em que você não desejar ser melhor ou mais especial ou diferente deles. Esse amor chegará quando sua vida não mais depender dele.

Quando você tiver verdadeiramente alcançado o conhecimento, sua realização, em qualquer campo que seja, não poderá ter sobre os outros o efeito que tem quando ela serve para separá-lo. No primeiro caso, sua realização será uma ponte que leva você em direção aos outros, por não ser uma arma contra eles. No segundo caso, ela criará o antagonismo porque você a deseja para ser melhor do que os outros, o que sempre significa que eles devem estar numa posição inferior. Quando você tem necessidade de ser melhor por meio de suas realizações, o que você dá ao mundo voltar-se-á contra você porque você o oferece em *espírito de guerra*. Quando você oferece suas realizações para enriquecer a vida e os outros, você e sua vida serão aperfeiçoados por isto, porque você dá em *espírito de paz*. Neste caso, você se torna parte da vida. Ao retirar da vida – e do centro vivo dentro de você – e ao devolver à vida como uma parte essencial dela, você age de acordo com o princípio unificado.

Sempre que você acredita que "para viver devo ser melhor do que os outros, devo separar-me", o desapontamento será inevitável. Esta crença não pode trazer o resultado desejado porque se baseia na ilusão. O conceito dualista é "eu *versus* o outro". Quanto mais você lutar com os outros, menos eles irão concordar com sua exigência de afirmar o seu eu e mais você vivenciará isto como um perigo semelhante a renunciar à luta em si. Assim, para qualquer lado que você se volte, parece haver um bloqueio. Você se torna extremamente dependente dos outros através de seu conceito ilusório de que se eles não o aprovarem, você estará perdido, enquanto, ao mesmo tempo, você tenta superá-los e obter a vitória. Você se ressentirá da primeira situação e se sentirá culpado pela segunda. Ambas criam grandes frustrações e ansiedade; nenhuma delas conduz a nenhum tipo de salvação. Perceba a falta de interesse inicial em questionar suas suposições a respeito de qualquer questão problemática de sua vida. Esta é sua verdadeira pedra de tropeço, porque seu afastamento do que parece tão angustiante e assustador faz com que seja impossível revelar a falácia de sua crença oculta. Quando você observa seus problemas da maneira mais objetiva e distanciada que pode, expressando a perspectiva mais ampla do verdadeiro eu, quando você direciona sua melhor intenção e vontade à questão que o perturba com um desejo autêntico de imparcialidade, você irá primeiramente perceber um recuo com relação a um desejo assim e um modo mais ou menos evidente ou sutil de encobrir seu desejo de fuga. Surpreenda-se neste ato e prossiga com coragem, questionando a si mesmo ainda mais e com maior profundidade. Então você perceberá que a dificuldade externa é uma representação simbólica de sua batalha interior em que você luta pela vida contra a morte, pela existência contra a aniquilação. Você verá que aquilo em que você evidentemente acredita é exigido de outros para que você exista.

A transição do erro dualista para a verdade unificada

Quando tiver chegado a este nível de seu ser, você será capaz de questionar os princípios que lançaram a base para isso. E esse é o primeiro passo para tornar possível a transição do erro dualista para a verdade unificada. Você também perceberá que renunciar a ideais e convicções é como aniquilar-se, porque estar errado significa morrer, e estar certo significa viver. No momento em que você passar por este movimento de abrir-se e de ter a coragem de querer a verdade, uma verdade mais plena do que aquela que consegue ver neste instante, você chegará a uma nova paz e a um novo conhecimento intuitivo sobre o modo de ser das coisas. Algo em sua substância psíquica enrijecida se afrouxará e preparará ainda melhor o caminho para a auto-realização total.

Cada vez que você relaxa, o clima de sua psique se torna mais auspicioso para o despertar final, total, em direção a seu centro interior, que contém toda a vida, toda a verdade, toda a bondade unificada da criação. Todo passo nessa direção elimina outra concepção errônea; e cada concepção errônea representa outra fardo. A renúncia ao que inicialmente parecia uma proteção contra o aniquilamento será agora exposta em sua realidade verdadeira: a renúncia a um peso, a um sofrimento, a um aprisionamento. Você então chega a compreender o fato absurdo de que se opõe a renunciar à vida dualista, com todo o padecimento e desesperança que esta contém.

Talvez você possa compreender agora alguma coisa disso tudo, e este fato o ajudará em seu caminho pessoal. Ao aplicar essas verdades à sua vida diária, você verá que as palavras aparentemente abstratas que utilizo aqui não são algo distante, mas são acessíveis a cada pessoa. Você verá que estas palavras são práticas e concretas, bastando apenas que esteja disposto a ver a si mesmo em relação à vida sobre o pano de fundo de uma verdade mais ampla do que a que você, até agora, está disposto a admitir.

A mensagem que vem do verdadeiro eu diz: "Seu direito inato é a felicidade perfeita, a liberdade e o domínio sobre a vida." Quando luta por esse direito inato seguindo os princípios dualista, você se afasta mais e mais da auto-realização, na qual você pode verdadeiramente ter domínio, liberdade e realização total. Você busca tudo isto com meios falsos. Estes são tão variados quanto o caráter de cada indivíduo.

Note como é você mesmo que dá início à falsa luta que leva a uma crescente confusão e sofrimento. Qualquer que seja o modo pelo qual tente vencer, você depende de outros e de circunstâncias que muitas vezes estão além de seu controle atual; portanto, você está fadado a fracassar. Essa luta fútil enrijece a sua essência psíquica. Quanto mais frágil for essa essência menos você será capaz de entrar em contato com o centro do seu ser interior, que pode dar-lhe tudo aquilo de que você possa precisar: bem-estar, produtividade e paz interior, verdadeiros subprodutos da descoberta do verdadeiro eu.

O único modo de que você dispõe para entrar no estado de união onde você pode verdadeiramente alcançar o domínio é renunciar à falsa necessidade de vencer, de estar separado, de ser especial, de estar com a razão, de querer as coisas a seu modo. Descubra o bem em todas as situações, quer as considere boas ou más, certas ou erradas. É desnecessário dizer que isto não significa resignação nem rendição medrosa ou fraqueza. Significa seguir com o fluxo da vida e lidar com o que até agora está além de seu controle imediato, seja ou não de seu agrado. Significa aceitar o lugar onde você está e a vida que lhe está reservada neste momento. Significa estar em harmonia com o seu próprio ritmo interior. Esse procedimento abrirá o canal para o seu Eu divino, acontecendo finalmente a auto-realização total. Todas as suas manifestações na vida serão motivadas e vividas pelo princípio divino que opera em você e que se expressa a si mesmo através da sua individualidade, integrando as faculdades do seu ego com o eu universal. Essa integração aperfeiçoa a sua individualidade; ela não a diminui. Ela intensifica cada um de seus prazeres; ela não lhe retira absolutamente nada.

Possa cada um de vocês compreender que a verdade está dentro de cada um. Tudo aquilo de que precisam está em vocês. Possam todos descobrir que, na verdade, não precisam lutar, como vêm fazendo continuamente. Tudo o que precisam fazer é reconhecer a verdade, seja qual for a posição em que estejam agora. Tudo o que precisam fazer, neste momento, é reconhecer que pode haver em cada um mais do que podem ver; invoquem esse centro interior e estejam abertos às suas mensagens intuitivas. Possam descobrir que isso é possível exatamente onde vocês mais dele necessitam neste momento particular. *Seu parâmetro é sempre o que parece mais desconfortável, aquilo do qual você está mais tentado a desviar-se.*

Sejam todos abençoados, continuem em seu maravilhoso caminho, o qual os conduzirá à percepção de que já possuem aquilo de que necessitam e de que estão onde precisam estar. Vocês apenas se desviam porque estão atrelados à direção oposta. Estejam em paz. Fiquem com Deus.

6

As forças do amor, de eros e do sexo

Considerando que o estado dualista se expressa através dos dois sexos no nível do corpo, podemos continuar com a nossa série de palestras abordando um tema que cativa a atenção de todos, qual seja, a questão do amor, de eros e do sexo. Ninguém está imune ao toque e, às vezes, até ao ataque dessas forças. Esta palestra projeta luz sobre a confusão que existe em todos nós sempre que amamos ou alimentamos desejos e nos ajuda a distinguir os sentimentos contraditórios. Como tratar eros? Esta é a questão!

* * *

Saudações, em nome do Senhor. Trago-lhes as bênçãos, meus caríssimos amigos. Que esta hora seja abençoada.

Na noite de hoje, gostaria de discutir três forças muito específicas presentes no universo: a força do amor enquanto é manifestado entre os sexos, a força de eros e a força do sexo. Trata-se de três princípios ou forças nitidamente distintas que se manifestam diferentemente em cada plano, desde o mais elevado até o mais baixo. A humanidade sempre confundiu esses três princípios. De fato, são poucas as pessoas que sabem que existem três forças distintas e que conhecem a diferença entre elas. Por ser tanta a confusão a este respeito, é da maior utilidade esclarecer tudo em profundidade.

O significado espiritual da força erótica

A força erótica é uma das forças mais poderosas da existência e tem uma energia viva e um impacto incomuns. Ela deve servir de ponte entre o sexo e o amor, mas é raro que desempenhe essa função. Numa pessoa de grande desenvolvimento espiritual, a força erótica conduz a entidade do estado de experiência erótica, que em si é de curta duração, para o estado permanente de puro amor. Entretanto, mesmo o forte impulso da força erótica leva a alma apenas até esse ponto, e não mais. Essa força se dissolve se a pessoa não souber amar através do desenvolvimento de todas as qualidades e requisitos necessários para o amor puro. Só quando o amor é aprendido a centelha da força erótica se mantém viva. Por si mesma, sem amor, a força erótica se consome e se extingue. E este é, sem dúvida, o problema com o casamento. A maioria das pessoas não tem condições de chegar ao casamento ideal porque é incapaz de oferecer amor puro.

Eros tem muitas semelhanças com o amor. Ele faz irromper impulsos que, de outro modo, o ser humano não teria: impulsos de doação e de afeição de que a pessoa teria sido incapaz anteriormente. É por isso que eros é tão seguidas vezes confundido com o amor. Mas é também tanto quanto ou até mais freqüentemente confundido com o instinto sexual que, como eros, também se manifesta como uma necessidade intensa.

Meus amigos, desejo expor-lhes o significado espiritual e o propósito da força erótica, especialmente no que se refere à humanidade. Sem eros, muitas pessoas jamais experimentariam o sentimento e a beleza indescritíveis contidos no amor verdadeiro. Jamais sentiriam seu sabor e o anseio pelo amor continuaria profundamente submerso em sua alma. O medo do amor seria mais forte do que seu desejo.

Eros é a sensação mais próxima do amor que o espírito pouco evoluído pode experimentar. Ele soergue a alma de sua indolência, de seu contentamento medíocre, de seu estado de vegetação. Ele faz a alma pulsar, sair de si mesma. Quando essa força se manifesta, mesmo as pessoas menos desenvolvidas são capazes de superar-se. Mesmo um criminoso pode momentaneamente sentir, pelo menos com relação a uma pessoa, uma afeição que jamais sentiu antes. Enquanto esse sentimento perdurar, até a pessoa mais egoísta terá impulsos de generosidade. A pessoa preguiçosa abandona sua inércia. E a que está subjugada pela rotina livra-se de seus hábitos estáticos de modo natural e suave. Nem que seja por breves instantes, a força erótica coloca a pessoa acima de seu estado de separação. Eros dá à alma um antegozo de unidade e ensina à psique temerosa o desejo ardente por essa unidade. Quanto mais forte for a experiência com eros, menos satisfação a alma encontrará na pseudo-segurança da separação. Mesmo uma pessoa acentuadamente egocêntrica é capaz de sacrifício durante a experiência de eros. Vocês vêem assim, meus amigos, que eros faz com que as pessoas realizem coisas que não têm disposição de fazer; coisas que estão intimamente ligadas ao amor. É fácil ver por que as pessoas confundem tanto eros com o amor.

A diferença entre eros e amor

Afinal, como eros se distingue do amor? O amor é um estado permanente da alma; eros, não. O amor só pode existir se o seu fundamento for preparado através do desenvolvimento e da purificação. O amor não vem e vai a esmo; eros, sim. Eros ataca com força repentina, muitas vezes pegando a pessoa desprevenida e mesmo encontrando-a sem vontade de passar pela experiência. Só quando a alma estiver preparada para o amor e lhe tiver lançado os fundamentos é que eros será a ponte para o amor que se manifesta entre um homem e uma mulher.

Você vê, então, como a força erótica é importante. Se essa força não os afetasse e não os tirasse de seus hábitos arraigados, muitos seres humanos jamais estariam preparados para uma busca mais consciente, para o derruimento de seus próprios muros de separação. A experiência erótica lança a semente na alma e faz com que ela aspire à unidade, que é a grande meta no plano da salvação. Enquanto a alma permanecer separada, a solidão e a infelicidade serão o seu quinhão. A experiência erótica permite que a pessoa anseie pela união pelo menos com um outro ser. Nas esferas do mundo do espírito, a união existe entre todos os seres – e, assim, com Deus. Na esfera da Terra, a força erótica é um poder propulsor, não importando se seu significado verdadeiro é ou não compreendido. É exatamente isso que acontece, embora muitas vezes seja um poder mal utilizado e também seja superestimado por seu próprio valor, enquanto dura. Seu emprego não tem o objetivo de desenvolver o amor na alma, e por isso ele se esgota. No entanto, seu efeito irá inevitavelmente permanecer na alma.

O medo de eros e o medo do amor

Eros chega às pessoas repentinamente em certos estágios de sua vida, mesmo àquelas que têm medo do risco aparente de aventurar-se para longe da separação. As pessoas que têm medo de suas emoções e da vida farão tudo o que estiver a seu alcance para evitar – subconsciente e nesciamente – a grande experiência da unidade. Embora esse medo exista em muitos seres humanos, há poucos na verdade que não vivenciaram alguma abertura da alma onde eros os pudesse tocar. Para a alma temerosa que resiste à experiência, este é um bom remédio, embora possa seguir-se a tristeza e uma sensação de perda, devido a outros fatores psicológicos. Entretanto, existem também os que são demasiadamente emotivos, e embora possam conhecer outros medos da vida, não têm medo dessa experiência específica. Na verdade, sua beleza é uma grande tentação para eles e, portanto, podem procurá-la com voracidade. Essas pessoas procuram um objeto de experiência após outro, emocionalmente ignorantes demais para compreender o significado profundo de eros. Elas não têm vontade de aprender o amor puro, e simplesmente empregam a força erótica para seu prazer e quando ela se desgastou procuram-na em outros lugares. Este é um abuso e sem dúvida trará conseqüências maléficas. Uma personalidade assim terá de reparar esse abuso – mesmo que tenha sido cometido por ignorância. Do mesmo modo, o covarde medroso terá de compensar por tentar iludir a vida escondendo-se de eros e recusando à alma um remédio, valioso se usado adequadamente. A maioria das pessoas desta categoria tem um ponto vulnerável em algum lugar de sua alma, e eros pode entrar por esse ponto. Há também uns poucos que construíram um muro de medo e orgulho tão maciço em torno de sua alma, que evitam totalmente esta parte da experiência de vida e assim cerceiam seu próprio desenvolvimento. Este medo pode existir porque numa vida anterior tiveram uma experiência infeliz com eros, ou talvez porque a alma abusou sofregamente da beleza da força erótica sem edificá-la na direção do amor. Em ambos os casos, a personalidade pode ter escolhido ser mais cuidadosa. Se essa decisão for muito rígida e rigorosa, ocorrerá o extremo oposto. Na próxima encarnação, as circunstâncias serão escolhidas de tal modo que se estabeleça um equilíbrio até que a alma alcance um estado harmonioso onde não haja mais extremos. Esse equilíbrio em encarnações futuras sempre se aplica a todos os aspectos da personalidade. Para chegar a essa harmonia, pelo menos até certo grau, deve ser encontrado o adequado equilíbrio entre razão, emoção e verdade.

A experiência erótica muitas vezes se mistura com o impulso sexual, mas nem sempre as coisas ocorrem desse modo. Essas três forças – amor, eros e sexo – freqüentemente aparecem completamente separadas, ao passo que às vezes duas se misturam, como *eros* e *sexo*; ou *sexo* e *amor* até o ponto em que a alma é capaz de amar; ou *sexo e uma aparência de amor*. Somente no caso ideal as três forças se fundem harmoniosamente.

A força do sexo

A força do sexo é o poder criador em todos os níveis de existência. Nas esferas superiores, a mesma força sexual cria a vida espiritual, as idéias espirituais e os conceitos e princípios espirituais. Nos planos inferiores, a força sexual pura, não espiritualizada, cria a vida como esta se manifesta nessa esfera específica; ela cria o invólucro exterior, o veículo da entidade destinada a viver nesse plano.

A força sexual pura é totalmente egoísta. *Ao sexo sem eros e sem amor* chamamos de sexo animalesco. Como força reprodutora, o sexo puro existe em todas as criaturas vivas: animais, plantas e minerais.* Eros começa com o estágio de desenvolvimento em que a alma é encarnada como ser humano. O amor puro é encontrado nos reinos espirituais mais elevados. Isto não significa que eros e o sexo não existam em seres de desenvolvimento superior, mas sim que os três se fundem harmoniosamente, aprimoram-se e se tornam cada vez menos egoístas. Também não quer dizer que um ser humano não deve procurar chegar a uma fusão harmoniosa das três forças.

---

* Adiante, na página 186, a autora explicita o seu ponto de vista.

Em casos raros, *eros apenas, sem sexo e sem amor,* se manifesta por um tempo limitado. É o que chamamos de amor platônico. Porém, mais cedo ou mais tarde, sendo a pessoa razoavelmente saudável, eros e sexo acabam juntando-se. Em vez de ser suprimida, a força sexual é absorvida pela força erótica e ambas fluem numa corrente única. A personalidade será tanto menos sadia quanto mais as três forças se mantiverem separadas.

Outra combinação freqüente, especialmente em relacionamentos longos, é a coexistência do *amor verdadeiro, com sexo, mas sem eros.* Embora o amor não possa ser perfeito se as três forças não se fundirem, há uma certa quantidade de afeição, companheirismo, ternura, respeito mútuo e um relacionamento sexual que de fato é puramente sexual, desprovido de centelha erótica, a qual se evaporou há algum tempo. É certo que, na falta de eros, o relacionamento sexual se desgasta. É este, meu amigo, o problema da maioria dos casamentos. É difícil existir um ser humano que não fique confuso ao defrontar-se com a questão de qual atitude tomar, num relacionamento, para que se mantenha a chama que parece querer extinguir-se na medida em que se instalam entre os parceiros o hábito e a familiaridade. Pode acontecer que você não tenha posto a questão em termos de três forças distintas, mas você sabe e sente que algo do casamento se dissipa, algo que estava presente no início; na verdade, essa centelha é eros. Você está num círculo vicioso e considera o casamento uma proposição sem esperança. Não, meu amigo, não é, mesmo se você ainda não pôde alcançar o ideal.

A parceria ideal do amor

Na parceria ideal do amor entre duas pessoas, as três forças devem estar representadas. Com o amor, parece não haver muita dificuldade, pois na maioria dos casos uma pessoa não se casaria se não existisse pelo menos o desejo de amar. Não discutirei aqui os casos extremos em que não é isso o que acontece. Dirijo minha atenção a um relacionamento em que a escolha é madura e todavia os parceiros não conseguem evitar a armadilha de se deixarem envolver pelo tempo e pelo hábito, porque *eros, esquivo, dissipou-se.* A mesma coisa acontece com o sexo. A força do sexo está presente na maioria dos seres humanos saudáveis e pode começar a desaparecer – especialmente nas mulheres – depois de eros se retirar. Os homens podem então procurar eros em outro lugar. A menos que eros seja mantido, o relacionamento sexual deve sofrer.

Como se pode conservar eros? Esta é a grande questão, meus caros. Somente se pode conservar eros se o mesmo for usado como uma ponte para a verdadeira parceria no amor, tomado este no seu sentido mais elevado. Como se faz isso?

A busca da outra alma

Procuremos primeiramente o elemento principal da força erótica. Ao analisar essa força, você descobre que é a aventura, a busca do conhecimento da outra alma. Este desejo está em cada espírito criado. A força de vida inerente deve finalmente puxar a entidade para fora de seu estado de separação. Eros reforça a curiosidade de conhecer o outro ser. Enquanto houver algo novo a descobrir na outra alma e enquanto você revelar a si mesmo, eros viverá. No momento em que você passa a acreditar que descobriu tudo o que pode ser descoberto e que revelou tudo o que há a ser revelado, eros desaparecerá. Com eros, tudo é simples assim. *Seu grande erro consiste em acreditar que há um limite quanto à revelação de qualquer alma, da sua ou da de outro.* Depois de revelar-se até certo ponto, em geral um ponto bastante superficial, você nutre a impressão de que isso é tudo e acaba se acomodando a uma vida sossegada, sem empreender nenhuma outra busca.

Eros o trouxe até esse ponto com seu forte impacto. Mas depois desse ponto, sua vontade de descer às profundezas ilimitadas da outra pessoa e seu desejo de revelar e compartilhar voluntariamente sua própria busca interior definem se você utilizou *eros como uma ponte* para o amor. Isto, por sua vez, é sempre definido por sua vontade de aprender a amar. É somente assim que você pode manter a centelha de eros em seu amor. É somente desse modo que você pode continuar buscando o outro e permitir que você também seja encontrado. Não há limites, pois a alma é infinita e eterna: uma existência toda é insuficiente para conhecê-la. Não existe um ponto em que você pode dizer que conhece a outra alma totalmente nem em que é conhecido inteiramente. A alma está viva, e nada do que está vivo é estático. Ela tem a capacidade de revelar até mesmo as camadas mais profundas que existem. Pela sua própria natureza, ela também está em constante mudança e movimento, como acontece com tudo o que é espiritual. Espírito significa vida e vida significa mudança. Por ser espírito, a alma jamais pode ser conhecida totalmente. Se as pessoas fossem sábias, perceberiam isso e transformariam o casamento na jornada maravilhosa que deveria ser, em vez de simplesmente serem levadas até onde o são pelo primeiro impulso de eros. Você deve utilizar essa força de eros como um impulso inicial, e através dele encontrar o estímulo de prosseguir por seu próprio alento. Então você terá atraído eros para o verdadeiro amor do casamento.

As armadilhas do casamento

Deus planejou o casamento para os seres humanos, e seu propósito divino não é simplesmente a procriação. Ela é apenas um dos aspectos. A finalidade espiritual do casamento é capacitar a alma a revelar-se a si mesma e a buscar o outro permanentemente para descobrir sempre novas perspectivas do outro ser. Quanto mais isso acontecer, mais feliz será o casamento, mais firmes e seguras serão suas raízes e menos estará exposto ao perigo de um final desastrado. Desse modo, ele cumprirá sua razão de ser espiritual.

Na prática, entretanto, dificilmente as coisas acontecem assim. Ao chegar a um certo grau de familiaridade e de hábito, você pensa que conhece o outro. Nem sequer lhe passa pela cabeça que o outro não o conhece. Ele ou ela pode conhecer certas facetas do seu ser, mas isso é tudo. Esta busca do outro ser, como também da revelação que você consegue de si mesmo, exige atividade interior e alerta constante. Por serem sempre tentadas à inatividade interior, ao mesmo tempo em que fazem da atividade exterior uma espécie de compensação, as pessoas são induzidas a entregar-se a um estado de sossego, alimentando a ilusão de já se conhecerem uma à outra completamente. Esta é a armadilha. Na pior das hipóteses, é o começo do fim, e na melhor, é um compromisso que o deixa com um anseio não preenchido, corroedor. Nesse ponto o relacionamento se torna estático. Embora possa ter algumas características muito agradáveis, ele não está mais vivo. O hábito é fortemente sedutor arrastando a pessoa à indolência e à inércia, para que ela pare de tentar, de trabalhar e de ficar alerta.

Duas pessoas podem chegar a um relacionamento aparentemente satisfatório, e à medida que os anos passam podem defrontar-se com duas possibilidades. A primeira é que um dos parceiros, ou ambos, pode tornar-se aberta e conscientemente insatisfeito. Isto acontece porque a alma precisa prosseguir, precisa descobrir e ser descoberta, de modo a dissolver a separatividade, por mais que o outro lado da personalidade tema a união e seja tentado pela inércia. Essa insatisfação pode ser consciente – embora na maioria dos casos o motivo *verdadeiro* de sua existência seja ignorado – ou inconsciente. Em qualquer dos casos, a insatisfação é mais forte do que a tentação ao conforto da inércia e da indolência. Então o casamento se dissolve e um dos parceiros, ou ambos, passa a alimentar a ilusão de que com um novo parceiro tudo será diferente, especialmente se eros tiver entrado em ação novamente. Enquanto esse princípio não for compreendido, a pessoa pode ir de um parceiro a outro, conservando os sentimentos apenas enquanto eros estiver ativo.

A segunda possibilidade é que a tentação de uma aparência de paz é mais forte. Os parceiros podem ficar juntos e podem realizar algo em comum, mas sua alma sempre abrigará, à espreita, uma necessidade insatisfeita. Por natureza, os homens incorporam mais o princípio ativo e aventureiro, e por isso tendem a ser polígamos; por conseqüência, são mais tentados pela infidelidade do que as mulheres. Assim você pode também compreender o motivo subjacente que leva os homens a serem infiéis. A tendência das mulheres é a de serem passivas porque têm em si o princípio receptivo e, portanto, estão mais bem preparadas para o comprometimento. É por isso que tendem a ser monógamas. É claro que há exceções, em ambos os sexos. Essa infidelidade é muitas vezes surpreendente tanto para o parceiro ativo quanto para a ''vítima''. Eles não entendem a si mesmos. O infiel pode sofrer na mesma intensidade daquele que teve sua confiança traída.

Na situação em que a decisão é pelo *compromisso*, ambas as pessoas entram num processo de estagnação, pelo menos num aspecto muito importante de seu desenvolvimento. Elas encontram refúgio no conforto seguro de sua relação. Podem até acreditar que são felizes nela, e isto pode ser verdade, até certo ponto. Os benefícios da amizade, do companheirismo, do respeito mútuo e uma vida agradável com uma rotina bem esquematizada prevalecem sobre a intranqüilidade da alma, e os parceiros podem ter disciplina suficiente para permanecerem fiéis um ao outro. Falta, entretanto, um elemento importante em seu relacionamento: a revelação de alma a alma, tanto quanto possível.

O casamento verdadeiro

Somente quando duas pessoas se revelam uma à outra é que *elas podem purificar-se juntamente* e, assim, ajudar-se. Duas almas desenvolvidas podem preencher-se revelando-se uma à outra, buscando mutuamente as profundezas da alma. Assim, o que está em cada alma emergirá em suas mentes conscientes, e a purificação ocorrerá. Então a centelha de vida é mantida de modo que a relação não estagna nem degenera em um beco sem saída. Para você que está neste caminho e segue os vários passos desses ensinamentos, será mais fácil evitar as armadilhas e perigos do relacionamento conjugal e reparar o dano inadvertidamente causado.

Desse modo, meu caro amigo, você não apenas conserva eros, essa força de vida vibrante, mas também o transforma em amor verdadeiro. É somente numa verdadeira parceria de amor e eros que você pode descobrir em seu parceiro novos níveis de ser que não percebeu até agora. E você mesmo também será purificado ao pôr de lado seu orgulho e ao revelar-se a si mesmo como realmente é. Seu relacionamento será sempre novo, não importando o grau de conhecimento recíproco que você julga ter. Todas as máscaras devem cair, não apenas as da superfície, mas também as das profundezas, das quais você até pode não estar consciente. Então seu amor continuará vivo. Ele não se tornará estático; jamais estagnará. Você não precisará buscar amor em outros lugares. Há tanto a ver e descobrir nessa terra da outra alma que você escolheu, a quem você continua a respeitar, mas em quem parece não perceber a centelha de vida que uma vez os uniu. Você não precisará ter medo de perder o amor de seu bem-amado; esse medo se justifica apenas se você se abstém de arriscar ao mesmo tempo a jornada da busca de si mesmo. *É este o casamento no seu sentido verdadeiro*, meu amigo, e este é o único modo de ele ser a glória que se supõe que deva ser.

A separatividade

Cada um de vocês deve pensar seriamente se tem ou não medo de abandonar as quatro paredes do seu próprio isolamento. Alguns de meus amigos desconhecem que estar separado é quase um desejo consciente. Com muitos de vocês, as coisas acontecem deste modo: você deseja o casamento porque uma parte sua aspira a ele – e também porque você não quer ficar sozinho. Razões bastante superficiais e frívolas podem ser acrescentadas para explicar a aspiração profunda em sua alma. Mas, à parte seu anseio e os motivos superficiais e egoístas de seu desejo não satisfeito de companheirismo, deve também existir uma falta de disposição para arriscar a jornada e a aventura de revelar-se a você mesmo. Uma parte importante da vida permanece para ser preenchida por você – se não nesta vida, em vidas futuras.

Na hipótese de viver sozinho, você pode, com este conhecimento e com esta verdade, reparar o dano causado à sua alma por abrigar conceitos errôneos em seu inconsciente. Você pode descobrir seu medo da grande jornada aventureira com outro, que explicará por que você está sozinho. Essa compreensão pode mostrar-se proveitosa e pode mesmo permitir que suas emoções mudem o suficiente de modo a que sua vida exterior possa mudar também. Isto depende de você. Quem quer que não tenha disposição de correr o risco dessa grande aventura não pode ter êxito na maior de todas as aventuras que a humanidade conhece – o casamento.

A escolha do parceiro

É somente quando você encontra o amor, a vida, e o outro ser com esta disposição que você poderá oferecer o maior dos presentes a seu bem-amado, seu verdadeiro eu. Em troca, você recebe exatamente o mesmo presente de seu bem-amado. Para isso, porém, faz-se necessária uma certa *maturidade* emocional e *espiritual*. Se essa maturidade existir, você escolherá o parceiro certo intuitivamente, o parceiro que, em essência, tenha a mesma maturidade e prontidão para encetar a jornada. A escolha de um parceiro sem essa disposição provém do medo oculto que você mesmo tem de empreender a jornada. *Você atrai magneticamente pessoas e situações que correspondem a seus desejos e temores subconscientes.* Você sabe disso.

No geral, a humanidade está muito distante deste ideal do matrimônio de seres verdadeiros, mas isso não muda a idéia ou o ideal. No entretempo, você precisa aprender a agir da melhor maneira possível. E você que tem a felicidade de estar neste caminho pode aprender muito, mesmo que seja somente para compreender por que você não pode concretizar a felicidade a que uma parte da sua alma aspira. Descobrir isso já é bastante e lhe possibilitará nesta vida ou em vidas futuras aproximar-se da realização do que constitui o seu anseio. Qualquer que seja a sua situação, quer tenha um companheiro ou esteja sozinho, consulte seu coração e ele lhe fornecerá a resposta ao seu conflito. A resposta deve vir de dentro de você e, com toda probabilidade, você terá relação com o seu próprio medo, falta de vontade e ignorância diante dos fatos. Procure e saberá. Compreenda que o propósito de Deus na parceria de amor é a revelação mútua *completa* de uma alma para outra – não apenas uma revelação parcial.

A revelação física é fácil para muitos. Emocionalmente, você compartilha até um certo grau – em geral até onde eros o conduz. Mas então você fecha a porta, e é nesse momento que seus problemas começam.

Há muitos que não querem revelar nada. Preferem continuar sozinhos e distantes. Estes não passarão pela experiência de revelarem-se e de encontrar a alma de outra pessoa. Evitam isso de todas as maneiras possíveis.

Eros como ponte

Meu caro, digo-lhe uma vez mais: procure compreender a importância do princípio erótico na sua vida. Ele pode ajudar muitos que talvez não tenham a disposição e a preparação para a experiência do amor. É o que você chama de "apaixonar-se", ou de "romance". Através de eros, a pessoa pode sentir o sabor do amor ideal. Como disse antes, muitos utilizam essa sensação de felicidade de modo descuidado e voraz, nunca passando o limiar que conduz ao amor verdadeiro. O amor verdadeiro exige muito mais das pessoas num sentido espiritual. Se elas não cumprem as exigências impostas, perdem de vista o objetivo pelo qual sua alma luta. Este extremo de ir em busca do romance é tão errôneo quanto o outro, no qual nem mesmo a força poderosa de eros consegue passar pela porta trancada. Mas, na maioria dos casos, quando a porta não está totalmente fechada, eros se aproxima de você em certas fases de sua vida. Depende de você usar eros como uma ponte para o amor. Depende do seu desenvolvimento, da sua disposição, da sua coragem, da sua humildade e da sua habilidade de revelar-se a si mesmo.

Amigos, eu gostaria de saber se há alguma pergunta relacionada com este assunto.

Pergunta: Quando você fala sobre a revelação de uma alma a outra, você quer dizer que, num nível superior, este é o modo pelo qual a alma se revela a Deus?

Resposta: É a mesma coisa. Mas antes que possa revelar-se a Deus de fato, você precisa aprender a revelar-se a outro ser humano que você ame. Ao fazer isso, você se revela também a Deus. Muitas pessoas querem começar com a revelação de si mesmas ao Deus pessoal. Na verdade, no fundo de seus corações, tal revelação a Deus é somente um subterfúgio, porque é abstrata e remota. Nenhum outro ser humano pode ver ou ouvir o que elas revelam. Elas ainda estão sozinhas. Não se precisa fazer nada que pareça tão arriscado, que exija tanta humildade, e que assim ameace ser humilhante. Ao revelar-se a outro ser humano, você realiza algo que não pode ser feito através da revelação a Deus, que já o conhece e que de fato não precisa de sua revelação.

Ao encontrar a outra alma e com ela harmonizar-se, você cumpre seu destino. Ao encontrar outra alma, você também encontra outra partícula de Deus, e se revela sua própria alma, revela uma partícula de Deus e oferece algo divino à outra pessoa. Quando eros chega a você, ele o eleva e lhe possibilita sentir e conhecer o que em você aspira a essa experiência e o que é seu verdadeiro eu, que está ansioso por revelar-se a si mesmo. Sem eros, você apenas está consciente das camadas exteriores indolentes.

Não evite eros quando ele deseja se aproximar de você. Se compreender a idéia espiritual que está por trás dele, você o utilizará com sabedoria. Deus então poderá guiá-lo e ajudá-lo a fazer todo o possível em prol do outro e de você mesmo no caminho para o amor verdadeiro, do qual a purificação se constitui numa parte essencial. Embora seu trabalho de purificação através de um relacionamento profundamente assumido se manifeste de modo diferente do que o faz através do trabalho deste caminho, ele o ajudará para uma purificação de mesmo nível.

Pergunta: *Existe a possibilidade de uma alma ser tão rica que possa revelar-se a mais de uma alma?*
Resposta: Meu caro amigo, você diz isso de brincadeira?

Pergunta: *Não, de modo algum. O que quero saber é se a poligamia faz parte do esquema da lei espiritual.*
Resposta: Não, certamente que não. Pensar que a poligamia faça parte do desenvolvimento espiritual é um subterfúgio. O indivíduo está em busca do parceiro certo. Há duas possibilidades: ou a pessoa é muito imatura para encontrar esse parceiro, ou o parceiro certo está aí e a pessoa polígama é simplesmente arrastada pelo impulso de eros, nunca elevando essa força ao amor volitivo, que exige superação e trabalho para ultrapassar o limiar que mencionei anteriormente.

Em casos como este, a pessoa com uma personalidade aventureira olha e olha, sempre descobrindo outra parte de um ser, sempre se revelando a si mesma somente até um determinado ponto e não além dele, ou talvez revelando uma nova faceta de sua personalidade a cada vez. Entretanto, quando se trata de atingir o núcleo interior, a porta está fechada. Eros então parte e uma nova busca tem início. Cada vez é um desapontamento que só pode ser entendido quando você apreende essas verdades.

O instinto sexual natural também entra no anseio por esta grande jornada, mas a satisfação sexual começa a sofrer se o relacionamento não é mantido no nível que lhe exponho aqui. De fato, ele inevitavelmente é de curta duração. Não há nenhuma riqueza em revelar-se a muitos. Em tais casos, uma pessoa revela as mesmas características repetidamente para novos parceiros, ou, como disse antes, manifesta diferentes facetas da personalidade. Quanto mais numerosos forem os parceiros com quem você queira se dividir, tanto menos você dará de si mesmo a cada um deles. Isto é fatalmente assim. Não pode ser de outro modo.

99

Pergunta: *Algumas pessoas acreditam que podem suprimir o sexo, eros, o desejo de um parceiro e viver completamente pelo amor da humanidade. Você considera possível que um homem ou uma mulher possa renunciar a esses aspectos da vida?*

Resposta: É possível, mas certamente não é saudável nem honesto. Poderia dizer que talvez exista uma pessoa em dez milhões que possa ter uma missão assim. Isso é possível. Pode ser o carma de uma alma determinada que já se desenvolveu até esse ponto, passou pela experiência da parceria verdadeira, e vem para uma missão específica. Pode também haver certos débitos cármicos que precisam ser saldados. Na maioria dos casos — e aqui posso generalizar com segurança — o fato de evitar ter um companheiro não é saudável. É uma fuga. O motivo verdadeiro está no medo do amor, no medo da experiência de vida, mas a renúncia cheia de receio é racionalizada como sendo sacrifício. A uma pessoa que viesse a mim com um problema desses, eu diria: "Examine a si mesma. Desça às camadas internas de seu raciocínio consciente e de suas explicações face a esta sua atitude. Procure descobrir se você tem medo do amor e da decepção. Você acha mais cômodo simplesmente viver para você mesmo e não ter problemas? Não é de fato isto que você sente no seu íntimo e que quer encobrir com outros motivos? O grande trabalho humanitário que quer realizar pode de fato ser em favor de uma causa justa, mas você realmente pensa que uma coisa exclui a outra? A grande causa que abraçou não seria realizada de modo mais perfeito, se você aprendesse também a viver o amor pessoal?"

Se todas essas perguntas forem respondidas com sinceridade, a pessoa será levada a perceber que está fugindo. O amor pessoal e a realização são o destino do homem e da mulher na maioria dos casos, pois muito do que se pode aprender no amor pessoal não pode ser alcançado de nenhum outro modo. E formar uma relação sólida e duradoura num casamento é a maior vitória que um ser humano pode obter, pois é uma das coisas mais difíceis, como você pode bem ver em seu mundo. Mais do que boas ações tépidas é a experiência de vida que leva a alma para mais perto de Deus.

Pergunta: *Gostaria de fazer uma pergunta relacionada com a que fiz anteriormente: em algumas seitas religiosas, o celibato é considerado uma forma altamente espiritualizada de desenvolvimento. Por outro lado, a poligamia também é reconhecida em algumas religiões – como a dos mórmons, por exemplo. Entendo o que disse, mas como você justifica essas atitudes por parte de pessoas que parecem buscar a unidade com Deus?*

Resposta: Toda religião contém um erro humano. Numa religião pode ser um tipo de erro, em outras religiões, outro. No caso que você expõe, trata-se simplesmente de dois extremos. Quando dogmas e regras desse tipo aparecem nas várias religiões, em um extremo ou no outro, o que temos é sempre uma racionalização e subterfúgio a que a alma individual sempre recorre. É uma tentativa de explicar as contracorrentes da alma medrosa ou voraz com bons motivos.

Existe uma crença comum de que tudo o que se relaciona com a sexualidade é pecaminoso. O instinto sexual existe já no bebê. Quanto mais imatura for a criatura, mais a sexualidade estará separada do amor e, portanto, mais egoísta será. Qualquer coisa sem amor é "pecaminosa", se você quiser empregar essa palavra. Nada do que está ligado ao amor é errado – ou pecaminoso.

Na criança em desenvolvimento, naturalmente imatura, o impulso sexual primeiro se manifesta de modo egoísta. É só quando o indivíduo todo se desenvolve e amadurece harmoniosamente que o sexo se integra ao amor. Por ignorância, faz muito tempo que a humanidade vem acreditando que o sexo como tal é pecaminoso. Por isso, foi mantido escondido, e esta parte da personalidade não pôde desenvolver-se. Nada do que se oculta pode desenvolver-se; você sabe disso. Por conseqüência, mesmo em muitos adultos, o sexo permanece infantil e separado do amor. E isto, por sua vez, levou a humanidade a acreditar que a sexualidade é um pecado e que a pessoa verdadeiramente espiritual deve abster-se dele. Foi assim que surgiu um daqueles círculos viciosos freqüentemente mencionados.

Devido à crença de que o sexo era pecaminoso, o instinto não podia desenvolver-se e fundir-se com a força do amor. Conseqüentemente, o sexo na verdade é freqüentemente egoísta e desprovido de amor, grosseiro e animalesco. Se as pessoas percebessem – e estão começando a perceber cada vez mais – que o instinto sexual é tão natural e dado por Deus como qualquer outra força universal e em si mesmo não mais pecaminoso do que qualquer outra força existente, como dizíamos, se as pessoas percebessem isso, elas romperiam esse círculo vicioso, e mais seres humanos permitiriam que seus impulsos sexuais amadurecessem e se fundissem com o amor – e com eros.

Quantas pessoas existem para as quais o sexo está totalmente dissociado do amor! Essas pessoas não apenas sofrem por problemas de consciência quando o impulso do sexo se manifesta, mas também se julgam incapazes de lidar com as sensações sexuais junto com a pessoa que amam verdadeiramente. Devido às condições distorcidas e ao círculo vicioso que acaba de ser descrito, a humanidade chegou a acreditar que você não pode encontrar Deus quando cede a seus impulsos sexuais. Tudo isto está errado; você não pode eliminar algo que está vivo. Você apenas pode escondê-lo de modo que surgirá de outros modos que podem ser muito mais prejudiciais. Só nos casos mais raros é que a força do sexo realmente se torna sublimada construtivamente e a faz manifestar-se em outros reinos. A sublimação real nunca pode ocorrer quando é motivada pelo medo e usada como fuga. Isso responde à sua pergunta?

Pergunta: *Perfeitamente, obrigado. E nesse quadro, como se molda a amizade entre duas pessoas?*

Resposta: Amizade é amor fraternal. Uma amizade assim pode também existir entre um homem e uma mulher. Eros pode querer introduzir-se furtivamente, mas a razão e a vontade podem ainda selecionar o caminho em que os sentimentos tomam seu curso. Discrição e equilíbrio sadio entre razão, emoção e vontade são necessários para evitar que os sentimentos se orientem para canais inadequados.

Pergunta: *O divórcio é contra a lei espiritual?*

Resposta: Não necessariamente. Não temos leis fixas como essa. Há casos em que o divórcio é uma saída fácil, uma fuga, apenas. Mas existem outros casos em que o divórcio é razoável porque a decisão de casar foi tomada sem maturidade e ambos os parceiros carecem da vontade de assumir a responsabilidade do matrimônio em seu verdadeiro sentido. Neste caso, desejar o divórcio é melhor do que ficar juntos e fazer do casamento uma farsa. A menos que ambos estejam dispostos a empreender essa jornada juntos, é melhor romper do que um impedir o desenvolvimento do outro. Isso acontece, sem dúvida. É melhor eliminar um erro do que permanecer indefinidamente nele sem encontrar um remédio efetivo.

Afirmar genericamente que o divórcio é sempre errado é tão incorreto quanto dizer que está sempre certo. Não se deve, entretanto, abandonar o casamento superficialmente. Embora tenha sido um erro e não funcione, deve-se tentar encontrar os motivos e fazer todo o possível para descobrir e talvez superar os obstáculos que se interpõem no caminho, se assim for o desejo de ambos. Certamente que se deve fazer todo o possível, mesmo que o casamento não seja a experiência ideal que analisei esta noite. Poucas pessoas estão preparadas e suficientemente maduras para ele. Você mesmo pode preparar-se tirando o máximo proveito de seus erros passados e aprendendo com eles.

Meus caríssimos amigos, pensem bem sobre tudo o que lhes disse. Todos os que estão aqui dispõem de muito material para pensar no que foi dito, o mesmo acontecendo com todos os que lerão minhas palavras. Não existe uma única pessoa que não possa aprender algo com elas.

Quero encerrar esta palestra assegurando a todos vocês que nós do mundo do espírito somos profundamente gratos a Deus pelos esforços que vocês fazem, por seu desenvolvimento. Esses esforços são nossa maior alegria e felicidade. E assim, meus caros, recebam novamente as bênçãos do Senhor; possam seus corações se encher com esta força maravilhosa que lhes chega do mundo da luz e da verdade. Vão em paz e com alegria, meus caros, todos vocês. Fiquem com Deus!

7

O significado espiritual do relacionamento

"Vida é relacionamento", diz o Guia. De todos os relacionamentos, o mais excitante e o que apresenta maiores possibilidades para o desenvolvimento espiritual e para a reciprocidade é o que acontece entre o homem e a mulher. "Mas como posso relacionar-me harmoniosamente com outra pessoa quando ainda estou dividido interiormente?" Esta é a pergunta que o Guia quer que nos façamos. Ele nos ensina a estabelecer um relacionamento íntimo com nosso próprio ser interior verdadeiro e, através dessa honestidade interior recentemente adquirida, a tratar os vários problemas que surgem em nossos relacionamentos de um modo autêntico e construtivo.

* * *

Saudações, meus caros, meus caríssimos amigos. Bênçãos para todos vocês. Abençoada seja a sua vida, cada uma de suas aspirações; abençoados sejam seus pensamentos e seus sentimentos.

A palestra de hoje trata do relacionamento e do seu importante significado do ponto de vista espiritual – o do desenvolvimento e unificação individual. Primeiro, gostaria de mencionar que no nível humano de manifestação existem unidades individuais de consciência que às vezes se harmonizam, mas que com mais freqüência entram em conflito, uma com a outra, criando atritos e crises. Entretanto, além desse nível de manifestação, não existem outras unidades de consciência fragmentadas. Acima do nível humano existe apenas uma consciência, através da qual cada entidade individual criada é expressa de modo diferente. Quando a pessoa entra em sua interioridade, ela experimenta essa verdade, sem, contudo, perder o sentido de individualidade. Você pode perceber isto claramente quando lida com suas próprias desarmonias interiores. A elas também se aplica exatamente o mesmo princípio.

O desenvolvimento desigual das partes da consciência

Em seu estado atual, uma parte de seu ser mais íntimo está desenvolvida e governa seu pensamento, seu sentimento, sua vontade e suas ações. Outras partes, porém, ainda se encontram num estágio de desenvolvimento elementar, e elas também dirigem e influenciam seu pensar, seu sentir, seu querer e seu agir. Assim, você se vê dividido, e isso sempre cria tensão, sofrimento, ansiedade, além de dificuldades interiores e exteriores. Alguns aspectos da sua personalidade estão na verdade; outras, no erro e na distorção. A confusão resultante causa problemas sérios. Sua reação mais comum a isto é desconsiderar alguns aspectos e identificar-se com outros. Entretanto, essa negação de uma parte sua não pode promover a unificação. Pelo contrário, ela amplia a divisão. Em vez disso você deve trazer à superfície o lado divergente e conflitante e encará-lo − encarar toda a ambivalência. Somente assim você encontra a realidade última de seu eu unificado. Como você sabe, a unificação e a paz emergem quando você reconhece, aceita e compreende a natureza do conflito interior.

Exatamente a mesma lei se aplica à unidade ou à discordância entre entidades externamente separadas e diferentes. Mais além do nível da aparência, elas também são uma. A discordância é causada não pelas diferenças reais entre unidades de consciência, mas, exatamente como no indivíduo, por diferenças no desenvolvimento da consciência universal que se manifesta.

Embora o princípio de unificação seja exatamente o mesmo no interior dos indivíduos e entre eles, ele não pode ser aplicado a outro ser humano sem antes ter sido aplicado ao próprio eu interior da própria pessoa. Se as partes divergentes de seu eu não forem abordadas de acordo com esta verdade, e se sua ambivalência não for encarada, aceita e compreendida, o processo de unificação não pode ser posto em prática com outra pessoa. Este é um fato muito importante e que explica a grande ênfase deste caminho no sentido de, antes de mais nada, *aproximar-se do eu*. É só depois disso que o relacionamento pode ser cultivado de um modo significativo e verdadeiro.

Elementos de divergência e de unificação

O relacionamento representa para o indivíduo o maior dos desafios, porque é só na relação com os outros que os problemas não resolvidos que ainda estão na psique individual são tocados e ativados. Muitas pessoas se afastam da interação com outros, e com isso conseguem manter a ilusão de que os problemas são provocados exatamente pelos outros porque se sentem perturbadas somente na presença dos outros e não quando estão sozinhas.

Entretanto, quanto menos você desenvolve o contato, mais agudo se torna seu anseio por ele. Este, então, é um tipo diferente de sofrimento – *o sofrimento da solidão e da frustração*. O contato torna difícil manter por muito tempo a ilusão de que o eu interior é perfeito e harmonioso. Seria uma aberração mental sustentar por longo tempo que os problemas de relacionamento são causados apenas pelos outros e não pela própria pessoa. É por isso que os relacionamentos são ao mesmo tempo uma realização, um desafio e um parâmetro para o estado interior pessoal. *A fricção que se manifesta no relacionamento com outros pode ser um instrumento aguçado de purificação e auto-reconhecimento*, se a pessoa está disposta a utilizá-lo.

Ao afastar-se desse desafio e ao sacrificar a realização de contato íntimo, você deixa de trazer à tona muitos problemas interiores. A ilusão de paz interior e de unidade que provém do fato de evitar o relacionamento tem até levado a conceitos de que o desenvolvimento espiritual é favorecido pelo isolamento. Nada poderia estar mais distante da verdade. Essa afirmação não deve ser confundida com a noção de que períodos de reclusão são necessários para concentração interior e autoconfrontação. Mas esses períodos devem sempre ser alternados com contato – e quanto mais íntimo esse for, mais ele expressará maturidade espiritual.

O contato e a falta de contato com outros podem ser observados em várias etapas. Há muitos graus de contato entre os extremos, de total isolamento exterior e interior, de um lado, e a relação mais íntima e profunda, de outro. Há os que conseguiram uma certa habilidade superficial de relacionar-se, mas que ainda se afastam de uma revelação mútua mais significativa, aberta e sem máscaras. Eu diria que a média dos seres humanos atuais flutua em algum ponto entre os dois extremos.

A realização como medida padrão de desenvolvimento pessoal

Existe também a possibilidade de se medir o sentido de realização pessoal de uma pessoa pelo grau de profundidade do relacionamento e do contato íntimo, pela força dos sentimentos que a pessoa se permite experimentar e pela disposição de dar e receber. A frustração indica uma ausência de contato, o que, por sua vez, é um indicador preciso de que o eu se afasta do desafio da relação, sacrificando assim a realização pessoal, o prazer, o amor e a alegria. Quando você quer partilhar apenas na base de receber de acordo com seus próprios termos, e intimamente amortece o desejo de compartilhar, seus anseios permanecem irrealizados. Sugere-se que a pessoa considere seus anseios não realizados a partir desse ponto de vista, em vez de condescender com a suposição costumeira de que é desafortunada e de que a vida a sobrecarrega injustamente.

A satisfação e a realização no relacionamento constituem uma medida padrão de desenvolvimento muito negligenciada. O relacionamento com outros é um espelho do próprio estado pessoal e como tal se constitui em ajuda direta para a autopurificação. Inversamente, é somente através de uma profunda honestidade para consigo mesmo e através do auto-enfrentamento que os relacionamentos podem ser mantidos, que os sentimentos podem expandir-se e que o contato pode desabrochar em relacionamentos duradouros. Assim, você pode ver que os relacionamentos representam um aspecto muito importante do desenvolvimento humano.

O poder e o significado do relacionamento, com freqüência, levantam problemas sérios para os que ainda estão nas convulsões de seus próprios conflitos interiores. O anseio não realizado torna-se insuportavelmente doloroso quando você escolhe o isolamento devido

107

à dificuldade de contato. A solução para isto é dispor-se seriamente a *procurar a causa para esse conflito dentro de você mesmo*, sem usar a defesa da culpa e da auto-incriminação aniquiladoras, o que naturalmente elimina qualquer possibilidade de chegar ao cerne do conflito. Esta busca, juntamente com o desejo interior de mudar, deve ser cultivada para evitar o dilema doloroso em que ambas as alternativas disponíveis — isolamento e contato — são insuportáveis.

É importante lembrar que a retirada pode ser muito sutil e pode passar despercebida exteriormente, manifestando-se apenas como certo resguardo e autoproteção distorcida. O bom companheirismo exterior não implica necessariamente a capacidade e disposição para a estreiteza, a solidão interior. Para muitos, a solidão é muito opressiva. Aparentemente, isso parece ter relação com o fato de que a dificuldade está nos outros, mas na verdade ela reside no eu, independentemente do grau de imperfeição das outras pessoas.

Quem é responsável pelo relacionamento?

Quando pessoas de desenvolvimento espiritual em níveis diferentes se envolvem, *é sempre a pessoa mais desenvolvida a responsável pelo relacionamento*. Especificamente, essa pessoa é responsável pela descoberta dos aspectos mais profundos da interação que criam qualquer espécie de fricção e de desarmonia entre as partes.

A pessoa menos desenvolvida não tem condições de efetuar uma busca assim, pois ainda se encontra no estágio de culpar o outro e de depender de que o outro faça "certo" para evitar desconforto ou frustração. Além disso, a pessoa menos desenvolvida é sempre presa do *erro fundamental da dualidade*. Sob esse ângulo, todo atrito é visto em termos de "somente um de nós está certo". [Quando surpreendida num pensamento dualista, e ao perceber um defeito no outro, uma pessoa assim automaticamente proclamará inocência, embora seu próprio envolvimento negativo possa ser infinitamente mais grave do que o da outra pessoa.]

A pessoa mais desenvolvida espiritualmente é capaz de *percepção* realista, *não-dualista*. Ela tem condições de ver que um dos dois pode ter um problema mais sério, mas isso não elimina a importância do problema possivelmente bem menor do outro. Ela estará disposta e será capaz de buscar seu próprio envolvimento sempre que for atingida negativamente, sem levar em conta a quantidade de deficiências do outro. Uma pessoa imatura espiritual e emocionalmente sempre jogará o peso da culpa no outro. Tudo isto se aplica a todos os tipos de relacionamento: a companheiros, a pais e filhos, a amigos e a relações sociais.

Sua tendência a tornar-se emocionalmente dependente de outros, dependência essa cuja superação é da maior importância no processo de desenvolvimento, em grande parte provém do desejo de eximir-se de culpa ou de livrar-se da dificuldade ao estabelecer e manter um relacionamento. Parece bem mais fácil deslocar a maior parte desse peso para os outros. Mas, que preço deve ser pago! Agir dessa maneira faz com que você fique realmente desamparado e isolado, ou provoca sofrimento e atritos intermináveis com os outros. Quando você realmente começa a assumir a própria responsabilidade através da observação de seu próprio problema no relacionamento, e através de um forte desejo de mudar, aí sim a liberdade se estabelece e os relacionamentos se tornam proveitosos e agradáveis.

Se a pessoa mais desenvolvida se recusa a cumprir o dever espiritual de assumir a responsabilidade pelo relacionamento e de procurar o cerne da divergência em seu interior, ela jamais compreenderá a interação mútua, ela jamais entenderá como um problema afeta o outro. O relacionamento então se deteriora, deixando ambas as partes confusas e menos aptas a lidar com o eu e com os outros. Por outro lado, se a pessoa espiritualmente desenvolvida aceita essa responsabilidade, ela também ajudará o outro de um modo sutil. Se essa pessoa puder resistir à tentação de sempre criticar os defeitos óbvios do outro e olhar para dentro de si mesma, fará crescer consideravelmente o seu próprio desenvolvimento e espalhará paz e alegria. O veneno do atrito será eliminado rapidamente. Será também possível encontrar outros parceiros para um processo de desenvolvimento realmente mútuo.

Quando dois iguais se relacionam, ambos carregam a responsabilidade plena pelo relacionamento. Esta é, na verdade, uma aventura maravilhosa, um estado de reciprocidade profundamente realizador. O menor defeito numa disposição de ânimo será reconhecido por seu significado interior e assim o processo de desenvolvimento é mantido. Ambos reconhecerão sua co-criação desse defeito momentâneo – seja um atrito real, seja um amortecimento momentâneo dos sentimentos. A realidade interior da interação tornar-se-á cada vez mais significativa. Em grande parte, isso impedirá que haja prejuízos para o relacionamento.

Gostaria de enfatizar aqui que quando falo de ser responsável pela pessoa menos desenvolvida, não quero dizer que um ser humano possa carregar o peso das dificuldades reais de outros. As coisas não são assim. O que quero dizer é que as dificuldades de interação num relacionamento em geral não são analisadas em profundidade pelo indivíduo pouco desenvolvido espiritualmente. Ele responsabilizará os outros por sua infelicidade e falta de harmonia numa determinada interação e não é capaz, ou não quer ver o panorama todo. Desse modo, ele não está em condições de eliminar a desarmonia. Somente podem fazer isso os que assumem a responsabilidade de encontrar o distúrbio interior e o efeito mútuo. Daí que a pessoa menos desenvolvida espiritualmente sempre depende da que é mais evoluída.

Um relacionamento entre indivíduos em que a destrutividade do menos desenvolvido torna impossíveis o desenvolvimento, a harmonia e os bons sentimentos, ou em que o contato é predominantemente negativo, deve ser rompido. Como regra, a pessoa mais desenvolvida deve tomar a iniciativa. Se não o fizer, isso indica a existência de alguma fraqueza, de algum medo não reconhecidos que precisam ser encarados. Se um relacionamento é desfeito com base nessa premissa, ou seja, por ser mais destrutivo e causador de sofrimento do que construtivo e harmonioso, a dissolução deve ser feita quando os problemas interiores e as interações mútuas forem plenamente reconhecidos por aquele que toma a iniciativa de romper a ligação. Isto o prevenirá para não formar uma nova relação com correntes e interações subjacentes semelhantes. Significa também que a decisão de romper a relação foi tomada devido ao crescimento, e não como conseqüência da má vontade, do medo ou da fuga.

Interações destrutivas

Não é nada fácil perscrutar a interação subjacente e os vários efeitos de um relacionamento em que as dificuldades de ambos os parceiros são expostas abertamente e aceitas. Mas nada pode ser mais belo e recompensador. Qualquer pessoa que entre no estado de iluminação em que isto é possível não temerá mais nenhuma espécie de interação. *As dificuldades e medos surgem na medida exata em que você projeta nos outros seus próprios problemas* ao relacionar-se e ainda considera os outros responsáveis por coisas que vão contra seu desejo. Isto pode assumir muitas formas sutis. Você pode concentrar-se constantemente nas faltas dos outros, porque à primeira vista uma concentração assim lhe parece justificada. Você pode sutilmente supervalorizar um lado da interação, ou excluir outro. Essas distorções indicam projeção e negação da própria responsabilidade pelas dificuldades do relacionamento. Essa negação fomenta a *dependência da perfeição do outro* que, por sua vez, cria medo e hostilidade por sentir-se deprimido quando o outro não corresponde ao padrão de perfeição.

Meu caro amigo, não importa o tipo de erro que o outro possa cometer: se você está perturbado, há algo no seu íntimo a que você não dá a devida atenção. Quando digo perturbado, o sentido é muito específico. Não falo de uma raiva explícita que se expressa sem culpa e não deixa rastro de confusão e sofrimento interiores. Refiro-me ao tipo de perturbação que nasce do conflito e que causa mais conflito ainda. Uma tendência muito comum das pessoas é dizer: ''É você que está me provocando.'' O jogo de culpar os outros é tão difundido que você mal consegue percebê-lo. Um ser humano culpa outro, um país acusa outro, um grupo responsabiliza outro. Este é um processo em permanente andamento no nível atual de desenvolvimento da humanidade. Na verdade, trata-se de um dos processos mais prejudiciais e ilusórios que se possa imaginar.

O sofrimento e os conflitos insolúveis daí decorrentes são infinitamente desproporcionais com relação ao pequeno e momentâneo prazer; apesar disso, porém, as pessoas extraem prazer dessa atitude. Os que fazem esse jogo realmente prejudicam a si mesmos e aos outros, e eu recomendo enfaticamente que você comece a ter consciência de seu envolvimento cego nesse jogo de atribuição de culpa.

Mas, o que dizer da ''vítima''? Que deve fazer essa pessoa? Como vítima, seu primeiro problema é que *você não está sequer consciente do que está acontecendo*. Geralmente, o ato de vitimar é feito de um modo sutil, emocional e desarticulado. Nem uma palavra sequer é dita para lançar a culpa silenciosa, encoberta. Antes, é expressa indiretamente de muitas maneiras. O que se requer em primeiro lugar é consciência clara e articulada; de outro modo, você reagiria inconscientemente de maneiras também destrutivas, erroneamente autodefensivas. Assim, ninguém conhece de fato os intrincados níveis de ação, reação e interação até que os fios se tornam tão emaranhados que parece impossível desembaraçá-los. Muitos relacionamentos se desfizeram devido a uma interação inconsciente desse tipo.

Jogar a incriminação significa espalhar veneno, medo e pelo menos tanta culpa quanta se tenta projetar. Os alvos dessa incriminação e culpa podem reagir de muitos modos diferentes, de acordo com seus próprios problemas e conflitos não resolvidos. Enquanto a reação for cega e a projeção de culpa inconsciente, a contra-reação também será neurótica e destrutiva. Somente a percepção consciente pode evitar isso. Somente então você será capaz de recusar um fardo que está sendo posto sobre seus ombros. Somente então você pode articular o modo de como atingir o alvo.

Como alcançar a realização e o prazer

Num relacionamento que está em vias de se desenvolver, a pessoa deve estar alerta em relação a esta armadilha, muito difícil de perceber porque a projeção de culpa é muito difundida. Além disso, os alvos dessa culpa devem procurá-la em si mesmos, e também nos outros. Não me refiro a um confronto direto com relação a algo que a outra pessoa tenha feito de errado. Focalizo, sim, a culpa sutil da infelicidade pessoal. Esta é que deve ser questionada.

A única maneira que você tem de evitar ser vítima da incriminação e da projeção de culpa é não aplicá-las a você mesmo. Na medida em que você é condescendente consigo mesmo nessa atitude sutilmente negativa – e seu modo de fazer isso pode ser diferente do modo como a outra pessoa age com relação a você – você estará inconsciente de que esteja sendo feito a você e assim se tornará vítima. A simples consciência estabelecerá a diferença toda – quer você expresse ou não verbalmente sua percepção e confronte a outra pessoa. Apenas na medida em que você, sem defesas, pesquisar e aceitar suas próprias reações e distorções problemáticas e seus aspectos negativos e destrutivos, é que poderá repelir a projeção de culpa de outra pessoa. Só assim você não será arrastado a um labirinto de falsidade e confusão em que a incerteza, a autodefesa e a fraqueza podem levá-lo ou a retroceder ou a tornar-se demasiadamente agressivo. Só então você deixará de confundir auto-afirmação com hostilidade, ou compromisso flexível com submissão doentia.

Esses são os aspectos que indicam a habilidade de lidar com os relacionamentos. Quanto mais essas novas atitudes forem compreendidas e vividas em profundidade, mais íntima, realizadora e bela se tornará a interação humana.

Como você pode proclamar seus direitos e penetrar no universo em busca de realização e prazer? Como você poderá amar sem medo se não abordar a relação com os outros do modo como acaba de ser esboçado? A menos que você se purifique aprendendo a fazer isso, sempre haverá uma ameaça quando se chega à intimidade: de que um dos parceiros, ou ambos, apelará à vergasta de lançar a culpa no outro. O amor, a partilha e a intimidade profunda e realizadora com relação aos outros poderiam ser uma força positiva sem nenhuma ameaça se essas ciladas fossem observadas, descobertas e dissolvidas. É da maior importância que as procure em você mesmo, meu amigo.

O relacionamento entre o homem e a mulher é de todos o mais desafiador, o mais belo, o mais importante espiritualmente e o que mais propicia o desenvolvimento individual pleno. A força que une duas pessoas no amor e na atração, e o prazer envolvido, são um aspecto diminuto da realidade cósmica. É como se todo ser criado conhecesse inconscientemente a felicidade desse estado e procurasse realizá-lo do modo mais forte possível à humanidade: no amor e na sexualidade entre homem e mulher. A força que os atrai um ao outro é a energia espiritual mais pura, levando a um relance do estado espiritual mais puro.

Entretanto, quando um homem e uma mulher ficam juntos num relacionamento mais duradouro e compromissado, o fato de manter e mesmo de aumentar a felicidade depende inteiramente de como os dois se relacionam um com o outro. Estão conscientes da relação direta entre prazer duradouro e desenvolvimento interior? Utilizam as dificuldades inevitáveis do relacionamento como parâmetros para suas próprias dificuldades interiores? Comunicam-se da maneira mais profunda, mais autêntica e mais auto-reveladora, partilhando seus problemas interiores e ajudando-se mutuamente? As respostas a estas per-

113

guntas determinarão se o relacionamento vacila, se se decompõe, se estagna – ou se floresce.

Se observar o mundo ao seu redor, você, sem dúvida, poderá ver que bem poucos seres humanos crescem e se revelam de modo tão aberto. Igualmente, poucos percebem que *o desenvolvimento conjunto e recíproco* define a solidez dos sentimentos, do prazer, do amor duradouro e do respeito. Não é de surpreender, portanto, que relacionamentos longos sejam quase invariavelmente mais ou menos entorpecidos com relação aos sentimentos.

Os problemas que surgem num relacionamento são sempre sinal de que algo não foi satisfeito. Eles são uma mensagem dita em voz alta para todos os que podem ouvir. Quanto antes forem objeto de atenção, mais energia espiritual será liberada, de modo que o estado de felicidade possa expandir-se com o ser interior de ambos os parceiros. No relacionamento entre um homem e uma mulher, existe um mecanismo que pode ser comparado a um instrumento afinado com toda a precisão, que indica os aspectos mais puros e sutis do relacionamento e do estado individual das duas pessoas envolvidas. Isto não é suficientemente reconhecido nem mesmo pelas pessoas mais conscientes e sofisticadas que, por outro lado, estão bem familiarizadas com a verdade espiritual e psicológica. Todos os dias e a todo instante, o estado interior e os sentimentos são o testemunho do estado de desenvolvimento da pessoa. A interação, os sentimentos e a liberdade do fluxo interior e na direção de um para outro florescerão na proporção mesma em que receberem atenção.

O relacionamento perfeitamente maduro e espiritualmente válido deve estar sempre profundamente ligado ao desenvolvimento pessoal. No momento em que um relacionamento for experimentado como irrelevante para o desenvolvimento interior, deixado por sua própria conta, por assim dizer, ele tropeçará. Só quando ambos se desenvolvem até seu potencial último e inerente é que o relacionamento pode tornar-se cada vez mais dinâmico e vivo. Este trabalho deve ser feito individual e mutuamente. Quando o relacionamento é enfocado desse modo, ele se construirá sobre a rocha, não sobre a areia. Nenhum medo irá jamais encontrar espaço sob tais circunstâncias. Os sentimentos se expandirão, e a segurança com relação ao eu e de um para com o outro se desenvolverá. Em um dado momento, cada parceiro servirá de espelho para o estado interior do outro e, portanto, para o relacionamento.

Sempre que há atrito ou embotamento é sinal de que algo está estagnado. Alguma interação entre as duas pessoas continua obscura e precisa ser analisada. Se for compreendida e trazida às claras, o desenvolvimento acontecerá numa velocidade máxima, e, na dimensão do sentimento, a felicidade, a alegria, a experiência profunda e o êxtase tornar-se-ão cada vez mais profundos e mais belos, e a vida adquirirá um sentido maior.

De modo inverso, o medo à intimidade traz consigo rigidez e negação da parte que toca à pessoa nas dificuldades do relacionamento. Qualquer pessoa que ignore esses princípios, ou que os considere de forma verbal apenas, não está emocionalmente pronta a assumir a responsabilidade por seu sofrimento interior – tanto dentro de um relacionamento quanto fora dele.

Vocês vêem, assim, meus amigos, que é da maior importância dar-se conta de que *a felicidade e a beleza, que são realidades espirituais eternas, estão disponíveis para todos* os que buscam a chave para os problemas da interação humana, como também da solidão, em seus próprios corações. O desenvolvimento verdadeiro é uma realidade espiritual tanto quanto o são a *realização profunda*, uma vida vibrante e um *relacionamento pleno de júbilo e felicidade*. Quando você está interiormente preparado para relacionar-se com outro ser humano nesses termos, *você encontra o parceiro adequado* com quem é possível esse modo de partilhar. Ao utilizar esta que, de todas, é a chave mais importante, o relacionamento não mais o assustará e não mais o assediará com temores conscientes ou inconscientes. Quando essa passagem significativa tiver acontecido na sua vida e você não responsabilizar mais os outros por aquilo que sente ou deixa de sentir, você não se sentirá mais desamparado ou vitimado. Assim, o desenvolvimento e o viver realizado e agradável se tornarão uma só e a mesma realidade.

Levem com vocês este novo material e a energia interior despertada por sua boa vontade. Possam essas palavras ser o começo de uma nova maneira interior de viver a vida, para finalmente decidir: "Quero arriscar meus bons sentimentos. Mais do que no outro, quero buscar a causa em mim, a fim de que possa tornar-me livre para amar." Este tipo de meditação verdadeiramente produzirá seus frutos. Se levarem um germe, uma partícula que seja desta palestra, ela terá sido proveitosa. Sejam abençoados, todos vocês, meus caríssimos amigos, para que se tornem de fato os deuses que potencialmente são.

8

O desenvolvimento emocional e sua função

"Se eu não sentisse, não sofreria." A maioria das pessoas está se esforçando ao máximo para não sentir, tendo a crença errônea de que assim podem evitar a infelicidade. Já não lhe passou coisa semelhante pela cabeça? Achamos que se trata apenas de um pensamento, mas esse desejo tem sua conseqüência: o entorpecimento de nossa capacidade de sentir. Entretanto, a repressão dos sentimentos não diminui o sofrimento; pelo contrário, ela o aumenta. Os sentimentos precisam de espaço para se desenvolver, exatamente como acontece com nosso corpo e nossa mente, para que possamos alcançar um estado emocional mais elevado em que tenhamos coragem de amar.

* * *

Saudações, meus caríssimos amigos. Que Deus abençoe todos vocês e esta hora.

Para que vocês possam se conhecer profundamente, é cada vez mais necessário deixar que todas as emoções cheguem à plena consciência; aí, elas poderão ser compreendidas e terão condições de amadurecer. A maioria de vocês aqui presentes resiste muito a deixar que isso aconteça. Vocês não têm consciência dos obstáculos que colocam no caminho do seu próprio desenvolvimento. Por isso, é importante e necessário que eu discorra sobre o mecanismo da resistência.

Em primeiro lugar, sejamos claros sobre a unidade da personalidade humana. Os seres humanos que vivem harmoniosamente desenvolveram os aspectos físico, mental e emocional de sua natureza. Devem essas três esferas funcionar em harmonia uma com a outra, cada uma auxiliando a outra, em vez de uma faculdade dominar a outra. Se uma função é pouco desenvolvida, ela provoca uma desarmonia na estrutura humana, e também mutila a personalidade toda.

Procuremos compreender agora o que faz com que os seres humanos negligenciem, reprimam e mutilem o desenvolvimento de sua natureza emocional. Esse desleixo é universal. A maioria dos seres humanos dedica sua maior atenção principalmente ao eu físico, faz mais ou menos o que é necessário para desenvolvê-lo e mantê-lo sadio. Uma boa porção da humanidade cultiva o aspecto mental. Para fazer isso, as pessoas aprendem, usam o cérebro e sua capacidade de pensamento; absorvem conteúdos, treinam a memória e o raciocínio lógico. Tudo isso amplia o desenvolvimento mental.

Mas, por que, em geral, a natureza emocional é esquecida? Existem boas razões para isso, meus amigos. Para maior clareza, procuremos antes entender a função da natureza emocional nos seres humanos. Antes de mais nada, ela inclui a *capacidade de sentir*. A capacidade de experimentar sentimentos é sinônimo de capacidade de dar e receber felicidade. Na proporção em que você recua diante de qualquer espécie de experiência emocional, nessa mesma medida você também tranca a porta à experiência de felicidade. Além disso, o lado emocional de sua natureza, quando em funcionamento, possui habilidade criadora. *Na medida em que você se fecha para a experiência emocional, nessa mesma proporção a potencialidade plena de sua habilidade criadora é tolhida em sua manifestação.* Contrariamente ao que muitos de vocês acreditam, o desenvolvimento da habilidade criadora não é um mero processo mental. Na verdade, o intelecto tem muito menos a ver com ela do que possa parecer à primeira vista, apesar do fato de que há também necessidade de destreza técnica para dar ao fluxo criador expressão plena. O desdobramento criador é um processo intuitivo. Não é preciso dizer que a intuição funciona somente na medida em que sua vida emocional é forte, saudável e madura.

Portanto, seus poderes intuitivos serão tolhidos se você negligenciar o desenvolvimento emocional e se se desmotivar a experimentar o mundo do sentimento. Por que, no seu mundo atual, é dada tanta ênfase ao desenvolvimento físico e mental e um quase desprezo evidente ao desenvolvimento emocional? Várias explicações de caráter

117

geral poderiam ser adiantadas, mas prefiro ir imediatamente à raiz do problema.

O entorpecimento dos sentimentos para evitar a infelicidade

No mundo do sentimento, você vivencia o bom e o mau, a felicidade e a infelicidade, o prazer e a dor. Ao invés de apenas registrar tais impressões mentalmente, a experiência emocional realmente o afeta. Visto que sua luta é em primeiro lugar pela felicidade, e visto que as emoções imaturas conduzem à infelicidade, seu objetivo secundário é evitar a infelicidade. Toda criança vivencia circunstâncias infelizes; o sofrimento e o desapontamento são comuns. Isto cria, já nos primeiros anos de vida, a seguinte conclusão, das mais inconscientes: *"Se eu não sentir, não serei infeliz."* Em outras palavras, em vez de dar o passo corajoso e apropriado de viver as emoções negativas e imaturas para que tenham a oportunidade de se desenvolverem e de se tornarem maduras e construtivas, as emoções infantis são reprimidas, postas fora de foco da consciência e enterradas, e assim permanecem inadequadas e destrutivas, muito embora a pessoa fique inconsciente de sua existência.

Embora seja verdade que você possa anestesiar sua capacidade para a experiência emocional, e portanto não possa sentir sofrimento imediato, é também verdade que você embota sua capacidade para a felicidade e para o prazer enquanto não evita realmente a infelicidade temida. A infelicidade que você parece evitar lhe chegará de um modo diferente e muito mais doloroso, embora indireto. O desgosto amargo do isolamento, da solidão, do sentimento corroedor de ter passado pela vida sem experimentar suas alturas e suas profundidades, sem ter-se desenvolvido ao máximo e o melhor que pudesse, é o resultado de uma solução errada dessas.

O uso dessas táticas evasivas não permite que você viva a vida na sua plenitude. Ao recusar o sofrimento, você se distancia da felicidade e, mais do que isso, você foge da experiência. Num momento ou outro – e pode acontecer que você jamais se lembre da declaração consciente de intenção – você se afastou do viver, do amar e do experimentar – de tudo o que torna a vida rica e recompensadora. O resultado é que seus poderes intuitivos ficam amortecidos juntamente com suas faculdades criadoras. Você apenas funciona com uma fração do seu potencial. O dano que infligiu a você mesmo com esta pseudo-solução e que continua a infligir-se enquanto fica preso a ela é tal que impede sua compreensão e avaliação no momento presente.

O isolamento

Visto que foi com essa tática que você começou sua defesa contra a infelicidade, é compreensível que, inconscientemente, você lute com unhas e dentes contra a renúncia ao que lhe parece proteção vital. Você não se dá conta de que não apenas desperdiça a riqueza da vida, os dons da vida, seu próprio potencial pleno, mas também que não evita de fato a infelicidade. Você não escolheu este isolamento doloroso espontaneamente e por isso ele não é aceito como um preço a ser pago. Antes, surgiu como um subproduto necessário de sua pseudo-solução, e com este mecanismo de defesa em operação a criança em você espera e luta para receber o que não pode absolutamente receber. Em outras palavras, em algum lugar no seu íntimo, você espera e acredita que é possível pertencer e ser amado enquanto embota seu mundo de sentimento num estado de entorpecimento e proíbe assim a você mesmo de amar verdadeiramente os outros. Sim, você pode precisar dos outros e essa necessidade pode apresentar-se-lhe como amor, mas agora você sabe que não é a mesma coisa. Em seu interior, você espera e acredita que é possível unir-se aos outros, comunicar-se com o mundo ao seu redor de um modo compensador e prazeroso, enquanto constrói um muro de falsa proteção contra o impacto da experiência emocional. Se não consegue deixar de sentir, e quando não consegue, você se ocupa em ocultar tais sentimentos de você mesmo e dos outros. Como você pode receber aquilo que deseja – amor, o sentido de fazer parte, a comunicação – se não sente nem expressa os vislumbres ocasionais de sentimentos pelos quais ainda luta a parte saudável de você? Você não pode obter isso pela utilização de ambas as alternativas, embora a criança em você não aceite isso.

Visto que se "protege" dessa maneira tola, você se isola, o que significa que se expõe muito mais àquilo que se esforça por evitar. Assim, você perde duplamente: não evita o que teme – não verdadeiramente e em última instância – e perde tudo o que poderia ter se não fugisse da experiência do viver. Pois viver e sentir são uma só coisa. O amor e a realização a que deve aspirar sempre mais fazem com que você acuse os outros, as circunstâncias, o destino, ou a má sorte, em vez de fazê-lo ver como você é responsável por isso. Você resiste a essa percepção intuitiva porque pressente que ao dar-se conta do fato, *você terá de mudar*, não podendo mais apegar-se à esperança confortável, mas irrealizável, de que pode ter o que quer sem preencher as condições necessárias para isso. Se deseja felicidade, você deve ter a disposição de oferecê-la. Como pode oferecê-la, se não tem o desejo e a capacidade de sentir tanto quanto pode sentir? Perceba que foi você que provocou esse estado de não-realização, e é você que pode mudar a situação, independentemente de sua idade física.

A necessidade de exercitar as emoções

Outro motivo para apelar a esta pseudo-solução fracassada é o seguinte: como em tudo o mais, o sentimento e a expressão emocional podem ser maduros e construtivos ou imaturos e destrutivos. Como criança, você tinha um corpo e uma mente imaturos, e portanto, muito naturalmente, uma estrutura emocional imatura. Muitos deram ao corpo e à mente a possibilidade de evoluírem da imaturidade e alcançaram uma certa maturidade física e mental. Darei um exemplo no nível físico: um bebê sentirá um forte impulso para usar suas cordas vocais. Ele tem um instinto com a função de promover o desenvolvimento de certa matéria orgânica através do uso repetido das cordas vocais. Não é nada agradável ouvir um bebê gritar, mas este período de transição tem como resultado a formação de órgãos saudáveis, sob este aspecto específico. Para o bebê, não passar por este período desagradável, reprimindo o impulso instintivo de berrar, seria prejudicial e causaria o enfraquecimento desses órgãos. O impulso para ter satisfação com um exercício físico exigente tem a mesma função. Tudo isto é parte de um processo de desenvolvimento. Interromper este processo de desenvolvimento com a desculpa de que há perigo no exercício excessivo seria tolice e até acarretaria danos.

E, todavia, é isso que acontece com seu eu emocional. Você interrompe seu funcionamento porque considera o período transicional de desenvolvimento tão perigoso que chega a interromper o próprio desenvolvimento. A conseqüência desse raciocínio é que você não só reduz os excessos, mas também bloqueia todo funcionamento transitório que por si só pode levar a emoções maduras e construtivas. Por ser este o caso que até certo ponto acontece com todos, o período de desenvolvimento de experiência e maturação deve acontecer agora.

Quando seus processos mentais amadurecem, você também deve passar por períodos de transição. Você não apenas aprende; está fadado a também cometer erros. Em seus anos de adolescência, com freqüência você mantinha opiniões que mais tarde foi abandonando. Com o tempo, você começa a perceber que aqueles pontos de vista não eram tão "certos" quanto pareciam, e vê aspectos que anteriormente o confundiam. Entretanto, foi-lhe muito benéfico passar por esses períodos de erro. Como você poderia avaliar a verdade se não tivesse passado pelo erro? Você jamais pode chegar à verdade evitando o erro. O erro reforça suas faculdades mentais, sua lógica, e também sua amplitude e poder de dedução. Sem poder cometer erros em seu pensamento ou em suas opiniões, suas faculdades mentais não poderiam desenvolver-se.

Por estranho que pareça, a natureza humana apresenta muito menos resistência aos sofrimentos necessários ao desenvolvimento dos aspectos físico e mental da personalidade do que ao desenvolvimento da natureza emocional. Dificilmente alguém admite que as *dores do desenvolvimento emocional* também são necessárias, e que são construtivas e benéficas. Sem pensar conscientemente sobre isso nesses termos, você acredita que o processo de desenvolvimento emocional deveria se realizar sem sofrimentos crescentes. Na maioria das vezes ignora-se completamente a existência dessa área, sem falar da sua necessidade de desenvolvimento; e você desconhece também como esse desenvolvimento deve realizar-se. Você que está neste caminho deve começar a compreender isto. Se o fizer, sua insistência em permanecer amortecido e embotado irá por fim ceder e você não mais objetará passar por um período de desenvolvimento agora.

O afloramento dos sentimentos imaturos

Nesse período de crescimento, *as emoções imaturas devem expressar-se*. É somente na medida que puderem expressar-se, para que se possa compreender o significado delas, que você finalmente chegará ao ponto em que não precisará mais de tais emoções imaturas. Isto não acontecerá através de um processo de vontade, de uma decisão mental exterior que reprime o que ainda é parte de seu ser emocional, mas através de um processo orgânico de desenvolvimento emocional em que os sentimentos mudarão naturalmente sua direção, seu objetivo, sua intensidade e sua natureza. Isto, porém, só poderá ser feito se você vivenciar suas emoções como existem em você agora.

Como criança, quando alguém magoava você, suas reações eram de raiva, ressentimento, ódio – e às vezes de grande intensidade. Se você dificulta a si mesmo vivenciar conscientemente essas emoções, você não se livrará delas; você não deixará que emoções maduras e saudáveis as substituam, mas simplesmente reprimirá os sentimentos existentes. Você os enterrará e enganará a si mesmo afirmando que não sente o que realmente ainda sente. Por embotar sua capacidade de sentir, você se torna inconsciente do que existe sob a superfície. Então você sobrepõe sentimentos que pensa que deveria ter mas que de fato e verdadeiramente não tem.

Algumas mais, outras menos, todas as pessoas lidam com sentimentos que não são verdadeiramente seus, com sentimentos que pensam que deveriam ter mas que não têm. Na camada subjacente, algo inteiramente diferente está acontecendo. Somente em momentos de crise extrema esses sentimentos reais chegam à superfície. Então você acredita que foi a crise que causou essas reações em você. Não: a crise reativou as emoções ainda imaturas. Estamos diante do efeito da imaturidade emocional escondida e também da auto-ilusão existente.

O fato de você afastar da sua visão as emoções em estado ainda não lapidado, destrutivas e imaturas, em vez de desenvolver-se a partir delas e de iludir-se acreditando ser uma pessoa muito mais integrada e madura do que realmente é, não é apenas uma auto-ilusão, mas é também um fato que o leva a um isolamento ainda mais profundo, à infelicidade, à alienação de si mesmo e a padrões de insucesso e fracasso que você repete sempre de novo. A conseqüência de tudo isso parece confirmar sua pseudo-solução, seu mecanismo de defesa, mas essa é uma conclusão bastante enganosa.

As emoções imaturas fizeram com que, quando criança, você fosse castigado; ou lhe causaram sofrimento ou ainda produziram um resultado indesejado quando as expressava. Você perdeu algo que queria, como a afeição de certas pessoas, ou um objetivo desejado se tornou inatingível quando você expressou o que realmente sentia. Isso então se tornou um motivo a mais para obstaculizar a sua auto-expressão. Conseqüentemente, à medida que percebia que essas emoções eram indesejáveis, você continuou a afastá-las de sua própria visão. Você achou necessário tomar essa atitude porque não queria ser magoado, não queria viver o sofrimento de se sentir infeliz. Você também considerou necessário reprimir emoções existentes porque a expressão do negativo produzia um resultado indesejado.

Você poderia dizer que pelo fato de esta última afirmação ser verdadeira, seu procedimento portanto é válido, necessário e autopreservador. Você dirá corretamente que, se manifestar suas emoções negativas, o mundo o castigará, de um modo ou de outro. Sim, meu amigo, isso é verdade. As emoções imaturas são na verdade destrutivas e lhe trarão desvantagens. Mas *seu erro está no pensamento consciente ou inconsciente de que dar-se conta do que você sente e expressá-lo em ação constituem uma só e mesma coisa.* Você não pode discriminar entre os dois cursos de ação. E também não pode discriminar entre uma meta construtiva – para o que é necessário expressar e falar sobre o que sente, no lugar certo, com as pessoas certas – e a destrutividade de negligentemente perder todo controle, de não escolher a meta correta, o lugar correto e as pessoas certas, de não querer empregar tal expressão que lhe proporcionaria uma percepção intuitiva com relação a si mesmo. Se você deixar que aconteça simplesmente porque não tem disciplina, ou uma meta, e expressa suas emoções negativas, isto é de fato destrutivo.

Procure distinguir entre metas construtivas e metas destrutivas, tente perceber o propósito de expor suas emoções, e então desenvolva a coragem e a humildade de permitir-se estar consciente do que realmente sente e de expressá-lo quando é significativo. Se fizer isso, você verá a enorme diferença entre meramente deixar que emoções imaturas e destrutivas aflorem para aliviá-lo da pressão e dar-lhes uma saída sem meta ou significado, e a atividade intencional de experimentar novamente todos os sentimentos que uma vez existiam em você e que ainda existem. O que não foi assimilado adequadamente na experiência emocional, mas em vez disso foi reprimido, será constantemente reativado pelas situações presentes. De um modo ou de outro, essas situações lhe trazem à memória a "solução" original que causou essa experiência não assimilada. Tal lembrança pode não ser fatal. Pode ser um clima emocional, uma associação simbólica que se abriga exclusivamente no subconsciente. À medida que aprender a tornar-se consciente do que realmente está acontecendo em você, também perceberá tais lembranças. Com isto pode manifestar-se a percepção de que muitas vezes você realmente sente o oposto do que se força a sentir.

Como ativar o processo de desenvolvimento

Na proporção em que os primeiros passos experimentais são dados no sentido de tornar-se consciente do que sente e de expressar isso de uma maneira direta, sem justificativas e desculpas, você chegará a uma compreensão de si mesmo como nunca conseguira antes. Você notará o processo de desenvolvimento em funcionamento, pois está engajado ativamente nele com o seu eu mais profundo e não apenas com gestos externos. Você compreenderá não só o que provocou muitos dos resultados indesejáveis, mas também como é possível mudá-los. Compreender a interação entre você e os outros lhe mostrará como seu padrão inconsciente distorcido afetou as outras pessoas do modo exatamente oposto ao que você desejava inicialmente. Isto lhe dará uma compreensão interior do processo de comunicação.

Este é o único meio pelo qual as emoções podem amadurecer. Passando pela fase que não recebeu atenção na infância e na adolescência, as emoções amadurecerão e você não precisará mais temer a força daquelas emoções que não pode controlar através da tática de deslocá-las do foco da consciência. Você será capaz de confiar nelas, e de se deixar guiar por elas – porque esta é a meta final da pessoa madura e saudável. Eu poderia dizer que, até certo ponto, isto aconteceu com vocês todos. Há ocasiões em que você se deixa orientar por sua intuição. Mas isto acontece mais como exceção do que como regra. Não pode acontecer como regra enquanto suas emoções permanecerem destrutivas e infantis; elas não são confiáveis nesse estado. Pelo fato de desencorajar o desenvolvimento delas, você vive apenas por suas faculdades mentais – e essas são secundárias em termos de eficiência. Quando emoções saudáveis tornam sua intuição confiável, haverá uma harmonia mútua entre as faculdades mental e emocional. Uma não estará em contradição com relação à outra. Enquanto não puder contar com seus processos intuitivos, você estará inseguro e desprovido de autoconfiança. Você procura compensar isso contando com outros, ou através de uma religião falsa. Assim você se torna fraco e desamparado. Mas se tiver emoções fortes e maduras, você confiará em si mesmo e devido a isso encontrará uma segurança que nem sonhava que existisse.

Depois da primeira liberação dolorosa de emoções negativas, você encontrará um certo alívio ao constatar que material venenoso foi expulso de seu sistema de um modo que não foi destrutivo para você nem para os outros. Depois de obter essa nova intuição e compreensão, novas emoções ardentes e agradáveis brotarão de você. Essas mesmas emoções não podiam expressar-se antes, enquanto as emoções negativas eram mantidas sob controle. Você aprenderá também a distinguir entre os bons sentimentos verdadeiros e os bons sentimentos falsos que você sobrepõe movido pela necessidade de manter sua auto-imagem idealizada: "É assim que eu deveria ser." Por apegar-se a esta auto-imagem idealizada, você não consegue encontrar seu verdadeiro eu e não tem a coragem de aceitar que uma área bastante extensa de sua personalidade ainda é infantil, incompleta e imperfeita.

O que é segurança verdadeira?

Reconhecer isso é o primeiro passo necessário para eliminar seus processos destrutivos e para *construir um eu realmente sólido* que permaneça sobre terreno firme. Porque é somente nas emoções maduras, na coragem de tornar possível esta maturidade e desenvolvimento, que você obterá a segurança interior que tão ardentemente busca em outros lugares.

Assim, construa sua segurança verdadeira. Você não tem nada a temer por tornar-se consciente do que já está em você. Desviar-se do que é não faz com que deixe de existir. Portanto, é sábio de sua parte querer observar, encarar e reconhecer o que está em você – nada mais, nada menos! É extremamente tolo acreditar que lhe será mais prejudicial conhecer do que não conhecer o que você é e sente. Entretanto, até certo ponto, é exatamente isso que todos fazem. Esta é a natureza de sua resistência a aceitar e a encarar a si mesmo. É somente depois que você se defronta com o que está em você que seu intelecto bem mais amadurecido será capaz de tomar a decisão quanto a se esses padrões de comportamento interior são dignos de ser mantidos ou não. Você não é forçado a renunciar ao que lhe parece uma proteção, mas observe-o com os olhos abertos e lúcidos da verdade. Isso é tudo que lhe peço que faça. Nada há a temer dessa atitude.

Agora, meus amigos, consideremos este assunto à luz da espiritualidade. Todos vocês vieram com a idéia de desenvolver-se espiritualmente. Eu poderia dizer que mais ou menos todos vocês esperam alcançar esse objetivo sem dar atenção ao seu desenvolvimento emocional. Vocês querem acreditar que uma coisa é possível sem a outra. Desnecessário dizer, esta é uma impossibilidade total. Mais cedo ou mais tarde, todos terão de tomar a decisão quanto a se realmente desejam o desenvolvimento emocional ou se ainda querem ater-se à esperança infantil de que o desenvolvimento espiritual é possível negligenciando o mundo do sentimento e deixando-o adormecido sem lhe dar a oportunidade de crescer. Examinemos isso por um momento.

Se os sentimentos são tolhidos, o amor não pode crescer

Não considerando a religião, a filosofia ou a doutrina que sigam, todos vocês sabem que *o amor é a primeira e a maior de todas as forças.* Em última análise, *é a força única.* A maioria de vocês utilizou esta máxima muitas vezes; gostaria, porém, de saber, meus amigos, se sabiam que estavam usando palavras vazias, sempre se desviando do sentimento, da reação e da experiência. A verdade é esta: *como você pode amar se não se permite sentir?* Como você pode amar e ao mesmo tempo continuar sendo o que decide chamar de "desapegado"? Isso significa permanecer não envolvido pessoalmente, não arriscando o sofrimento, a decepção e o envolvimento pessoal. Você pode amar de modo tão cômodo? Se você deixar dormente a sua faculdade de sentir, como pode verdadeiramente experimentar o amor? O amor é um processo intelectual? É o amor uma questão tíbia de leis, palavras, letras, regulamentos e regras sobre os quais você fala? Ou é o amor um sentimento que brota do fundo da alma, um ardor de impacto que flui e que não pode deixá-lo indiferente e intocado? Não é ele, antes de mais nada, um sentimento, e não é só depois que o sentimento é plenamente vivenciado e expresso que dele resultará a sabedoria, e talvez mesmo a percepção intuitiva – como um subproduto, por assim dizer?

Como você espera chegar à espiritualidade – e espiritualidade e amor são uma só coisa – não dando atenção a seus processos emocionais? Pense nisso, meu amigo. Comece por observar como você se retrai, esperando por uma espiritualidade confortável que prescinda de seu envolvimento pessoal com o mundo dos sentimentos. Depois de ver isto com clareza, você compreenderá como essa atitude é irracional. Suas racionalizações conscientes ou inconscientes em ainda negar a percepção e a expressão de suas emoções, embora no momento ainda sejam bastante destrutivas, assumirão uma luz diferente a seus próprios olhos. Você observará sua resistência a fazer o que é tão necessário com um pouco mais de compreensão e verdade. Qualquer desenvolvimento espiritual será uma farsa se você negar esta parte de seu ser. Se você não tiver a coragem de deixar que o negativo em você aflore à superfície de sua consciência, como poderão emoções saudáveis e fortes preencher seu ser? Se você não puder lidar com o negativo porque ele se encontra fora de sua consciência, esse mesmo elemento negativo se interporá no caminho do positivo.

Você que agora segue este caminho e faz o que é tão necessário irá inicialmente experimentar uma avalanche de sentimentos negativos. Mas depois que esses tiverem sido adequadamente compreendidos e tiverem amadurecido, sentimentos construtivos desenvolver-se-ão. Você sentirá o ardor, a compaixão e o envolvimento bom como nunca imaginou ser possível. Não se sentirá mais isolado. Começará a relacionar-se com os outros na verdade e na realidade, não na falsidade e no auto-engano. Quando isto acontecer, uma nova segurança e respeito por você mesmo se tornará parte de você. Você começará a confiar e a gostar de si mesmo.

Pergunta: *É possível ter fé em Deus e no amor sem maturidade emocional?*

Resposta: É impossível, se por amor entendemos o amor verdadeiro, a disposição de envolver-se pessoalmente, e não a necessidade infantil de ser amado e afagado que tantas vezes confundimos com amor. A maturidade emocional é a base necessária para que o amor e a fé verdadeiros existam. Amor, fé e imaturidade emocional são mutuamente excludentes, meu filho. A capacidade de amar é conseqüência direta da maturidade e do desenvolvimento emocional. A verdadeira fé em Deus, no sentido da religião verdadeira em oposição à religião falsa, é de novo uma questão de maturidade emocional porque a verdadeira religião é autodependente. Ela não se agarra a um pai-autoridade devido à necessidade de ser protegida. A fé e o amor falsos sempre carregam a forte conotação emocional de necessidade. O amor e a fé verdadeiros derivam da força, da autoconfiança e da responsabilidade pessoal. Essas são atributos da maturidade emocional. E somente com força, autoconfiança e responsabilidade pessoal é que o amor, o envolvimento e a fé verdadeiros são possíveis. Quem quer que tenha alcançado o desenvolvimento espiritual, conhecido ou desconhecido na história, teve necessidade da maturidade emocional.

Pergunta: *Se alguém que esteja fazendo esse trabalho descobre emoções turbulentas que remontam à infância, como é possível controlá-las, substituí-las e deixar que se desintegrem sem que a pessoa que ajuda neste trabalho esteja presente? No momento, digamos duas vezes por mês, quando temos a oportunidade de expressá-las na presença de um assistente, podemos não sentir tais emoções, ao passo que as sentimos muito fortes em outras ocasiões. Se alguém estiver sozinho, qual é a maneira correta de controlar essas emoções no momento em que se manifestam?*

Resposta: Em primeiro lugar, é significativo saber se as emoções somente surgem quando a pessoa não está fazendo este trabalho ativamente com o assim chamado assistente. Só isso basta para indicar uma forte resistência. Esse é o resultado longo e prolongado da repressão. Devido a essa repressão, as emoções que brotam em primeiro lugar aparecerão em momentos inoportunos e serão tão fortes que podem confundir a pessoa. Mas depois de um tempo relativamente curto, com a vontade interior verdadeiramente determinada a encarar o eu em sua totalidade, as emoções destrutivas não apenas começarão a aparecer em ocasiões adequadas e no lugar adequado, mas também você será capaz de controlá-las com um resultado significativo. O estado de resistência aponta para o fato de que a luta e o ódio interiores ainda existem juntamente com o desejo infantil de que conflitos manifestos devam ser resolvidos enquanto o mecanismo de defesa básico é mantido intocado. Se as emoções destrutivas o dominam, em vez de você ser capaz de dominá-las sem repressão, o que temos é uma forma de explosão de temperamento em que a psique diz: "Veja, foi você que me forçou a fazer isso; veja agora para onde isso leva." Se essas emoções sutis e ocultas podem ser detectadas, isso diminuirá o risco de que emoções negativas adquiram uma força que a personalidade não consiga controlar.

Em segundo lugar, é importante que você não se sinta culpado pela existência de tais emoções, as quais provavelmente são incompatíveis com a imagem que você faz de si mesmo. Se aprender a aceitar sua realidade em vez de sua auto-imagem distorcida, a força das emoções negativas se reduzirá. Sim, sem dúvida, você experimentará emoções negativas, mas não terá medo de que possam levá-lo a perder o autocontrole. Deixe-me colocar deste modo: o forte impacto das emoções negativas, a ponto de você considerar-se incapaz de controlá-las, é devido não tanto à existência em si dessas emoções mas à falta de aceitação do fato de que você não é o seu eu idealizado. As emoções negativas em si seriam muito menos perturbadoras se você não se apegasse ao eu idealizado ao mesmo tempo que luta para renunciar a ele. Depois de aceitar-se como é, e depois de tomar a decisão interior de abandonar a ilusão com relação a si mesmo, você se sentirá muito mais à vontade. Você se sentirá capaz de vivenciar emoções negativas de modo a favorecer o seu desenvolvimento. Você obterá delas inspiração, mesmo estando sozinho no momento. Além disso, as emoções surgirão durante sessões de trabalho e proporcionarão percepção intuitiva ainda maior se forem expressas e trabalhadas.

Assim, não posso dar-lhe um conjunto de regras. Posso apenas indicar o motivo que está por trás dessa manifestação. Se você realmente o entender, se desejar compreendê-lo, e se a partir daí você for para a frente, isso o ajudará muito. Naturalmente, esta advertência é dirigida a todos os meus amigos.

Pergunta: *Isso significa que as emoções em si não são perigosas, mas que é a decepção com nós mesmos que as torna tão poderosas ou perigosas?*

Resposta: Sim, exatamente. Mas elas não precisam ser perigosas se você não quiser que sejam. Se a raiva interior não for compreendida adequadamente e liberada de modo construtivo, como você aprende neste caminho, o que se pode chamar de explosão de temperamento acontece e a criança em você exagera, destruindo os outros e o próprio eu. Encontre a criança que quer eliminar e então você terá condições de controlar emoções negativas em curso sem reprimi-las, mas expressando-as construtivamente e aprendendo delas. Descubra a área em que se ressente por não ter tido atenção, por não ter recebido o que queria. Uma vez consciente do motivo de toda essa raiva, você será capaz de rir de você mesmo porque percebe as exigências absurdas da criança em você. É este o trabalho que precisa ser feito nesta fase específica. Este é um marco crucial e decisivo em seu caminho. Depois de superar essa fase difícil, o trabalho prosseguirá com muito mais facilidade. Sempre que tiver medo de perder o controle, aconselho-o a lembrar-se da imagem que tem de si mesmo, do que acha que deveria ser, em oposição às emoções que realmente se manifestam. No momento em que vir essa discrepância, você não se sentirá mais ameaçado pelas emoções negativas. Você será capaz de controlá-las. Este é o melhor conselho que lhe posso dar a este respeito. Descubra em você o momento que sente ódio do mundo por não lhe permitir ser a sua auto-imagem idealizada, onde você sente que ele o impede de ser o que poderia ser sem a sua interferência. Uma vez consciente dessas reações emocionais, você dará novamente um grande passo à frente.

Veja, meu amigo, sua confusão é que você pensa que o mal provém da existência das emoções negativas em si. Mas não é isso. Ele provém da não-aceitação do seu verdadeiro eu, da culpa que você lança no mundo por não lhe permitir ser o que sente que poderia ser se ele o permitisse. Esta é a natureza de tais emoções fortes e poderosas, e elas podem pô-lo em perigo somente na medida em que você permanecer inconsciente de sua natureza. Portanto, procure seu significado. Procure sua verdadeira mensagem e você jamais terá algo a temer.

Com isso, meus caros, caríssimos amigos, despeço-me de vocês. Bênçãos para cada um de vocês. Que possam todos obter maior força e maior sabedoria para conduzir sua vida e seu desenvolvimento interior de modo a não permanecerem estagnados. Porque essa é a única coisa que dá sentido à vida – desenvolvimento contínuo. Quanto melhor você realizar isto, mais estará em paz com você mesmo. Bênçãos com toda força, amor e ardor são dadas a vocês. Sejam abençoados. Estejam em paz e fiquem com Deus.

9

Verdadeiras e falsas necessidades

Quase todos temos a convicção de que nossos problemas são causados por outras pessoas, pelo fato de não serem suscetíveis às nossas necessidades. Não é isso que acontece, diz o Guia. Muitas aspirações que nutrimos e pelas quais lutamos baseiam-se em necessidades falsas, e por isso provavelmente jamais serão satisfeitas. Seguindo essa linha de reflexão, a próxima palestra aborda os seguintes temas: Como as necessidades falsas substituíram as necessidades verdadeiras não satisfeitas; como distinguir as necessidades falsas das verdadeiras e como renunciar às primeiras; e, finalmente, como reconhecer e satisfazer as verdadeiras necessidades que temos no presente.

* * *

Saudações a todos vocês, meus amigos. Bênçãos e energias positivas estão sendo derramadas sobre este lugar. Se abrirem seu coração e sua mente, todos poderão recebê-las.

A maioria dos seres humanos ainda não está consciente dos imensos potenciais e forças espirituais que tem. O que quero dizer com a expressão potenciais e forças espirituais? Quero dizer que essas forças transcendem em muito as capacidades humanas consideradas normais no nível de ser em que você se encontra.

O despertar dos potenciais espirituais latentes

Essas forças são inacessíveis ou podem até ser perigosas se o ser humano não está purificado, pelo menos até certo ponto, ou se a consciência ainda está em estado de sonolência, o que está sempre relacionado com atitudes destrutivas como obstinação, orgulho, medo, ambição, inveja, malícia, maldade, desprezo e egoísmo. Grande parte dos seres humanos pode considerar-se como estando aproximadamente noventa por cento no estado de sono e somente dez por cento atento para o que existe no mundo ao seu redor e no seu interior. O processo de redespertar o eu exige muito esforço, comprometimento, trabalho e também a disponibilidade de sacrificar padrões destrutivos com suas satisfações dispendiosas e efêmeras. Unicamente isso fará com que a consciência se desenvolva gradativamente, que a percepção se aguce, e que o novo conhecimento interior se torne disponível como manifestação do verdadeiro eu em processo de despertar.

Essa percepção intuitiva crescente, esse conhecimento interior – primeiro com relação ao eu, em seguida com relação ao ser íntimo dos outros, e por fim também com relação à verdade e à criação cósmicas – estende-se para dentro de uma experiência de vida eterna. Não há nenhuma dúvida quanto a isso! Despertar os potenciais espirituais significa também ter acesso às forças sempre presentes da vida, todas elas existentes em você e ao seu redor. Essas forças podem ser utilizadas para curar, para ajudar e para ampliar a realização e a consciência de si mesmo e dos outros. É desnecessário dizer que se o pequeno ego ainda prevalece sobre o verdadeiro eu espiritual, o abuso desses poderes é inevitável. *Primeiro o amor precisa ser despertado na alma da pessoa para que os novos poderes possam ser utilizados com segurança.* Se o campo de força energético de um ser humano está ligado a baixas freqüências devido ao estado pouco desenvolvido da alma, as freqüências mais elevadas dos poderes espirituais podem destruir a saúde e a vida e criar grandes riscos. Por isso, é fundamental que o desenvolvimento progrida de acordo com um certo ritmo. O modo mais seguro é sempre enfatizar, acima de tudo, a *purificação.*

Quando a purificação precede o desenvolvimento dos potenciais espirituais e psíquicos, a felicidade aumenta. O destemor aumenta. As soluções para todos os problemas ficam mais acessíveis: elas surgem por si mesmas porque os problemas são encarados e trabalhados. E é neste caso que se torna possível a cura de todos os males da mente, da alma e do corpo.

Mas esse estado utópico não pode ser alcançado se você não lidar com suas necessidades, tanto as verdadeiras e falsas como as conscientes e inconscientes. Quem não trouxer suas experiências emocionais inconscientes à tona carregará todo o material reprimido para a encarnação seguinte. O material depositado procura, para a próxima encarnação, circunstâncias e pessoas que ofereçam a oportunidade de fazer com que esse material adormecido e não-assimilado venha novamente à superfície. Assim, os pais ou um determinado ambiente parecerão ser responsáveis por uma experiência dolorosa da infância. Na verdade, o estado pouco desenvolvido dos pais funciona como um meio para trazer à tona imagens que de outro modo permaneceriam dormentes e inacessíveis à consciência, bloqueando assim a purificação total. Sem dúvida, é possível tratar a experiência dolorosa do jeito de sempre, qual seja, o de evitar e prolongar o ciclo. Mas, para toda entidade chega a hora em que não é mais possível deixar de encarar essa experiência abertamente.

Você pode seguir essa cadeia de acontecimentos mesmo no período de vida atual. Na medida em que não vivenciou plenamente seu passado como criança, você forçosamente atrai experiências semelhantes mais tarde na vida. Se evitou sua infância e está inconsciente do que verdadeiramente lhe aconteceu, você tende a não reconhecer o que sente e o vivencia agora enquanto repete a experiência. Inversamente, à medida que você se conscientiza de seus sentimentos passados, também se apercebe de como a experiência passada se repete. O estado de embotamento de seus sentimentos passados o entorpece com relação a vivências semelhantes atuais, a menos que e até que você assuma um compromisso autêntico e faça um esforço verdadeiro para despertar-se, por mais doloroso que isso lhe possa parecer inicialmente.

A não-satisfação das legítimas necessidades da criança

Você somente pode estar alerta ao que lhe acontece e ter pleno conhecimento disso quando as experiências semelhantes do passado são expostas e plenamente trabalhadas. Então, será eliminada não apenas a matéria residual da alma desta vida, mas também o legado de existências anteriores. Quando, no seu caminho, você experimenta mais e mais matéria residual, você descobre que o elemento mais doloroso é a não-satisfação de suas legítimas necessidades como criança. A negação de suas necessidades verdadeiras cria suas necessidades falsas. É da maior importância observar esse fato.

Que são necessidades verdadeiras e que são necessidades falsas? Em primeiro lugar, qualquer coisa que é verdadeira num período da vida da pessoa pode ser totalmente falsa e irreal num período posterior. O que é uma necessidade real para uma criança não é uma necessidade real para um adulto. Quando uma pessoa em desenvolvimento nega o sofrimento de uma necessidade verdadeira não-satisfeita, essa necessidade não desaparece. Pelo contrário, a negação do sofrimento de sua não-satisfação perpetua a necessidade e a projeta para um tempo posterior e em outras pessoas, tornando-se assim uma necessidade falsa. Tome o exemplo específico de uma criança que apenas precisa receber cuidados, carinho, bons sentimentos, atenção e consideração por sua individualidade própria. Se essas necessidades não são preenchidas, a criança sofre. Se esse sofrimento é aceito e elaborado no nível consciente, a pessoa não fica mutilada, como muitos gostariam de acreditar. O que cria um estado de mutilação é a *crença* de que esse sofrimento somente pode ser eliminado quando a pessoa recebe tudo o que lhe falta, mesmo que seja anos mais tarde. Isto nunca pode acontecer, naturalmente. Pois, mesmo se fosse possível a um adulto encontrar pais substitutos, ideais e perfeitos de acordo com as noções da criança carente, toda essa entrega, proveniente de fora do eu, não poderia proporcionar ao adulto nenhuma realização verdadeira.

A realização tão dolorosamente esperada só pode ser alcançada quando você, como adulto, persiste buscando no seu interior tudo o que ainda procura fora de você mesmo. Isso deve começar pela responsabilidade pessoal. Se fica parado, querendo tornar seus pais e a vida responsáveis, você se priva do centro vital de todo bem que existe no seu íntimo. Somente quando muda de atitude e descobre que seu sofrimento é induzido pela sua postura de *agora* é que você pode começar a encontrar segurança – a segurança que você em algum momento procurava no suporte que lhe era dado por outros. A ansiedade desaparecerá na exata medida em que você buscar dentro de você mesmo a causa de seu sofrimento presente. E esse sofrimento é a *negação do sofrimento original* e dos conseqüentes padrões negativos e destrutivos do sentir e do pensar.

Quando as pessoas começam a assumir a própria responsabilidade verdadeira, gradativamente também deixam de esperar que os bons sentimentos provenham do exterior. Elas passam a ser menos dependentes do fato de serem enaltecidas e amadas porque serão capazes de proporcionar a si mesmas a auto-estima que não conseguiram sentir enquanto permaneciam crianças exigentes e ressentidas. Este é outro passo no sentido de estar centrado no eu verdadeiro. Isto, por sua vez, aumenta a habilidade de ter um fluxo caudaloso de sentimentos bons e ardentes, e fortalece o desejo de compartilhá-los em vez de maldosamente conservá-los para si. A habilidade de sentir o prazer a partir de dentro do corpo e da alma, e de oferecê-lo aos demais, torna-se uma alternativa efetiva para o insistir avidamente em receber. Todas essas habilidades ampliadas preencherão o vazio criado pela necessidade não-satisfeita da criança.

Como superar o sofrimento das necessidades legítimas não-satisfeitas

Quanto mais o sofrimento da necessidade legítima não-satisfeita continua não sendo sentido ou sendo vivido apenas pela metade, tanto mais as *necessidades falsas* tomarão conta da personalidade, a qual então fatalmente fará exigências aos outros. Quando essas exigências não são preenchidas, os ressentimentos – e muitas vezes a malícia com que argumentos são elaborados contra a vida e os outros – aumentam o sentido de privação, de modo que um círculo vicioso contínuo parece envolver a pessoa num estado de desesperança. Não é difícil racionalizar um argumento e montar uma acusação de culpa. Sempre se pode encontrar razões reais, imaginadas, ou exageradas e distorcidas para tirar de si mesmo o peso da responsabilidade. Visto que tudo isso é sutil e oculto, requer-se atenção específica na observação de si mesmo e na honestidade para consigo mesmo para ver esse processo em funcionamento. Somente quando você é capaz de admitir suas exigências irracionais e de ver como quer infligir castigo aos que acusa é que você pode verdadeiramente compreender as ligações que aqui estabeleço.

Quais são as verdadeiras necessidades de um adulto? São a auto-expressão, o crescimento, o desenvolvimento, o atingimento do potencial espiritual, e tudo o que daí decorre. Isto significa prazer, amor, realização, bons relacionamentos, e uma contribuição significativa para o grande plano no qual cada um tem a sua função. Depois de certo desenvolvimento, essa função começa a ser sentida e vivenciada internamente até tornar-se realidade. É uma verdadeira necessidade perceber o desenvolvimento interior; sua ausência traz infelicidade. Você deve então prosseguir na busca dos obstáculos na sua própria alma e removê-los. De um modo ou de outro, eles sempre estão ligados à perpetuação de necessidades que uma vez eram verdadeiras, mas que agora são falsas.

A superação da resistência em expor necessidades falsas

A perpetuação de necessidades falsas cria um incontável número de condições destrutivas na alma de uma pessoa. Visto que essas necessidades nunca podem ser satisfeitas, a frustração e o vazio contínuos varrem a esperança, turvam a visão e induzem o ressentimento, o ódio, a culpa e muitas vezes o despeito. Uma resistência maldosa e passiva e a autopunição são utilizadas para punir outros que parecem causar o estado negativo. Quanto piores forem essas características interiores, maior será a culpa e o abandono de si mesmo, o que torna impossível ir à raiz do problema, mudar de direção e centrar-se no fulcro da questão. Tudo isso só pode ser revertido quando a resistência a reconhecer as necessidades falsas é vigorosamente superada.

As necessidades verdadeiras nunca exigem que os outros sejam condescendentes com você e se doem a você. Isso é necessário apenas ao pequeno eu. A verdadeira necessidade de amor, companheirismo e sentido de partilha somente pode começar a ser preenchida quando a alma está pronta para amar e dar, o que nunca se deve confundir com a necessidade *neurótica* de ser amado. Mas essa confusão entre as duas necessidades é bem freqüente. Enquanto você acredita que está realmente desejoso de amar, mas o destino não o favorece e o mantém afastado da pessoa que o ama e a quem pode amar, você ainda está demasiadamente envolvido em tentar satisfazer a necessidade da infância com um pai (mãe) substituto. Quando você estiver realmente pronto a renunciar à situação antiga, a começar a viver no agora, e a olhar para dentro de si mesmo, o amor verdadeiro chegará a você e sua verdadeira necessidade de agora será preenchida.

As legítimas necessidades podem ser satisfeitas apenas na medida em que você vivencia seus sentimentos originais e seus sentimentos residuais do passado. Isto significa que você descobre e renuncia às necessidades falsas que derivaram da negação do sofrimento da não-realização original. Permita-se regressar ao estado infantil e deixe que a criança irracional em você se manifeste.

Se der voz a esse lado irracional, você descobrirá que ele invariavelmente diz: "Preciso ser sempre amado e aprovado por todos. Quando não o sou, é uma catástrofe." O eu então passa a acreditar nisso, como meio de forçar os outros a condescender, e a não-satisfação dessas exigências insaciáveis de gratificação incondicional e total da obstinação e do orgulho parecerão, na verdade, um fato catastrófico da vida. Independentemente do seu grau de maturidade com relação a muitos aspectos de seu ser, procure essas reações ocultas em você sempre que se sentir ansioso e pouco à vontade em seu ambiente.

Somente o fato de pensar em tudo isso com clareza fará com que seja impossível você acreditar tanto na catástrofe. Por isso, é preciso descobrir o conceito, ou antes o equívoco, entranhado na sua forte reação a uma não-realização, a uma mágoa, a uma crítica ou frustração. Será então possível *reconhecer a necessidade irreal e a vingança* com que ela é perpetuada, buscada e justificada. *Necessidades irreais são exigências impostas aos outros.* As necessidades irreais nunca podem ser satisfeitas.

Muitas vezes a compreensão errônea dualista de que ou você depende de você mesmo e por isso deve isolar-se, ou de que vive num relacionamento realizador e então é totalmente dependente do outro, o impede até mesmo de querer assumir a própria responsabilidade. Agir desse modo parece exigir a renúncia a toda esperança de um parceiro amoroso. A verdade está exatamente no extremo oposto. É somente quando você retoma seus sentimentos, quando canaliza os recursos no seu interior e abre os mananciais de seus sentimentos generosos e amorosos que a realização se torna uma realidade iniludível. Contrariamente, na medida em que você se aferra à idéia de que o outro é que deve realizá-lo, e insiste nisso, nessa mesma proporção você ficará solitário e frustrado em suas verdadeiras necessidades agora – perpetuando assim as antigas feridas de sua infância. Sua situação atual pode assim ser considerada o indicador mais confiável de todos.

Quando a necessidade verdadeira de remover os bloqueios à consciência, à auto-realização e à intimidade com os outros é expressa pelo eu espiritual eliminando as falsas necessidades, uma força maravilhosa é despertada. De todos, este é o objetivo mais importante; tudo o mais dele decorre. Esse apelo nunca é respondido com uma pedra. Mesmo que no momento se sinta muito fraco para assumir o compromisso total necessário, você pode pedir ajuda para esse fim. E ele chegará a você.

O sofrimento atual é conseqüência da busca de falsas necessidades

À medida que você percebe como evitar agora o sofrimento há muito esquecido do passado que ainda está aceso no seu interior, você também descobre como permaneceu preso ao ato de culpar. Independentemente do quanto seus pais tenham falhado – pois eles próprios são seres humanos falíveis –, eles não podem ser considerados responsáveis pelo seu sofrimento de agora. E menos ainda o podem outras pessoas que você espera que possam compensar todos os agravos que você suportou. Seu sofrimento atual é resultado dessa distorção de procurar necessidades falsas e de insistir em sua satisfação. De início, esse mecanismo parece ser extremamente sutil, mas depois de ter-se treinado a observá-lo, você verá que ele é perfeitamente óbvio. Enquanto optar por continuar inconsciente, você poderá demonstrar muita habilidade em explicar racionalmente sua situação, mas isso apenas irá torná-lo pior e não melhor. Você pode enganar os outros sobre a legitimidade de seu caso. Pode até mesmo enganar seu eu consciente exterior. Mas não pode jamais enganar seu verdadeiro eu interior, nem a vida. A vida estabelece suas leis e regras abertamente, claramente, imparcialmente. Ela espera até que você descubra a verdade no ponto em que suas necessidades legítimas e não reconhecidas quando criança criaram medo e sofrimento que você não tinha disposição de experimentar plenamente e era incapaz de fazê-lo. Essa taça precisa ser esvaziada. Sua relutância, com efeito, criou falsas necessidades cuja natureza e significado também se tornaram ocultos. Quando tudo isto estiver às claras, você poderá tratar a situação adequadamente.

A busca de necessidades falsas causa sofrimento insuportável. Esse sofrimento é apertado, travado e amargo, com a conotação adicional de desesperança. Ele é bem diferente do sofrimento causado por uma não-realização verdadeira, por uma mágoa ou por uma privação. No momento em que essas dificuldades deixam de ser canalizadas para necessidades falsas, o sofrimento pode ser dissolvido e transformado em sua corrente de energia original, fluida, portadora de vida. *O sofrimento tenso é conseqüência da luta contra o que é. O sofrimento suave é conseqüência da aceitação.*

O abandono da exigência de satisfação das necessidades irreais

Ao abandonar concretamente uma a uma suas exigências insaciáveis e suas necessidades irreais, você descobrirá que elas são de fato ilusórias. Por exemplo, você começou com base na premissa de que não podia viver sem a aprovação total, sem amor e aceitação incondicional, sem admiração não-crítica, ou o que quer que pudesse ser. À medida que considerar a possibilidade de obter realização, satisfação, prazer e felicidade sem que essas exigências sejam satisfeitas – uma idéia nova de início –, você ficará surpreso em descobrir que é perfeitamente possível agir assim. Novos caminhos se tornam conhecidos, novas possibilidades que você nem sequer podia imaginar antes, porque estava muito absorto no único modo que lhe parecia certo.

Sempre que na sua vida existe uma obstrução, uma não-satisfação, uma barreira intransponível, ocorre a pressão de buscar uma necessidade irreal. Você deve dar ouvidos à sua própria insistência que diz: "Deve ser desse modo e não daquele. A vida deve me dar isto; preciso tê-lo." Quando você encontra e expressa essa voz e a reconhece pela falácia que é, algo se soltará instantaneamente. O próprio fato de questionar a validade dessas necessidades irreais, que até agora você havia tomado como reais, irá liberar suas energias criativas. Das profundezas de seu ser mais íntimo, *do centro de seu plexo solar, a voz da sabedoria o guiará.*

As energias liberadas pela aplicação do processo aqui descrito não são apenas energias físicas que proporcionam bem-estar, fluidez e prazer. Elas liberam a voz da verdade e da sabedoria que está em seu próprio eu espiritual mais profundo.

Quando você se aprofundar nos seus sentimentos mais íntimos, meu amigo, não haverá mais perigo de se perder em sofrimentos insuportáveis. Independentemente do grau de dificuldade da sua infância, das experiências negativas que tenha tido e do nível de agressão de seus pais, a verdadeira causa do sofrimento não está nessas coisas. A causa é a sua obstinação e insistência em permanecer agarrado a necessidades que agora são falsas, a exigências que clamam por condições diferentes, e que a vida agora o compense por tudo e lhe dê tudo gratuitamente, tomando-o por um simples recebedor, deixando-o fora do magnífico jogo da vida. É isto que realmente o fere e o faz sofrer agora. Você deve começar por você mesmo, em todas as articulações. Se você prosseguir nesse caminho, você será capaz de permitir que os sentimentos positivos se tornem experiências tão profundas e tão verdadeiras quanto os sentimentos negativos e dolorosos.

Possam todos vocês, e cada um em particular, encontrar na palestra desta noite algo que possa trazer um pouco mais de luz e de ajuda ao seu trabalho; um pequeno incentivo a mais, esperança, força e orgulho interior, de modo a se tornarem livres de sua própria escravidão, para se tornarem íntegros em vez de divididos. Vão todos em paz, meus caríssimos, nessa gloriosa via de auto-realização e de liberdade. Sejam abençoados, fiquem com Deus!

10

Infinitas possibilidades de experiência tolhidas pela dependência emocional

É lei universal que não podemos criar o que antes não concebemos. Tomando este conceito metafísico como ponto de partida, o Guia nos conduz diretamente ao nosso eu infantil que, através de nossa contínua dependência da aprovação externa, nos mantém no âmbito estreito de nossas limitações. A felicidade, a realização, é nosso direito inato. Mas como podemos fazê-lo manifestar-se? Esta é uma palestra que de fato expande a mente.

* * *

Saudações, meus caros amigos. Mais uma vez, tentarei ajudá-los a desprender-se do ponto a que possivelmente estão presos.

Todos os grandes ensinamentos espirituais afirmam que a criação é infinita em suas possibilidades e que o potencial da humanidade para realizar essas possibilidades infinitas de felicidade jaz recôndito nas profundezas interiores do ser de cada pessoa. Quase todos vocês já ouviram essas palavras. Alguns acreditam nelas, pelo menos em princípio; outros podem ter suas dúvidas quanto a aceitá-las pelo menos em teoria. Procuremos agora superar alguns obstáculos que dificultam a compreensão desses princípios.

Tudo no mundo existe em estado de potencialidade

Em primeiro lugar, precisamos compreender que ninguém cria nada novo. É também impossível que algo de novo passe a existir por si só. É possível, entretanto, que alguém desvele algo que já existe. É um fato incontestável que tudo, absolutamente tudo, já existe num outro nível de consciência. A palavra tudo não consegue transmitir a abrangência toda deste conceito. Quando alguém fala sobre a infinitude de Deus ou da Criação, abarca-se apenas parte do significado. Não há nenhum estado de ser, nenhuma experiência, nenhuma situação, conceito, sentimento ou objeto que já não exista. Tudo no mundo existe em estado potencial que já contém em si o produto acabado. O ser humano tem dificuldade em aceitar essa idéia, porque ela é oposta ao seu modo de pensar, de ser e de experimentar em seu nível mediano de consciência. Mas quanto mais você aprofundar a sua reflexão sobre essa questão, mais fácil lhe será percebê-la, senti-la e apreendê-la. Conhecer e compreender este princípio de criação – de que tudo já existe e que os seres humanos podem desvelar essas possibilidades existentes – é um dos pré-requisitos para vivenciar a plenitude do potencial infinito da vida.

Antes de criar novas possibilidades de desenvolvimento e amplitudes inteiramente novas de experiência em sua vida pessoal, você deve aprender a aplicar essas leis de criação às áreas problemáticas de sua vida em que se sente embaraçado, limitado, prejudicado ou preso. À criação de uma personalidade sadia segue-se o desdobramento saudável do verdadeiro eu. Isto pode acontecer quando você aprende e compreende que as leis de criação só podem operar se você as aplicar primeiro às áreas conturbadas da personalidade.

Qualquer possibilidade concebida pode ser realizada. Suponha estar imerso num conflito para o qual não vê saída. Enquanto não conceber uma saída, você não poderá realizar a possibilidade já existente de uma solução. Se seus conceitos forem confusos e fantasiosos, assim também serão as soluções temporárias que lhe aparecerão como possibilidades únicas. O mesmo se aplica à sua vida como um todo. Se você compreende verdadeiramente que existe um número infinito de possibilidades em qualquer situação dada, você pode encontrar soluções onde até agora era totalmente impossível encontrá-las.

É prerrogativa sua como ser humano fazer uso dessas leis de criação para que essas possibilidades infinitas possam expandir-se, capacitando-o a participar plenamente desses dons da vida. Se sua vida parece limitada, isto acontece porque você está convencido de que ela deve ser limitada. Você não consegue conceber nada além do que viveu até agora e do que está vivendo no presente. Este é precisamente o primeiro empecilho. Portanto, para expandir suas próprias possibilidades de felicidade, sua mente deve apreender o princípio de que *você não pode criar nada se antes não pode concebê-lo*. Você deve meditar verdadeiramente sobre esta afirmação, pois a compreensão desse conceito lhe abrirá novas portas. Deve também compreender que existe uma grande diferença entre conceber possibilidades de expansão ou felicidade, de um lado, e fantasias, de outro. Não nos referimos aqui ao devaneio melancólico e resignado que toma conta da fantasia como um substituto da insípida realidade, e que na verdade é um obstáculo à concepção apropriada dos potenciais da vida. Você deve ter um conceito vigoroso, ativo, dinâmico do que é possível. Ao saber que algo que deseja já existe em princípio, você deu o primeiro passo para realizá-lo.

A motivação negativa impede novas perspectivas

Portanto, convido-o a contemplar o que você concebe como possibilidades para a sua vida. Se se examinar com atenção, descobrirá em primeiro lugar que concebe possibilidades negativas que naturalmente teme, quer evitar e contra as quais se defende. Quando você emprega a maior parte de suas energias psíquicas para defender-se contra possíveis experiências negativas, sua motivação é negativa.

Uma motivação negativa não implica necessariamente uma intenção destrutiva. Nesse aspecto, uma motivação positiva também poderia significar uma intenção ou objetivo destrutivo. O ato de evitar uma possibilidade temida implica motivação negativa. Se examinar atentamente seus processos mentais e emocionais, você descobrirá que é motivado negativamente a um grau considerável. Este é um dos primeiros obstáculos que o trancafiam numa prisão imaginária e desnecessária. Naturalmente, isto se aplica a todos os níveis de sua personalidade. Aplica-se ao nível mental, onde você não consegue divisar as perspectivas infinitas de experiência, de expansão, de estimulação, de todas as espécies de possibilidades maravilhosas e felizes que você tem a prerrogativa de alcançar nesta vida. Existe no nível emocional, onde você não permite o fluxo espontâneo e natural de seus sentimentos, onde você se retrai temerosa, ansiosa e suspicazmente. Existe também no nível físico, enquanto não permite que seu corpo sinta o prazer a que foi destinado. Todas essas são limitações que você se impõe de modo artificial e desnecessário.

Um conjunto difundido de concepções errôneas

O outro obstáculo à expansão da sua vida e à criação da melhor vida possível para você mesmo é o seguinte conjunto de concepções errôneas espalhadas pelo mundo todo: "Não é possível ser verdadeiramente feliz! A vida humana é limitada demais. A felicidade, o prazer e o enlevo são objetivos frívolos e egoístas que pessoas realmente espirituais devem abandonar em nome do seu desenvolvimento espiritual. O sacrifício e a renúncia são as chaves para o desenvolvimento espiritual." Não precisamos explicar mais essas concepções falsas profundamente alojadas que com freqüência são mais inconscientes do que conscientes. Mas é preciso que você descubra o modo sutil como se conforma com tais conceitos gerais, não importando em que acredite conscientemente. Você pode descobrir essas reações sutis constatando sua relutância em decidir-se a concretizar uma satisfação perfeitamente normal e inofensiva de uma necessidade genuína ou de um objetivo verdadeiramente construtivo. Você sente como se algo o retivesse, paralisando seus esforços. Embora muitas vezes haja várias outras razões para esta relutância – algumas das quais analisaremos brevemente – é também geralmente verdade que você simplesmente aceitou uma idéia negativa desprovida de sentido e de um propósito sadio.

O medo da felicidade, do prazer e da expansão ampla nas experiências da vida baseia-se na ignorância de que essa realização pode existir ou de que você possui todos esse poderes, faculdades e recursos para criar e causar o que deseja. Baseia-se também em idéias errôneas, como "o prazer é errado", ou "é egoísmo querer a realização pessoal". O medo da felicidade também se baseia no medo de ser aniquilado e dissolvido se você confiasse no fluxo das forças univer-

145

sais e seguisse com elas. Uma confiança dessas precisa renunciar à vontade e às forças do ego e exige a rendição às forças benéficas de sua natureza profunda.

Artifícios para esconder dos outros nossa fraqueza e dependência

Todo ser humano abriga uma atitude de medo e de fraqueza. Visto que esse aspecto da personalidade em geral causa uma grande vergonha, ele é mantido em segredo, muitas vezes mesmo com relação à mente consciente. Artifícios diversos são inventados para ocultar essa fraqueza e dependência que faz com que você se sinta totalmente impotente, incapaz de afirmar-se a si mesmo, e até incapaz de proteger sua verdade e integridade. Quando é essa a área da alma afetada, a pessoa é compelida a vender-se e a trair a si mesma para evitar a desaprovação, a repreensão e a rejeição. A necessidade de ser aceito pelos outros em geral é menos vexatória do que os meios a que a personalidade recorre para abrandar e apaziguar os demais. Os modos de defender-se são psicologicamente tão fundamentais que você não pode ir longe em seu trabalho de autopurificação a menos que trabalhe em ver como eles funcionam em sua vida. Todos os mecanismos de defesa que descobriu e que talvez tenha começado a remover são modos que você adota para reaver o que considera ser a aceitação aparentemente vital dos outros, ou modos de esconder sua submissão vexatória, muitas vezes através de uma atitude aparentemente contrária de indiferença e hostilidade, ou de revolta e agressividade compulsiva e cega.

A criança dependente que existe em você ainda quer a aprovação dos outros

Poucas coisas causam tanto sofrimento e vergonha aos seres humanos como esse ponto interior, medroso e fraco que os faz sentirem-se impotentes e compelidos a trair a si mesmos. Você já sabe, meu amigo, que *essa área da personalidade continuou criança*. A criança ainda não sabe que a personalidade como um todo se desenvolveu e que não é mais desamparada e dependente. Os bebês e as crianças são desamparados e dependem dos pais. Mas a parte infantil de seu ser não sabe ou não quer saber que isto não é mais assim.

A criança depende dos pais em todos os aspectos básicos da vida: proteção, alimento, afeto e, por último mas não menos importante, a dádiva de algo absolutamente necessário, o prazer. Um ser humano não pode viver sem prazer. Negar esta verdade é um dos erros mais prejudiciais. Sem prazer, o corpo, a alma, a mente e o espírito definham. Como adulto, e por seus próprios esforços e recursos, você é capaz de prover por seu próprio abrigo, alimento, afeto e segurança, e assim pode também providenciar seu próprio prazer. Em todas essas áreas, você precisa ter contato, cooperação e comunicação com outros em vários graus. Você não consegue prover a você mesmo nenhuma dessas necessidades sem interagir com outras pessoas. Mas essa interação é totalmente diferente da dependência passiva e frágil da criança. A pessoa plenamente adulta utiliza suas melhores forças, inteligência, intuição, habilidades, observação e flexibilidade para harmonizar-se com os outros no dar e no receber. Seu senso de justiça adulto o torna suficientemente maleável para ceder. E seu senso de "eu" o torna suficientemente agressivo para não ser pisado e prejudicado. O equilíbrio geralmente delicado dessas forças de comunicação não pode ser ensinado. Ele apenas pode surgir através do desenvolvimento pessoal.

As crianças são incapazes de chegar a esse equilíbrio. Elas são rigidamente parciais em sua insistência em receber, pois essa é sua necessidade. O mesmo se aplica ao prazer: elas precisam ter a permissão dos pais para estabelecer e utilizar a fonte de todo prazer nas profundezas delas mesmas. Através da permissão dos pais, a criança desenvolve a força e a segurança para fazer contato significativo. Quando você ainda precisa que outra pessoa o autorize a sentir o prazer, você ainda está na situação da criança ou do bebê. Repito, isto não significa que se possa passar sem os outros; no caso do adulto, porém, a ênfase é deslocada. Adultos maduros encontram em si mesmos uma fonte inexaurível de sentimentos extraordinários. A insegurança e a fraqueza deixam de existir quando esses sentimentos são estimulados.

Quando parte do seu desenvolvimento é detida, você espera que outra pessoa, um pai/mãe substituto, lhe possibilite haurir da fonte profunda de seus mais nobres sentimentos. Você conhece e deseja esses sentimentos agradáveis, mas não sabe que não é mais uma criança dependente que precisa de licença para ativá-los e expressá-los. Esta é sua tragédia humana, porque é assim que você entra num círculo vicioso. Sempre que uma concepção errada é aceita como verdadeira, imediatamente se cria um círculo vicioso, paralisando as forças do prazer, que são uma boa parte da energia que está à sua disposição. Assim, sua vida se torna fosca e opaca.

Negar o prazer intenso de ser, o prazer de sentir o fluxo de energia de seu corpo, de sua alma e de seu espírito é negar a vida. Quando se nega isto a uma criança, sua psique recebe um choque provocado pela ausência repetida de prazer e, em conseqüência, pela presença repetida do desejo não satisfeito. O choque impede o desenvolvimento dessa área específica, e assim a personalidade toda cresce desequilibradamente. Sua mente consciente adulta desconhece o fato de que ainda existe dentro de você uma criança chorona, exigente, irritada e desamparada. Você não sabe que está livre para sentir o prazer, para realizar-se, para pôr em ação seus próprios poderes para obter o que quer e o que necessita. Esta é uma das rupturas mais fundamentais da personalidade humana.

Círculo vicioso e corrente de pressão

Examinemos um pouco mais detidamente esse ângulo oculto da psique em que todos vocês permaneceram crianças. Em que ponto você desconhece este fato e em que ponto sua criança interior ignora os direitos e poderes de seu estado adulto? O círculo vicioso que mencionei anteriormente é este: Quando você não sabe que tudo no universo já existe e que pode manifestar tudo o que necessita em sua própria vida, você se sente dependente de uma força externa ou autoridade para todos os seus desejos e necessidades. Devido a esta distorção dos fatos, você espera a realização a partir da fonte errada. Esse tipo de espera mantém sua necessidade perpetuamente irrealizada. *Quanto mais irrealizada é, mais urgente ela se torna. E quanto mais urgente, maior a sua dependência*, a sua esperança e mais frenéticas as suas tentativas de agradar o outro que supostamente deve satisfazer sua necessidade. Então você se desespera; quanto mais você tenta, menos preenche suas necessidades exatamente porque suas tentativas são irrealistas. Conscientemente, você não conhece nada disso; você desconhece quais as forças que o dirigem e até mesmo para que direção elas o impelem. Você se desespera porque em sua premência de ter sua necessidade satisfeita chega a trair a você mesmo, a sua verdade e o melhor que há em você. Seu esforço frustrado e sua autotraição criam uma *corrente de pressão*.

A corrente de pressão pode manifestar-se de um modo muito sutil e sem nenhuma clareza, mas as emoções estão todas congestionadas por elas. Isto deve inevitavelmente afetar os outros e ter suas conseqüências de acordo com as leis naturais e apropriadas. *Qualquer corrente de pressão leva os outros a resistir e a encolher-se,* mesmo que aquilo para que são movidos a fazer seja para seu próprio benefício e prazer. Assim, o círculo vicioso continua. A frustração continuada, que você acredita ser causada pela recusa mesquinha do outro em cooperar e oferecer, sobrecarrega a sua alma de raiva, de fúria e talvez até mesmo de vingança e de graus variados de impulsos cruéis. Isto, por sua vez, enfraquece a personalidade ainda mais à medida que a culpa vai emergindo. Você conclui que seus sentimentos destrutivos devem ficar escondidos para não antagonizar essa outra pessoa que você considera como a fonte de vida. A rede do emaranhado se torna cada vez mais apertada; o indivíduo fica completamente enredado nessa armadilha de concepções errôneas, distorções e ilusões com todas as emoções destrutivas que seguem no seu encalço. Você se vê na posição absurda de implorar o amor e a aceitação de uma pessoa a quem você odeia e de quem se ressente por tê-lo deixado sem realização por tanto tempo. Essa insistência unilateral em ser amado por uma pessoa de quem se ressente profundamente e que deseja punir aumenta a culpa, porque a sempre vigilante presença de seu verdadeiro eu transmite sua reação a uma mente que é incapaz de interpretar e de selecionar as mensagens provenientes dele e separá-las daquelas que provêm da criança interior.

O fato de que sua necessidade não é satisfeita pelo outro também enfraquece sua convicção de que você tem direito ao prazer que tanto deseja. Você suspeita vagamente que pode estar errado até mesmo em desejar esse prazer. Assim, você começa a deslocar a necessidade e o desejo originais, naturais, de prazer para outros canais em que estes são sublimados. Em conseqüência, outras necessidades, mais ou menos compulsivas, passam a existir. No entretempo você fica premido entre a força da necessidade original profundamente oculta e a dúvida de que tenha direito à sua realização. Quanto mais você duvida, mais dependente se torna da confirmação por uma autoridade exterior – um pai-substituto, a opinião pública, ou certos grupos de pessoas que, para você, representam a última palavra em termos de verdade.

Quanto mais esse círculo vicioso continua, menos prazer permanece na psique, e mais desprazer se acumula. Uma pessoa assim vai gradativamente aumentando seu desespero com relação à vida e sua dúvida de que a realização seja possível. Chega a um ponto em que a pessoa capitula interiormente.

Não existe um único ser humano que não abrigue dentro de si uma área frágil como essa, pelo menos até certo grau. Nesse lugar secreto, você se sente desamparado e dependente, e ao mesmo tempo profundamente envergonhado. A vergonha é devida aos métodos que você emprega para acalmar a pessoa que em determinadas circunstâncias deve supostamente desempenhar o papel da autoridade e prover-lhe do que necessita em termos de prazer, de segurança e de respeito para consigo mesmo.

A corrente de pressão diz: ''Você tem de'' – e você exige que os outros sejam, sintam e façam o que você necessita e quer. Essas exigências podem não se manifestar externamente. De fato, na superfície você pode carecer totalmente de auto-afirmação. Sua inabilidade ou dificuldade em se afirmar de modo saudável é resultado direto de ter de esconder a corrente de pressão subjacente vergonhosa e ameaçadora. Ela é ameaçadora porque você sabe muito bem que se ela se expuser abertamente, atrairá censura e desaprovação e possivelmente até mesmo rejeição manifesta.

Convido-o a encarar com vigor essa área de você mesmo. Você deve resolvê-la se quiser concretizar os melhores potenciais seus e da vida, e se deseja descobrir seus próprios poderes infinitos de criar o bem infinito em sua vida.

Quanto mais fortemente o ''você tem de'' é secretamente lançado aos outros, mais você torna inativos seus próprios poderes. O resultado é que você fica paralisado e inativo no corpo, na alma e na mente. Essa inatividade o impede de mover-se na direção de seu próprio núcleo, o espaço onde se concentram toda promessa realista e todo potencial para qualquer espécie de realização e prazer. Inadvertidamente, você se pendura nos outros, o que desperta ódio em você. Descobrir o tesouro de seu próprio núcleo, ao contrário, torna-o livre. Então o contato com os outros torna-se um deleite prazeroso que estimula o amor. Usando continuamente a pressão interior, oculta, sobre os outros porque acredita ser dependente deles, você diminui seu suprimento de energia disponível. Se a energia é usada de modo natural, correto e significativo, ela jamais se exaure. Você sabe disso, meu amigo. A energia somente se esgota quando é empregada de modo errado. Existem inúmeros métodos usados pelos seres humanos para ativar essa corrente de pressão. Entre eles incluem-se a complacência em vários graus, a resistência passiva, o despeito, o retraimento, a recusa em cooperar, a agressão externa, a intimidação e a persuasão através da força falsa e da imposição de uma função autoritária. No fundo, todos eles significam: "Você deve me amar e me dar aquilo de que necessito." Quanto mais cegamente você estiver envolvido nesse modo de ser, mais enfraquecerá e mais se afastará do centro de sua verdadeira vida interior, onde você encontra tudo o que possa necessitar e desejar.

Abandono – libertação

Com a finalidade de *reorientar as forças da alma* para a saúde e de restabelecer sua verdadeira natureza, você deve adotar o seguinte: *abandone* a pessoa ou as pessoas que você espera que realizem sua vida e de quem ao mesmo tempo se ressente por esse mesmo fato. Você deve reconhecer que tem expectativas e exige dos outros coisas que somente você pode realizar. Tudo o que você almeja, incluindo o amor verdadeiro, pode manifestar-se apenas quando sua alma é audaz, e você sabe que a força dos sentimentos com que você pode dar e receber amor está dentro de você. Enquanto você se agarra a outra pessoa como uma criança, negando o adulto que é, você se escraviza no verdadeiro sentido da palavra. Quanto mais faz isso, menos você pode receber e dar, e menos os sentimentos verdadeiros de qualquer espécie ligados a qualquer experiência vital podem encontrar seu espaço dentro de você.

Visto que o *medo e a raiva* ocupam a maior área da sua psique, é essencial libertar essas emoções negativas de acordo com o método que você aprende no caminho; esse método não prejudica ninguém. Logo que você libera o medo e a raiva, imediatamente abre espaço para os bons sentimentos. Muitos ainda estão paralisados e fechados em si mesmos. Expressar medo e raiva é a última coisa que querem fazer. Mesmo que, em princípio, admita tais emoções negativas, você prefere representá-las inconscientemente em vez de expressá-las diretamente e assumir responsabilidade por elas. Você ainda reivindica uma perfeição falsa – embora não mais acredite realmente que ela exista em você – com o objetivo de induzir os outros a terem uma disposição favorável com relação a você. Além disso, você se agarra às emoções negativas porque tem medo dos sentimentos positivos. Este é outro aspecto do mesmo círculo vicioso.

Quanto menos você assume a responsabilidade pelos sentimentos negativos que ainda possui e pelo seu direito e capacidade de criar a felicidade, mais você vive no medo. Conseqüentemente, mais você deve fazer alguma coisa para eliminar esse medo. Assim é que surge a motivação negativa. Você vive uma vida paliativa de fuga em vez de criar uma vida que se desenvolva plena de experiência e prazer positivos. Sua meta é evitar a ameaça da expressão de seus sentimentos negativos porque eles impediriam que você obtivesse de outros tudo o que na verdade deve obter de você mesmo. Você põe sua salvação nos outros, mas ela jamais pode vir através deles.

Sua reorientação para a vida – exceção feita à necessidade fundamental de reconhecer todos esses aspectos negativos – deve sempre começar com o desejo de libertação. Isto não pode ser forçado sobre quem não foi conscientizado dessa dependência de modo exato. Mas se a pessoa está consciente, é possível que se desvencilhe daquilo a que esteve se agarrando tão fortemente. Esse afrouxamento deve acontecer para provocar uma mudança na estrutura de equilíbrio das forças da alma para que círculos benignos possam começar a perpetuar-se.

Você também deve ter a disposição de prescindir das racionalizações que parecem justificar seu caso. Pois você sempre pode ter êxito em apresentar sua vida a você mesmo e às outras pessoas como se seus desejos, necessidades e exigências com relação aos outros não apenas se justificassem, visto que não há nada de errado com isso, mas como se fossem até benéficos para a outra pessoa. Isto pode ser bem verdade, enquanto se analisar sob este ponto de vista. Em princípio, o que você quer, pode de fato ser bom e de acordo com seu direito. Mas ao usar uma corrente de pressão oculta, emocional, você sai por aí em busca de satisfação do modo errado e não concedendo à outra pessoa a mesma liberdade que quer para você mesmo. Você não dá à outra pessoa o direito de escolher livremente a quem aceitar e amar ou o direito de não ser rejeitada e odiada por afirmar essa liberdade. Você nem sequer dá ao outro o *direito de estar errado* sem ser odiado e totalmente negado. *Esta é uma liberdade que você deseja, e muito, para você mesmo*, e se ressente profundamente quando os outros a negam a você. Você é incapaz de defender-se adequadamente em tais casos apenas porque em certos níveis emocionais não concede essa mesma liberdade aos outros. Se observar com atenção, você verá que esta é uma verdade. E ao fazer isso, seu senso de justiça e de objetividade o ajudará a soltar-se daquilo a que se agarra tão desesperadamente, mesmo quando emocionalmente ainda acredita que sua vida está na dependência de conseguir que o outro sinta e faça como você quer.

Retire a amarra do seu pescoço

Uma vez aprendida esta condição inicial, levando em conta o número de recaídas inevitáveis que devem ser sempre observadas de maneira nova, você dará um passo enorme na direção daquela fonte de seu ser interior onde você não está amarrado à fraqueza e à ansiedade ou ao medo e à raiva. Todas as pessoas se sentem incomodadas com alguma amarra que as mantêm dependentes e ansiosas numa situação em que não podem encontrar a força de afirmar-se a si mesmas, em que se encontram absolutamente presas e incapazes de ver uma saída porque cada possibilidade parece errada. Você sabe que nenhuma das alternativas visíveis lhe dá aquele bom sentimento sobre você mesmo, aquela força elástica e bem-estar em que mesmo os passos difíceis tornam-se possíveis porque você sabe que são certos para você. Quase todos experimentaram, pelo menos ocasionalmente, este estado de *sabedoria interior* em que seu verdadeiro eu operou livremente dentro de cada um. *É nosso objetivo manifestar por completo esse eu verdadeiro.*

Para liberar o verdadeiro eu, você tem de *encontrar a área de sua vida em que está mais amarrado e ansioso.* Pergunte a você mesmo o que quer do outro quando está amarrado, ressentido, temeroso, fraco e incapaz de ser você mesmo. Sinta essa amarra que só pode ser desfeita quando você pára de querer dos outros o que deve prover por você mesmo. *Verbalize concisamente* para você mesmo o que acha que quer dos outros. Isto o aproximará mais da libertação. Você então saberá que é exatamente esta a necessidade compulsiva com que escraviza, debilita e paralisa a você mesmo. Ao se libertar, você experimentará uma força nova, elástica, que brota de você e que de repente concilia problemas aparentemente insolúveis. Você se tornará livre à medida que se libertar. Somente ao perder no nível do ego é que você vencerá no nível do eu verdadeiro, onde o poder é criar uma vida plena.

Inversamente, sua incapacidade de desistir, de ser justo, de deixar os outros livres, sua insistência em vencer e ter as coisas a seu modo e sua recusa em perder no nível do ego fazem com que lhe seja impossível vencer onde de fato vale a pena e onde você encontraria sua força verdadeira. Jesus Cristo entendia exatamente isso quando disse que aquele que quer viver deve estar pronto para perder sua vida. Mencionei isto numa de minhas primeiras palestras, quando disse: "Você deve renunciar àquilo que quer obter."

Estamos lidando aqui com níveis de consciência. Espero ter ficado bastante claro que *não se exige nenhum sacrifício ou renúncia.* O que se quer dizer é que você não pode obter o que quer, e o que de fato deveria ter, pressionando uma fonte exterior com todos os seus esforços. *A ênfase deve ser mudada.* Se insistir em vencer no nível errado, você não vencerá realmente. *Se perder nesse nível do ego, você vencerá.* Você entrará inevitavelmente naquele núcleo de você mesmo onde se localiza todo poder que se pode conceber. Na medida em que você garantir aos outros o direito de ser, quer lhe seja conveniente ou não, nessa medida você encontrará verdadeiramente seus próprios direitos.

Encontrar esses direitos é um processo de desenvolvimento constante. O processo se manifestará primeiro no fato de você não mais se vender ou degradar-se. Você encontrará defesas boas e autênticas contra a degradação e se sentirá confortável com respeito a elas. Posteriormente, você descobrirá seu direito sempre crescente ao prazer e à felicidade. Descobrirá que se dirige para visões do que sua vida pode ser, para possibilidades que jamais sonhou poderem existir. Inesperadamente, você se permitirá o prazer. Você não mais se refreará como inadvertidamente faz no momento. Você cessará de solapar os processos espontâneos e aprenderá a confiar neles. Isso possibilitará uma riqueza de vida e uma segurança verdadeiramente celestiais. Renunciando e desistindo de sua corrente de pressão interior, você sentirá a beleza de relacionamentos livres, não forçados. Vivendo no antigo padrão de dependência, você força os outros a fazer o que você deseja. Assim, você tem correntes de pressão mútua. Isto o enfraquece e cria uma multidão de emoções negativas que o fazem perder o contato com o núcleo de seu ser verdadeiro e com seus bons sentimentos. Perdendo com desprendimento, você descobrirá um tesouro interior, um novo modo de vida que é uma aventura inteiramente nova que você está apenas começando. E as áreas de sua vida em que você se sente fraco e preso deixarão de existir.

Vá ao seu ser interior e comunique-se com ele com o objetivo de eliminar essa fraqueza que o amarra e que retém sua vida de modo desnecessário e dispersivo. Não importa o quanto você possa prezar essa paralisia, ela não tem nenhum propósito. De uma maneira ou de outra, todas as pessoas se refreiam, exatamente como o fez a humanidade durante milênios, dizendo que o prazer é errado, leviano e desprovido de espiritualidade. Você pode ter suas próprias justificativas para dourar sua fraqueza e aparentemente fazer dela seu patrimônio. Entretanto, seguindo este raciocínio, você não ficará face a face com você mesmo. Somente enfrentando face a face sua fraqueza e dependência e sua corrente de pressão que diz aos outros "você tem de", é que você deparará com sua força e beleza e com todos os potenciais que existem em você de um modo que ainda não consegue compreender.

Sejam abençoados pela grande força que está aqui agora, mas ainda mais pela grande força que reside em cada um de vocês. Estejam em paz! Fiquem com Deus!

11

O sentido espiritual da crise

Na nossa vida, existem momentos – e mesmo períodos prolongados – em que de repente tudo parece ter chegado ao fim. Somos sacudidos até as profundezas do nosso ser por acontecimentos que nos obrigam a tomar decisões difíceis, ao mesmo tempo que nossos sentimentos se agitam de tal modo que não sabemos o que fazer. O tema desta palestra, que vai até o fundo da alma, aborda o surgimento de crises desse tipo e o modo como podemos lidar positivamente com os problemas que nos acabrunham nessas ocasiões.

* * *

Saudações e bênçãos a cada um de meus amigos aqui presentes.

Qual é o sentido verdadeiro, espiritual da crise? A crise é uma tentativa da natureza de efetuar mudanças através das leis cósmicas do universo. Se o ego, a parte da consciência que dirige a vontade, obstruir a mudança, a crise ocorrerá para possibilitar uma mudança estrutural.

Nenhum equilíbrio pode ser conseguido sem essa mudança estrutural no ser. Em última análise, toda crise é um reajuste, quer se manifeste sob a forma de sofrimentos, dificuldades, transtornos, incertezas, ou sob a forma da simples insegurança derivada do fato de se passar a adotar maneiras novas e desconhecidas de viver, depois de desvencilhar-se de um modo já habitual. Qualquer que seja a forma sob a qual se manifeste, a crise procura romper velhas estruturas construídas sobre conclusões falsas, o que equivale a dizer, sobre a negatividade. A crise sacode hábitos arraigados, possibilitando um novo crescimento. Ela dilacera e rompe, o que é momentaneamente doloroso, mas, sem ela, a transformação é impensável.

Quanto mais dolorosa for a crise, mais a parte da consciência que dirige a vontade tentará impedir a mudança. A crise é necessária porque a negatividade humana é uma massa estagnada que precisa ser sacudida para se soltar. *A mudança é uma característica essencial da vida*; onde há vida, há mudança infindável. Somente os que ainda vivem no medo e na negatividade, que resistem à mudança, é que a concebem como algo a que se deve resistir. Ao resistir à mudança, eles resistem à vida em si, e assim o sofrimento se fecha sobre eles e os comprime ainda mais. Isso acontece no desenvolvimento global das pessoas e também em aspectos específicos.

Os seres humanos conseguem ser livres e saudáveis em áreas em que não resistem à mudança. Nessas áreas, eles se harmonizam com o movimento universal. Eles constantemente se desenvolvem e sentem a vida como profundamente realizadora. Todavia, esses mesmos indivíduos reagem de maneira inteiramente diferente nas áreas em que têm bloqueios. Eles se ligam temerosamente a condições imutáveis dentro e fora deles mesmos. Onde não resistem, sua vida está relativamente livre de crises; nas áreas em que resistem à mudança, as crises são inevitáveis.

A razão de ser do desenvolvimento humano é libertar os potenciais inerentes, que na verdade são infinitos. Entretanto, onde há fixação de atitudes negativas, é impossível concretizar esses potenciais. Somente a crise pode demolir uma estrutura construída sobre premissas que contradizem as leis da verdade, da felicidade e do amor cósmicos. *A crise sacode o estado de paralisia, estado esse que é sempre negativo.*

No caminho para a realização emocional e espiritual, você precisa trabalhar intensamente para libertar-se de suas negatividades. Quais são elas? As concepções errôneas; as emoções destrutivas e as atitudes e padrões de comportamento delas decorrentes; os pretextos e as justificativas. Nenhuma dessas negatividades apresentaria dificuldade em si mesma se não fosse a força autoperpetuadora que compõe cada aspecto negativo numa força sempre crescente no interior da psique humana.

Todos os pensamentos e sentimentos são correntes de energia. A energia é uma força que aumenta às custas de seu próprio impulso, sempre baseada na natureza da consciência que alimenta e dirige a corrente de energia em questão. Segue-se que, se os conceitos e sentimentos subjacentes estão de acordo com a verdade, sendo portanto positivos, a força autoperpetuadora da corrente de energia aumentará *ad infinitum* as expressões e atitudes implícitas nos pensamentos subjacentes. Se os conceitos e sentimentos subjacentes se fundamentam no erro, sendo portanto negativos, o impulso autoperpetuador da corrente de energia crescerá, mas não *ad infinitum*.

A força autoperpetuadora das emoções negativas

Você sabe que as concepções errôneas criam padrões de comportamento que inevitavelmente parecem provar a exatidão da suposição, e assim o comportamento destrutivo, defensivo, vai entrincheirar-se com mais firmeza na essência da alma. O mesmo princípio se aplica aos sentimentos. Por exemplo, o medo poderia ser superado facilmente se fosse encarado e se o modo errôneo subjacente de entendê-lo e controlá-lo fosse exposto. Muitas vezes, emoções manifestas não são emoções primárias diretas: o medo pode disfarçar a raiva; a depressão pode mascarar o medo. O problema é que o medo cria ainda mais medo de enfrentá-lo e de transcendê-lo. Assim, a pessoa tem medo desse medo do medo, e assim por diante. O medo aumenta por acréscimo.

Tomemos a *depressão*. Se as causas subjacentes do sentimento de depressão original não são expostas corajosamente, você se deprime por estar deprimido. Você pode sentir, então, que deveria ser capaz de encarar sua depressão em vez de se deprimir por causa dela, mas não está realmente disposto a fazer isso ou não é capaz de fazê-lo, e isso o deprime ainda mais. Estamos diante de um círculo vicioso.

A primeira depressão – ou medo ou outra emoção qualquer – é a primeira crise que não é levada em conta; seu verdadeiro significado não é compreendido. A pessoa a evita, e assim a depressão causada pelo fato de estar deprimido dá início ao círculo vicioso autoperpetuador. A consciência da pessoa afasta-se cada vez mais do sentimento original e por conseqüência de si mesma, dificultando ainda mais descobrir o sentimento original. O impulso negativo crescente finalmente leva a um colapso da autoperpetuação negativa.

Diferentemente da verdade, do amor e da beleza, que são atributos divinos infinitos, a distorção e a negatividade nunca são infinitas. Elas terminam quando a pressão explode. Esta é uma crise dolorosa, e as pessoas em geral resistem-lhe com todas as suas forças. Mas imagine se o universo tivesse sido criado de outro modo e a autoperpetuação negativa continuasse *ad infinitum.* Isto poderia significar inferno eterno.

O princípio da autoperpetuação negativa se manifesta mais nitidamente no caso da frustração e da raiva. Muitas pessoas percebem com certa facilidade que é menos difícil suportar a frustração em si do que a frustração de estarem frustradas. O mesmo se aplica à raiva contra si mesmo por se estar com raiva ou por ficar impaciente com a própria impaciência, desejando-se poder reagir de modo diferente e não o conseguindo porque as causas subjacentes não são expostas e encaradas. Assim, as "crises" emocionais, como as da raiva, frustração, impaciência e depressão, não são reconhecidas pelo que são. Isto torna a autoperpetuação negativa mais e mais forte até que o abscesso explode. Temos então uma crise incontestável.

A crise pode pôr um fim à autoperpetuação negativa

Se a consciência assim o decidir, a crise pode significar o término da autoperpetuação negativa que se avoluma continuamente. Quando a explosão acontece, as opções de reconhecer o sentido ou de continuar fugindo tornam-se mais claramente definidas. Mesmo que a explosão não leve ao reconhecimento e à mudança interior de direção, uma crise final deve ocorrer no ponto em que a entidade não consegue mais se esconder de sua mensagem. O indivíduo, conseqüentemente, deve ver que todas as explosões, colapsos e crises significam a derrubada de velhas estruturas para possibilitar a reconstrução de uma estrutura nova e melhor.

A "noite escura" dos místicos é esse período do colapso de antigas estruturas. A maioria dos seres humanos ainda não compreende o significado da crise. As pessoas olham sempre na direção errada. Se nada desmoronasse, a negatividade continuaria. Entretanto, depois for específica, ocorrerá na vida uma situação específica. Se for uma questão da encarnação atual da pessoa como um todo, então ocorrerá a morte física. Neste último caso, a erupção toma a forma da saída do espírito do corpo, até encontrar novas condições de vida que lhe possibilitem lidar com as mesmas distorções interiores novamente. Visto que a erupção, o colapso e a crise sempre têm por objetivo eliminar velhas maneiras de operar e criar novas, o processo de morte e renascimento expressa o mesmo princípio.

Entretanto, as pessoas tendem a não aceitar outras maneiras de operar e de reagir. Esse obstáculo é totalmente desnecessário. Na verdade, é essa oposição que cria a tensão da crise, e não o abandono da velha estrutura em si. Quando uma mudança necessária não é aceita de boa vontade, você automaticamente entra em estado de crise. A intensidade da crise indica a intensidade da oposição, e também a urgência da necessidade de mudança. Quanto maior a necessidade de mudança e quanto maior a resistência a ela, mais dolorosa é a crise. Quanto mais abertura e disponibilidade houver para a mudança, em qualquer nível, e quanto menos esta for necessária em qualquer momento do caminho evolutivo do indivíduo, menos rígida e sofrida será a crise.

Crise exterior e crise interior

O rigor e a dor de uma crise não são em absoluto determinados pelo fato objetivo. Penso que a maioria das pessoas pode verificar isso facilmente. A maioria das pessoas passou por mudanças sérias, exteriormente. Você pode ter perdido uma pessoa amada, pode ter-se defrontado com mudanças as mais drásticas e com fatos objetivamente traumáticos – guerras, revolução, perda de fortuna e habitação, doença. Entretanto, interiormente, você pode ter-se agitado e sofrido menos do que em situações que exteriormente não se poderiam comparar com a agitação de seus sentimentos interiores. Podemos assim dizer que uma crise exterior pode deixá-lo interiormente mais tranqüilo do que uma crise interior. Às vezes o fato objetivamente mais traumático fere menos do que o fato objetivamente menos traumático. Na primeira instância, a mudança necessária ocorre num nível externo, e seu ser interior aceita com mais facilidade, ajusta-se ao melhor, e encontra um novo modo de lidar com ela. No segundo caso, a necessidade de mudança interior esbarra numa resistência maior. Sua interpretação subjetiva do fato torna a crise desproporcionalmente dolorosa. Às vezes uma pessoa procura encontrar explicações racionais para uma intensidade emocional peculiar dessas – explicações que podem ser chamadas de racionalizações. Às vezes tanto as mudanças e crises interiores como as exteriores encontram a mesma atitude interior.

Quando o processo da crise é aceito e não é mais obstruído, quando a pessoa se põe a andar junto com ele em vez de lutar contra ele, o alívio chega de modo relativamente rápido. Quando o pus escorre do abscesso e as atitudes são ajustadas, a auto-revelação traz paz; a compreensão proporciona nova energia e vitalidade. O processo de cura está em andamento, mesmo quando o abscesso estoura.

A negação desse processo, a atitude interior prolonga a agonia, em meio à qual se diz: "Eu não quero passar por isso. Tenho de passar por isso? Isto, isso e aquilo está errado com os outros. Se não estivesse, eu não precisaria passar pelo que passo agora." Essa atitude procura evitar a erupção necessária do abscesso, que consiste num emaranhado doloroso de energia negativa sempre crescente cuja força torna cada vez mais difícil alterar o curso. O ciclo negativo continuado e sua repetição vã e automática de que a consciência não é capaz de parar produzem a desesperança. A repetição e a desesperança podem parar somente através de sua atitude de não mais negar a mudança necessária.

Toda experiência negativa, todo sofrimento, é resultado de uma idéia errada. Um aspecto importante deste trabalho é a articulação dessas idéias. E, entretanto, quantas vezes todos vocês ainda deixam de perceber isso por não manterem em mente esses fatos incontestáveis quando se defrontam com uma situação de infelicidade?

A superação das crises

Quando você adota o hábito de primeiro questionar suas posições errôneas ocultas e suas reações destrutivas no momento em que algo indesejável se põe em seu caminho, e, além disso, se abre plenamente à verdade e à mudança, sua vida muda radicalmente. O sofrimento se tornará proporcionalmente menos freqüente, e o bem-estar se firmará cada vez mais como um estado natural. O desenvolvimento pode então prosseguir num ritmo suave, sem trancos nem barrancos, a fim de quebrar as estruturas negativas na essência da alma. Discutimos os aspectos *negativos* da autoperpetuação. Sem dúvida, porém, ela existe primeiramente no aspecto *positivo*. Consideremos o amor. Quanto mais você amar, mais dará origem a sentimentos de amor autênticos, sem empobrecer a você mesmo e aos outros. Você se dá conta de que, pelo fato de distribuir, não tira nada de ninguém. Pelo contrário, mais você e os outros receberão. Você descobrirá modos novos, maneiras mais profundas, variações inúmeras em dar amor e em recebê-lo, estando em sintonia com esse sentimento universal. A capacidade de sentir e de expressar amor desenvolver-se-á num movimento sempre crescente, autoperpetuador.

O mesmo acontece com qualquer outro sentimento e atitude construtivos. Quanto mais significativa, construtiva, plena e prazerosa for sua vida, mais ela criará esses atributos. É um processo sempre contínuo, infindável, de expansão e auto-expressão constantes. O princípio é exatamente o mesmo da autoperpetuação negativa. A única diferença é que *o processo positivo é infinito.*

Ao estabelecer contato com sua sabedoria, beleza e alegria inatas e permitir que se desenvolvam, elas se ampliarão por si mesmas. A autoperpetuação assume a direção quando essas energias são liberadas e quando seu acesso à consciência é permitido. A realização inicial desses poderes requer esforço, mas no momento em que o processo começa a fluir, ele dispensa o esforço. Quanto mais qualidades universais você criar, tanto mais haverá para criar.

Seus próprios potenciais para sentir a beleza, a alegria, o prazer, o amor, a sabedoria e a expressão criativa são infinitos. Novamente, as palavras foram ditas, ouvidas e registradas. Mas até que ponto você sabe que isso é uma realidade? Até que ponto você acredita que seu potencial íntimo é gerador, é feliz e vive a vida infinita? Quanto você acredita nos seus recursos para resolver todos os seus problemas? Quanto você confia nas possibilidades que ainda não estão manifestas? Até que ponto você aceita como verdadeiro que novas perspectivas de você mesmo podem ser descobertas? Até que ponto você acredita realmente que pode cultivar qualidades de tranqüilidade combinada com excitação, de serenidade a par da aventura, através das quais a vida se torna uma corrente de experiências maravilhosas, embora as dificuldades iniciais ainda precisem ser superadas? *Até que ponto você realmente acredita em tudo isso, meu amigo?*

Faça a você mesmo essa pergunta. Enquanto apenas afagar essa crença, você continuará desesperançado, deprimido, temeroso e ansioso, enredado em conflitos aparentemente insolúveis com você mesmo e com os outros. Este é um sinal de que ainda não acredita em seu próprio potencial de desenvolvimento infinito. Se não acredita nisso verdadeiramente, meu caro, é porque existe algo em seu interior a que você se agarra desesperadamente. Você não quer expor esse algo porque não quer abandoná-lo nem mudar.

Isto se aplica a cada pessoa em particular, a cada indivíduo que está neste mundo. Pois, quem não tem "noites escuras" que deve suportar? Alguns têm muitas pequenas "noites escuras" que vão e que vêm, ou suas "noites escuras" são cinzentas. Podem não estar numa grande crise num dado momento, mas a vida é cinzenta e flutua relativamente pouco. Mas há também os que já prepararam seu caminho para sair desse estado cinzento. Não querem mais ficar satisfeitos com uma segurança relativa com respeito às crises. No fundo deles próprios, eles querem passar por uma convulsão temporária para chegar a um estado mais desejável e permanente. Desejam concretizar seu potencial de uma alegria e auto-expressão mais profundas. Então as "noites escuras" se tornarão mais circunscritas, vividas em meio a períodos flutuantes de convulsão e alegria, ou, em algumas vidas, agrupadas em episódios mais fortes. A escuridão total, a perda, a dor e a confusão se alternam com picos de luz dourada, levando a uma esperança justificada de um estado de felicidade final, ininterrupto.

A mensagem das crises

Independentemente de como você vivencie as crises, sempre há nelas uma mensagem para a sua própria vida. Cabe a você não projetar suas experiências para fora, nos outros, o que é sempre a tentação mais perigosa. Ou ainda, projetá-las em você mesmo de um modo autodestrutivo, o que o leva a desviar-se da meta do mesmo modo que sucede quando projeta suas experiências nos outros. A atitude do tipo "Sou mau, não sou nada" é sempre desonesta. Essa desonestidade precisa ser exposta para que a crise possa ter sentido, quer seja pequena ou grande.

Se você aprender a separar a menor sombra da sua vida diária e a explorar o seu sentido mais profundo, você controlará as pequenas crises de um modo que se tornará impossível a dilatação do abscesso. Assim, nenhuma erupção dolorosa é necessária para remover uma estrutura arruinada. Isso lhe revelará a realidade pura de que a vida universal não corrompida é uma felicidade dourada de beleza sempre crescente.

Toda pequena sombra é uma crise, pois ela poderia não estar aí. Ela só está aí porque você se desvia do núcleo central que cria a crise. Assim, separe as menores sombras da sua vida diária e pergunte-se sobre o seu significado. O que você não quer ver e o que não quer mudar? Se encarar isto, e realmente desejar encarar o núcleo principal e realizar a mudança necessária, a crise terá preenchido a sua função. Você descobrirá novas dimensões da questão básica que farão nascer o sol, e a noite escura passará a ser a educadora, a terapeuta que a vida sempre é quando você procura compreendê-la.

Sua capacidade de *relacionar-se com a negatividade dos outros* se desenvolve apenas na medida em que você consegue fazer o que explico nesta palestra. Quantas vezes você percebe sentimentos negativos vindos de outras pessoas, mas não consegue lidar com eles por estar ansioso, inseguro e confuso a respeito da natureza do seu envolvimento e da sua interação com eles? Em outras ocasiões, você até pode não se dar conta da presença efetiva de hostilidade nos outros. A sutileza e a maneira indireta de agir deles o confundem, fazem com que se sinta culpado relativamente a suas reações instintivas, mas você é ainda menos capaz de lidar com a situação. Esta ocorrência freqüente é totalmente devida à sua cegueira com relação a você mesmo e à sua resistência à mudança. Quando você projeta suas velhas experiências negativas nos outros, é-lhe impossível ter percepção adequada do que realmente acontece na outra pessoa e, portanto, você não consegue lidar com a situação. Você viverá uma nova e magnífica virada em sua vida à medida que desenvolver sua capacidade de observar honestamente o que o perturba em seu interior e à medida que desejar mudar. Quase imperceptivelmente, como se nada tivesse a ver com seus esforços, um novo dom surge em você: você vê a negatividade nos outros de um modo que o deixa livre, que lhe permite confrontá-los, que é eficaz. Essa negatividade não tem efeito adverso sobre você. Com o correr do tempo, ela deve ser benéfica também para os outros, sempre que quiserem que o seja.

Quando você resiste à mudança, o medo aumenta porque o seu ser mais íntimo sabe que a crise, a erupção e o colapso são inevitáveis e se aproximam num ritmo contínuo. Todavia, você resiste a adotar as medidas que poderiam evitar a crise. O que digo aqui é a história da vida humana. É aqui que a natureza humana é surpreendida. A lição deve então ser repetida até que o medo ilusório de mudança seja exposto como um erro. Se a crise pode ser compreendida do modo como a exponho aqui, e se você realmente medita para compreender sua própria crise e para se desprender daquilo a que se agarra, e encara as limitações que estabelece para a questão específica, a vida se abrirá quase que imediatamente.

Você deve também entender que a mudança não pode ser realizada apenas pelo ego. O eu volitivo e consciente, sozinho, é incapaz de fazer isso. Em grande parte, a dificuldade de mudar e a resistência à mudança devem-se ao fato de você ter esquecido que não pode concretizá-la sem a *ajuda divina*. Por isso, você vai de um extremo errôneo a outro. Num dos extremos você pensa que é você que deve realizar a transformação interior. Por saber em seu ser profundo que não consegue fazer isso, que simplesmente não dispõe do equipamento necessário para tal, você desiste. Você sente que não há esperança de mudar a você mesmo, e assim nem sequer tenta realmente, nem manifesta o desejo claramente formulado de agir desse modo.

Você está certo em acreditar que lhe falta a capacidade de mudar quando se considera exclusivamente como o ego consciente e volitivo. A resistência é em parte uma expressão da tentativa de evitar a frustração de querer algo que não pode ser realizado e que certamente desembocará na desilusão. Essa reação extrema acontece na camada mais profunda da psique humana. E o mesmo ocorre com o extremo oposto, em que você professa a crença num poder superior, ou Deus, que deve fazer tudo por você. Você se instala num estado de absoluta passividade, esperando a mudança. Novamente, o eu consciente não dirige seus esforços para onde deveria. Esperança falsa e resignação falsa são apenas dois lados da mesma moeda: passividade absoluta. Mas o dinâmico ego, tentando ir além da própria capacidade, inevitavelmente termina no mesmo estado passivo de esperar falsamente ou de falsamente desistir da esperança. A atividade exaure o eu e o torna passivo. Essas atitudes podem existir simultaneamente ou alternadamente. Para realizar uma mudança positiva deve-se desejá-la; você deve querer estar na verdade e mudar. E deve orar à atuação divina mais profunda em sua alma para que torne a mudança possível. A partir disso, você espera que a mudança aconteça, de modo confiante, esperançoso e paciente. Este é o pré-requisito absoluto para a mudança. Quando nem sequer lhe ocorre assumir essa atitude de oração e diz, "Quero mudar, mas meu ego não consegue fazê-lo. Deus o fará por mim. Tornar-me-ei um canal disponível e receptivo para que isto aconteça", você basicamente não tem o desejo de mudar e/ou tem dúvidas sobre a realidade de forças superiores dentro de você.

Essa confiança e paciência, essa convicção e esperança de que a ajuda virá se você tiver o desejo ardente de contemplar a verdade *podem* ser adquiridas. Não se trata de uma atitude infantil que quer que uma autoridade o faça por você. Bem ao contrário. [Este enfoque concilia a atitude de responsabilidade pessoal e adulta que começa a agir confrontando o eu com a atitude receptiva em que o ego conhece suas próprias limitações.] Nessa atitude receptiva, desejando conhecer a verdade e mudar, você permite que Deus penetre na sua alma desde as profundezas de seu ser. Você se abre para que isso aconteça.

Quando essa atitude é adotada, *a mudança se torna uma realidade* viva para cada um e para todos. Quando há falta de confiança e fé de que o divino possa realizar-se através de você, é porque você não se deu a oportunidade de experimentar a realidade pura desses processos. Você negou a você mesmo essa experiência. E por nunca tê-la experimentado, como pode confiar nela?

Além disso, pelo fato de você ainda ter como reserva alguma portinhola de fuga, portinhola essa que o impede de participar da vida de modo pleno e receptivo, você não experimenta a maravilha da realidade do Espírito Universal em seu interior. Por não ser honesto com a vida, você não consegue acreditar realmente no poder da Inteligência Universal que está com você o tempo todo e que se põe a trabalhar no momento em que você lhe dá espaço. É imprescindível uma entrega total a ela, sem reservas. Essa entrega é o pré-requisito absoluto para que você descubra sua realidade em você. Mesmo não conhecendo o resultado, se o modo de agir de Deus será ou não agradável a você, a entrega deve ser feita. Faz parte do processo não conhecer a resposta neste momento. Considerações de maneiras que impedem uma entrega total mantêm-no preso ao modo de vida antigo, distorcido e ilusório, ao mesmo tempo que deseja alcançar o modo novo, liberado e livre em que você é íntegro, completo, em vez de internamente dividido e atormentado pelo sofrimento dessa divisão. Mas essa duplicidade não é aceitável. *Sua entrega ao Criador Supremo deve ser total, extensiva aos aspectos aparentemente mais insignificantes do ser e da vida diária.* Você deve entregar-se totalmente à verdade, pois só assim estará entregue ao Espírito Universal.

Se esta for sua atitude, você deixará a antiga praia a que está acostumado e boiará momentaneamente no que parece ser uma incerteza. Mas você não se importará com isso. Você se sentirá mais seguro do que nunca, quando se fixava à antiga praia, à estrutura falsa que deve ser demolida. Você rapidamente saberá que não há nada a temer. Há necessidade de reunir coragem para agir assim, para enfim descobrir que este é de fato o modo mais seguro e garantido de viver. Na realidade não se requer nenhuma coragem. Então, e somente então, as "noites escuras" se transformarão em instrumentos de luz.

Pergunta: Esta palestra aborda uma situação muito semelhante àquela em que me encontro. Comecei a descobrir o significado da crise. Sinto que tenho de me abrigar em algum lugar ou que preciso passar pela tempestade, que é o que tenho a impressão de estar fazendo agora.

Resposta: Esta percepção é muito boa. Ela diz respeito às antiqüíssimas alternativas de abrigar-se ou de realizar a travessia. Esta talvez seja a questão mais importante no caminho evolutivo de toda entidade. Você permanece no ciclo de morte e renascimento, de sofrimento e luta, de conflito e disputa – fisicamente, e também espiritual e psicologicamente – precisamente porque se apega à ilusão de que pode evitar a travessia e de que a fuga fará bem. Na verdade, buscar abrigo nada tem de bom; pelo contrário, aumenta a tensão crítica. O alívio momentâneo é uma ilusão das mais sérias. As coisas se passam desse modo porque a crise inevitavelmente surgirá mais tarde, mas então não estará mais ligada à sua fonte e por isso será mais aguda. Entretanto, quando você toma a decisão dizendo, "Não me abrigarei, farei a travessia", os recursos disponíveis na alma humana estarão quase que imediatamente à mão. Esses recursos permanecem ocultos aos que ainda tendem a fugir. Eles se sentem fracos e não acreditam em suas próprias capacidades para realizar os poderes infinitos do Espírito Universal. Não conhecem seu potencial, a força que surgirá, a inspiração que se apresentará. É somente quando você decide fazer a travessia e pedir ajuda na meditação que esses recursos se tornam disponíveis. Então você sentirá uma confiança vigilante de que o ego consciente não está sozinho. Ele não é a única faculdade disponível para lidar com a situação.

Abençôo todos vocês e peço que abram seu ser mais profundo, sua alma inteira, todas as suas forças psíquicas, para superar os obstáculos que negam a verdade e a mudança, e por conseqüência a auto-expressão e a luz. Abram-se nesse sentido para deixar que o poder abençoado sempre presente em vocês permeie todo seu ser.

Uma bênção se faz presente, e esta se encontrará com a energia interior de que falei, fortalecendo todos vocês duplamente. Prossigam no seu crescimento interior para que sua plenitude e união com o universo se ampliem e lhes propiciem mais daquela alegria que é inerentemente seu direito inato. Sejam abençoados, fiquem em paz.

12

O sentido do mal e sua transcendência

É impossível negar a existência do mal na Terra. Que enfoque podemos adotar para lidar com o mal a fim de que a humanidade possa transcender seu estado doloroso atual? Se lutamos por uma consciência unificada, precisamos integrar o mal. Mas como podemos integrar algo tão oposto a tudo pelo qual lutamos conscientemente? Se negamos o mal, visto que sabemos que na realidade maior ele não existe, deixará ele de existir também em nosso plano de manifestação? Será que o mal existe em todos nós e, se existe, o que podemos fazer com relação a ele?

* * *

Saudações e bênçãos a todos os meus velhos e novos amigos.

Os seres humanos estão sempre se defrontando com o profundo problema de como controlar as forças destrutivas que se alojam dentro deles mesmos e dos outros. Este problema parece insolúvel, pois desde o início da existência humana, teorias e filosofias se formaram em torno dele. Direta ou indiretamente, a busca que você empreende sempre esteve ligada a essa grande questão.

O mal existe?

Em geral, há duas respostas dadas à questão da existência do mal, a religiosa e a filosófica. Uma interpreta o mal como força independente do bem e a ele oposta; a outra simplesmente nega a existência do mal.

Negar o mal no plano de consciência da humanidade é tão irreal quanto acreditar que em última análise existem duas forças distintas: uma boa e outra má. Essa crença implica que a força do mal deve ser destruída ou repelida, como se se pudesse fazer desaparecer algo do universo! Somente os que buscam a verdade entre essas duas alternativas podem encontrar as respostas.

A maioria das religiões adota uma abordagem dualista à grande questão do mal, considerando-o como uma força oposta à força do bem. O enfoque dualista reforça seu medo de você mesmo e da sua culpa; portanto, ele apenas aumenta o abismo na sua alma. As energias do medo e da culpa são usadas para forçá-lo a ser bom. A cegueira, a compulsão e o conceito artificial de vida que acompanham esse ato de forçar as coisas criam padrões autoperpetuadores, com muitas ramificações negativas.

Por outro lado, há filosofias que defendem que o mal simplesmente não existe; que é uma ilusão. Uma filosofia que parte desse princípio contém uma verdade parcial, do mesmo modo como acontece com seu oposto religioso, que reconhece o perigo do mal, seu poder destruidor de vida, e a infelicidade e o sofrimento que acarreta. O postulado de que o mal é uma ilusão é verdadeiro no sentido de que essencialmente existe somente um grande poder criador. *Existe* união, pois tudo é uma só coisa na consciência daqueles que transcenderam o dualismo.

Como freqüentemente se pode verificar, esses dois ensinamentos opostos expressam grandes verdades, mas a exclusividade com que são concebidos e perpetuados em última instância transforma sua verdade em algo não verdadeiro. A negação do mal como realidade resulta numa crença fundada no desejo, numa cegueira ainda maior e na negação do eu; em vez de ampliar a consciência, ela a diminui. Cria-se assim um quadro falso – a manifestação do estado atual da humanidade.

Ambas as visões do mal levam à repressão; entretanto, o reconhecimento do mal também conduz à possibilidade de maior destrutividade. Esse reconhecimento pode levar a justificar e a ser condescendente com coisas realmente indesejáveis, como agir farisaicamente. Nesse caso, reprime-se a culpa, criando ainda mais divisão e dualidade. Procuremos, então, encontrar um meio de evitar essas duas armadilhas e reconciliar esses dois enfoques gerais dados ao mal.

A aceitação correta do mal

Todo sofrimento provém exclusivamente da própria destrutividade da pessoa, da sua negatividade, ou mal – qualquer que seja o nome que se lhe dê. Todos vocês já passaram pela experiência de perceber como se sentem ameaçados, ansiosos e insatisfeitos ao se defrontarem com alguma de suas atitudes, traços e características indesejáveis. É preciso compreender essa reação com mais profundidade. O sentido de uma reação desagradável e ansiosa dessas é nitidamente uma expressão que afirma: "Tal e tal coisa não deveriam existir em mim." Todas as defesas que você erigiu tão laboriosamente servem para protegê-lo não só do mal dos outros, mas principalmente do seu próprio. Se procurar descobrir a causa sempre que se sentir ansioso, você fatalmente descobrirá que, em última análise, está apreensivo com o seu próprio mal, independentemente de quão ameaçadores possam parecer a pessoa do outro ou o fato externo em si. Se você traduzir essa ansiedade em palavras claras e objetivas, verbalizando seu pensamento interior de que certas atitudes e sentimentos "não devem existir em mim", então você poderá encarar sua atitude com relação ao mal de uma maneira muito mais adequada. Porque o mal em si é bem menos prejudicial do que sua atitude com relação a ele. Voltaremos a esse assunto mais adiante.

De agora em diante, em vez de fugir como de costume, o que sempre acarreta mal-estar emocional, problemas e sofrimento, agarre seu medo e o pensamento que está por trás dele: "Não devo ser desse jeito." Se esse medo for ignorado, o problema será pior.

de um certo despertar da consciência, é possível que a pessoa não deixe que a negatividade se instale em profundidade. Desse modo, ela fica impedida de começar o ciclo de autoperpetuação. Ela é confrontada desde o início.

A crise pode ser evitada contemplando a verdade interior quando os primeiros sinais de distúrbio e de negatividade se manifestam na superfície. Porém, requer-se muita honestidade para enfrentar as convicções pessoais firmemente acalentadas. Esse confronto pode interromper a autoperpetuação negativa, a força motriz que compõe a matéria psíquica errônea e destrutiva até que encontre um ponto de ruptura. Ela evita os muitos círculos viciosos presentes na psique humana e nos relacionamentos que são dolorosos e problemáticos.

O crescimento é possível sem "noites escuras"

Se as dificuldades, transtornos e sofrimento na vida do indivíduo, e também na vida da humanidade como um todo, fossem observados sob este ponto de vista, o sentido verdadeiro da crise seria compreendido e muito sofrimento poderia ser evitado. Digo-lhe agora: não espere que a crise surja numa erupção como o evento natural, que estabelece o equilíbrio que ocorre tão inexoravelmente como uma tempestade deve acontecer quando certas condições atmosféricas precisam ser alteradas e a claridade na atmosfera tem de ser restabelecida. É precisamente isso que acontece na consciência humana. Na verdade, o crescimento é possível sem "noites escuras" muito dolorosas, se o indivíduo tiver como valor predominante a honestidade para com o eu. É preciso cultivar o olhar franco para dentro de si e a atenção profunda com o ser interior, ao mesmo tempo que se torna possível livrar-se das atitudes e das idéias mesquinhas. Nesse caso, a crise de sofrimento e angústia pode ser evitada porque não haverá formação de nenhum abscesso.

O processo da morte em si é uma crise desse tipo. Já analisei vários significados profundos da morte. Este é mais um. A morte superficial – isto é, a morte do corpo humano – acontece porque a consciência diz: "Não posso mais continuar", ou "Estou desorientado". Toda crise contém esse pensamento. A consciência sempre diz a si mesma: "Não posso mais lidar com a situação." Se a situação

O mal como poder criador distorcido

Nosso objetivo nesse estágio do caminho é exatamente o conhecimento e a aceitação do mal. A palavra "aceitação" tem sido muito usada por falta de outra melhor, mas o significado muitas vezes se perde por trás da palavra, e precisamos assim prestar mais atenção ao modo como essa aceitação acontece. É só quando a aceitação acontece de modo correto que o mal pode ser incorporado e remodelado no sentido mais verdadeiro da palavra. Você pode então transformar uma força que se desviou. A maioria dos seres humanos esquece ou desconhece totalmente o fato de que o que é pior neles é, em essência, poder criador, corrente e energia universal altamente desejáveis. Somente quando passa a perceber isso realmente é que você aprende a lidar com cada aspecto de você mesmo.

Com bem poucas exceções, quase todos os seres humanos aceitam, conhecem e querem conhecer somente uma parte relativamente pequena de sua personalidade global. Naturalmente, essa limitação é uma perda terrível. O fato de não estarem conscientes daquilo que no seu interior é indesejável na sua manifestação atual, separa-os do que já está claro, liberado, purificado e bom. Isso também impede a maioria das pessoas de se amar e de se respeitar porque não tem percepção real da sua herança divina. A bondade efetiva e já manifesta dessas pessoas parece irreal, falsa mesmo, porque elas se recusam a resolver os elementos destrutivos em si mesmas. Mas, o mais importante e fundamental é que o fato de desligarem-se dessa parte indesejada as torna estagnadas e paralisadas, sem condições de poder mudar.

O preço pelo reconhecimento e aceitação do aspecto mau e destrutivo do eu parece alto, mas na verdade não é. Inversamente, o preço da negação desse aspecto é enorme. Você pode ficar tateando em meio à confusão até encontrar um modo de aceitar seus impulsos e desejos destrutivos sem justificá-los. Por considerar mau algo que existe em você, você acaba acreditando que tudo em você é mau. O que você precisa fazer é se identificar com o aspecto de você que está observando e não com o resto que você observa. Procure compreender bem este aspecto sem se identificar com ele. Você precisa aprender a avaliar realisticamente os impulsos e desejos negativos, sem cair na armadilha da projeção e autojustificação. Essa compreensão exige inspiração contínua das forças superiores interiores e pedidos deliberados de ajuda para despertar e manter a consciência desses aspectos destrutivos e do método apropriado para controlá-los.

Sempre que se encontrar num estado de espírito desagradável, numa situação ameaçadora, na confusão e na escuridão, você pode ter a certeza de que, a despeito das circunstâncias exteriores, o problema surge da negação e do medo de suas próprias atitudes destrutivas e de sua ignorância de como lidar com elas. O fato de admitir isso produz alívio imediato e desativa esses poderes negativos quase instantaneamente. Conheça as etapas através das quais você pode incorporar esse poder em vez de separar-se dele.

A *primeira etapa* deve ser a de aplicar a teoria de que a destrutividade, o mal, não é uma força isolada final. Você deve pensar sobre isso não apenas em termos gerais e filosóficos. Antes, deve destacar seus aspectos específicos que o fazem sentir-se culpado e temeroso e aplicar esse conhecimento a tudo o que é mais desagradável em você mesmo e nos outros. Independentemente de quão repulsivas algumas dessas manifestações possam ser – quer se trate de crueldade, rancor, arrogância, desdém, egoísmo, indiferença, cobiça, logro ou outra coisa – você pode chegar a perceber que *cada um desses aspectos é uma corrente de energia*, originalmente boa e bela e atestadora de vida.

Enveredando por esse caminho, você chegará a compreender e a vivenciar como este ou aquele impulso hostil específico era originalmente uma força boa. Ao compreender isso, você terá feito uma incursão substancial no sentido de transformar a hostilidade e de liberar a energia que ou foi canalizada de um modo realmente destrutivo e indesejado, ou ficou parada e estagnada. Expresse claramente a percepção intuitiva de que essas características ruins são um poder que pode ser usado do modo que você desejar. Este poder – a mesma energia que agora pode manifestar-se como hostilidade, inveja, ódio, raiva, amargura, autopiedade ou culpa – pode tornar-se um poder criador para construir a felicidade, o prazer, o amor, a expansão para você mesmo e para os que o rodeiam.

Em outras palavras, você precisa aprender a reconhecer que o modo pelo qual o poder se manifesta é indesejado, mas a corrente de energia subjacente a essa manifestação é desejável em si mesma, porque é feita da essência da vida em si. Ela contém *consciência e energia criadora*. Ela contém toda a possibilidade de manifestar e de expressar vida, de criar nova vida. Ela contém tudo o que a vida tem de melhor, como você a sente – e muito mais. Do mesmo modo, o que se mostrou como o melhor da vida contém também a possibilidade do pior. Se entrevir as possibilidades de todas as manifestações de vida, pois *a vida é um fluxo contínuo, um processo em movimento e sempre crescente*, você jamais se fixará em aspectos definitivos, os quais sempre criam erro, confusão e dualismo.

Você verá que, negando o mal no seu interior, você causa maior dano do que pode imaginar à sua personalidade como um todo e à sua espiritualidade manifesta. Negando o mal, você desativa uma parte essencial das energias e das forças criadoras que possui, e por isso elas estagnam. Depois da estagnação, segue-se a putrefação. A matéria apodrece quando estagna, quando não pode mais se movimentar. O mesmo se aplica à consciência.

A matéria é sempre uma condensação e manifestação de consciência e de energia. A maneira como a energia flui – ou não flui – e a forma que assume quando se condensa dependem da atitude da consciência "subjacente", ou antes, intrínseca a um aspecto particular de criação.

A destrutividade é uma forma errônea de consciência. Ela conduz – ou diretamente através da ação e da expressão direta, ou indiretamente através da negação, isto é, da estagnação – a uma negação da vida. Este é o motivo por que algumas emoções supostamente negativas são realmente desejáveis. Por exemplo, a raiva pode favorecer a vida e ser dirigida contra a negação da vida. A negação da raiva transforma-se em hostilidade, crueldade, rancor, ódio de si mesmo, culpa, confusão entre culpa dos outros e culpa própria, sendo assim uma corrente de energia destrutiva.

Quando se compreende o mal como sendo intrinsecamente um fluxo de energia divina, momentaneamente distorcido devido a idéias errôneas específicas, conceitos e percepções, ele não é mais rejeitado em sua essência, mas antes assimilado. É esta precisamente a coisa que você considera a mais difícil de fazer. De fato, isto lhe é tão difícil que chega a esquecer até aqueles aspectos em você que já estão livres da distorção, do mal e da destrutividade, que estão realmente liberados e claros, que são bons, belos e divinos.

Todo o seu esforço e boa vontade são belos. Apesar da culpa mal localizada, mesmo suas angústias de consciência derivam das manifestações melhores e mais belas da consciência. Você negará, ignorará e deixará de experimentar este melhor em você enquanto negar, ignorar e deixar de experimentar o mal em você. Você distorce o conceito de você mesmo quando nega qualquer parte sua, não importa quão abjeta ela possa ser na sua forma atual.

A chave essencial para integrar completamente o mal é compreender sua natureza original e sua possibilidade inerente de poder se manifestar de novo na sua forma original. Este deve ser o objetivo, meu amigo. Enquanto você procurar tornar-se bom negando o mal, forçando-se a ser o que ainda não pôde ser, e o que não pode ser jamais, você permanece num estado doloroso de divisão interior, de autonegação parcial e de paralisia de forças vitais dentro de você. Digo ''que não pode ser jamais'' porque se sua expectativa é destruir ou livrar-se magicamente de uma parte vital de você mesmo e não aceitar o desiderato intrínseco de toda energia criadora contida mesmo nos seus aspectos mais destrutivos, você não pode tornar-se completo, íntegro. Cultive essa atitude diferenciada.

A nova atitude de aceitação não significa justificar, condescender com seus aspectos indesejáveis ou racionalizá-los. Muito pelo contrário: significa reconhecê-los plenamente, dando-lhes expressão honesta, sem encontrar desculpas ou culpar os outros, mas também não se sentindo desesperançado e auto-rejeitado. Esta parece ser uma tarefa difícil, mas certamente é possível assumir essa atitude se você fizer um esforço sincero e se rezar realmente para que lhe seja dada orientação para este propósito específico.

A libertação da beleza interior

Quando deixa de negar sua fealdade, você também deixa de negar sua beleza. Existe muita beleza em cada pessoa que já está livre. Você de fato manifesta a beleza que nega totalmente, que desconhece e que deixa de perceber e de experimentar! E não me refiro apenas à beleza potencial, ainda por desenvolver; refiro-me à beleza que existe efetivamente.

Você pode pensar sobre isso e rezar para ver essa beleza em você mesmo, do mesmo modo que reza para ver sua fealdade. Quando puder perceber ambas, não apenas uma, com exclusão da outra, você terá dado um passo fundamental na direção de uma percepção realista da vida e de você mesmo que lhe possibilitará integrar aquilo que agora o divide.

Sempre prestando atenção à sua própria beleza e fealdade, *você também verá ambos os lados nos outros*. Você tende a rejeitar e a negar completamente as pessoas cuja destrutividade você percebe, e reage a elas exatamente do mesmo modo como age com você mesmo. Ou você reage emocionalmente à bondade e à beleza interior dessas pessoas, ao mesmo tempo que irrealisticamente faz vista grossa ao seu lado feio. Você ainda não consegue captar a presença da dualidade em você mesmo, e conseqüentemente não pode vê-la tampouco nos outros. Isso cria contínuos conflitos e lutas. Essa distorção e falta de consciência fazem com que você negue e paralise o processo criador em si. Somente aceitando a dualidade é que você pode realmente transcendê-la.

A transformação

As atitudes manifestamente destrutivas nunca são o mal propriamente dito. Se as admite realmente, você permanece no fluxo. O maior dos ódios, a vingança, mais rancorosa, os piores impulsos de crueldade, se admitidos honesta e francamente, se não são expressos irresponsavelmente nem reprimidos e negados, mas aceitos plenamente, jamais se tornarão prejudiciais. Na medida em que forem percebidos, encarados e admitidos, tais sentimentos diminuirão em intensidade e mais cedo ou mais tarde deverão converter-se em energia fluida, propiciadora de vida. O ódio se transformará em amor, a crueldade em auto-afirmação sadia e a estagnação em alegria e prazer.

Meus amigos, é isso o que devem aprender. A chave é encontrar a força destrutiva para que possam transformá-la novamente na sua natureza original, incorporando-a assim ao seu ser como um todo e passando a criar com a energia de vida à sua disposição.

Há alguma pergunta que queiram fazer?

Pergunta: *Como foi dito nesta palestra, há coisas em mim que sinto que são erradas, más. E todavia eu gosto delas; elas são praze-*

rosas. Mas me sinto culpado. Por exemplo, gasto dinheiro em demasia. E nego completamente esse aspecto de mim mesmo. Você pode me ajudar?

Resposta: Este é um bom exemplo. O que você descreve é bem típico. Você se defronta com uma situação insolúvel: ou você desiste de todo prazer ligado com o gasto excessivo e com a irresponsabilidade para tornar-se decente, maduro, realista, pessoalmente responsável e seguro, ou você usufrui certo prazer do aspecto negativo mas às custas pesadas de culpa, autoprivação, insegurança e medo de não ser capaz de conduzir a sua própria vida.

Ao perceber que atrás da compulsão de gastar em excesso e de ser irresponsável está um anseio legítimo pelo prazer, pela expansão e por novas experiências, essa situação difícil deixará de existir. Em outras palavras, você deve incorporar a *essência* desse desejo sem agir segundo sua destrutividade. Então você terá menos dificuldade em concretizar o desejo de um modo realista que não o derrotará no final. Agora você está metido numa batalha com um desses problemas do tipo ou...ou. Como você pode realmente querer renunciar à irresponsabilidade se a responsabilidade implica viver numa estreita margem de prazer e limitar sua auto-expressão? Visto que não quer abandonar de fato a irresponsabilidade, você se sente culpado. Assim você rejeita aquela sua parte vital que legitimamente quer experimentar o prazer da criação na sua plenitude, mas que ainda não sabe como, sem explorar os outros e sem ser parasita. Entretanto, se você puder aceitar plenamente a força maravilhosa que luta por um prazer total por trás da irresponsabilidade e se souber valorizá-la como tal, você também descobrirá como dar-lhe expressão sem violar o direito dos outros, sem violar suas próprias leis de equilíbrio. Você não precisará pagar o custo desnecessário da preocupação, da ansiedade, da culpa e da incapacidade de se portar bem. Você só paga esse preço quando sacrifica a paz de espírito por um prazer de curta duração.

O prazer será mais profundo, mais duradouro e totalmente livre de culpa quando você combinar a legitimidade dele com a sua autodisciplina. Se puder conciliar o desejo do prazer com a autodisciplina e a responsabilidade, você expressará o conhecimento interior que diz, "Quero desfrutar a vida. Há abundância ilimitada no universo para qualquer contingência. Não há limites para o que é possível. Há coisas maravilhosas a vivenciar. Há muitos meios maravilhosos de auto-expressão. Eu posso realizá-los e incorporá-los à minha vida se puder encontrar outro meio, não autodestrutivo, de expressá-los e obtê-los.'' Será muito mais fácil adquirir a disciplina e a predisposição para agir assim vai crescer, quando você souber que tem todo o direito de usar essa disciplina com o propósito de aumentar o prazer e a auto-expressão.

Meus caríssimos amigos, dei-lhes novo material que exige muita atenção. Apliquem-no na sua própria situação particular. Abram seu ser mais profundo à aplicação desse material. Não o utilizem apenas teoricamente, em termos gerais, mas vejam realmente onde negam o que está em vocês por medo e por culpa, paralisando assim o que têm de melhor.

Aos que estão desmotivados e desesperançados posso apenas dizer: quando se sentem assim, vocês estão na ilusão e no erro. Percebam isso e peçam pela verdade, que se resume no fato de que não há motivo para a desesperança e que os períodos difíceis precisam apenas ser compreendidos e trabalhados para se tornarem *degraus* para abrir ainda mais sua vida e para trazer-lhes mais luz e auto-expressão.

Recebam o amor e as bênçãos, meus caríssimos amigos. Fiquem em paz.

13

Auto-estima

Certa vez, o Guia revelou que quando os seres humanos se odeiam e se rejeitam, "os anjos choram". Ouvimos, mas esquecemos muito facilmente que, como almas encarnadas, somos manifestações divinas; temos a tendência de considerar a parte de nossa natureza que apreciamos menos como sendo nosso eu verdadeiro e permanente. Como o Guia explicará, esse entendimento acarreta conseqüências perigosas. Nesta palestra, de conteúdo altamente animador, o Guia nos ensina o modo de encontrar nossa verdadeira identidade em nosso núcleo vital sempre em mudança. Descobrindo as infinitas possibilidades que temos para fazer escolhas positivas, passamos a respeitar e a amar a nós mesmos.

* * *

Saudações, meus caríssimos amigos. Bênçãos a todos vocês aqui presentes. Possa seu coração abrir-se e sua atenção concentrar-se para que tenham condições de absorver tudo o que puderem nesta hora.

A auto-estima, a auto-apreciação, a autovalorização – dê você a isso o nome que desejar – é algo que, infelizmente, falta em todo ser humano que vive sentimentos como incerteza, medo, insegurança, culpa, fraqueza, dúvida, negatividade, inadequação e inferioridade. Quando esses sentimentos estão presentes, fatalmente a auto-estima está ausente. O problema é que você não percebe isto claramente. A ignorância desse fato é tanto mais perniciosa, quanto menos você for capaz de atacar o problema de frente. Somente uma percepção aguçada com relação ao eu produz a consciência direta de "Eu não prezo e não respeito a mim mesmo".

O conflito interior entre auto-indulgência e auto-rejeição

As pessoas se debatem constantemente com um conflito interior, raramente consciente, relativo a essa percepção. Esse conflito tem origem na percepção dualista que caracteriza a humanidade. Muitas vezes já demonstrei como uma concepção errônea divide a verdade em duas metades opostas que o confundem e que o impossibilitam de fazer escolhas satisfatórias. Você então se debate em luta interior e em confusão angustiante. Nesse caso, o dilema é este: como aceitar-se e gostar de você mesmo sem ceder à auto-indulgência e à autojustificação pelas características destrutivas que existem em todos os seres humanos, por mais ocultas que possam estar? Ou, por outro lado, como você pode encarar, admitir e aceitar essas características negativas e destrutivas, as fraquezas, os pequenos egoísmos, as crueldades e vaidades que muitas vezes o tornam vingativo e pouco atraente e, ao mesmo tempo, conservar o respeito por si mesmo? Como você pode evitar a culpa destrutiva, a rejeição e o desprezo de si mesmo?

Este é um conflito de raízes profundas, e a maioria dos seres humanos, quer saiba ou não, se debate nele. Trata-se de uma confusão dualista típica que, aparentemente, transforma o fato de admitir uma verdade desagradável e a auto-aceitação em dois opostos mutuamente excludentes.

Antes de analisar essa questão mais detalhadamente e de dar-lhe uma chave que possibilitará a unificação dessa divisão, analisemos um pouco mais o conflito em si. Aqueles que recentemente se deram conta dessa batalha feroz dentro de si mesmos saberão exatamente do que estou falando. Outros que ainda não perceberam sua auto-rejeição poderão alcançar essa consciência gradualmente. Talvez a única maneira de que você dispõe para reconhecer agora seu autodesprezo e sua autodesvalorização seja indireta. Você certamente pode sentir a timidez, a incerteza, a insegurança e a apreensão diante da possibilidade de ser rejeitado ou criticado, e também se dá conta de sentimentos de inferioridade e de inadequação. Talvez você possa perceber

181

aqui e ali um sentimento de culpa que não faça sentido. Embora, em geral, essa culpa se esconda sob outras atitudes, ela raramente está tão distante que não possa ser claramente percebida, desde que você esteja disposto a detectar essas coisas. Talvez você esteja consciente de que não está aberto às inúmeras possibilidades de jubilosa realização na vida; de que vive com muito menos do que poderia experimentar. Talvez você possa perceber que recua na vida, que se sente vagamente indigno e que considera suas possibilidades negativamente, pelo menos em certas áreas.

Todas essas manifestações indicam auto-rejeição, auto-aversão. Não deveria ser tão difícil estabelecer na consciência a ligação entre qualquer uma dessas manifestações e a raiz mais profunda, especificamente, que você não se dá muito valor. Você pode ter aversão por você mesmo devido a algumas características e atitudes, mas essa especificidade pode estar ainda mais oculta de sua consciência. É bem possível que você possa primeiro verificar somente os sentimentos vagos e gerais do autodesprezo, sem ser capaz de localizar com precisão os traços específicos seus que você rejeita.

Depois que você sente, embora vagamente, que não se respeita, que não se estima e não se aprecia como ser humano, o passo seguinte é tornar essa atitude mais específica. Se quiser encontrá-la realmente, você a encontrará, embora a identificação de qual seja exatamente essa atitude possa manifestar-se muito indiretamente. É desse modo que o caminho muitas vezes opera.

Por outro lado, você pode ver muito claramente algo que seja de fato deplorável e indesejável em você. Então você pode adotar a atitude errônea de rebeldia e de autojustificação, porque acredita que admitir seus traços indesejáveis implica desprezo e rejeição de todo o seu ser. Você não distingue entre rejeitar um traço e rejeitar uma pessoa, quer se trate de você mesmo ou dos outros. E assim você cai no erro de justificar, negar, falsificar e racionalizar – e muitas vezes até embelezar – uma característica realmente indesejável e destrutiva. Você está diante da mais perfeita das confusões!

O que produz o respeito por si mesmo?

Descrevo a seguir o modo de encontrar o método que lhe permitirá enfrentar as atitudes indesejadas, sem que em absoluto você perca o respeito por você mesmo ou o sentido de que é um ser humano que tem valor. Primeiro, você precisa perceber e viver a vida de um modo novo. Sua vida – e você é vida porque está vivo – representa a vida toda, a natureza toda. Uma das marcas da vida é seu incalculável potencial para a mudança e para a expansão. Para ser mais específico: quando você percebe a vida como ela é, você sente que até a mais ínfima das criaturas destrutivas tem possibilidades para a mudança, para a bondade, para a grandeza e para o desenvolvimento. O pensamento sempre pode mudar e criar atitudes e comportamentos novos, novos sentimentos e novas maneiras de ser. Se isso não acontece agora, o fato não altera nada, pois algum dia as coisas são obrigadas a mudar e sua verdadeira natureza deve, por fim, emergir. Saber que a natureza verdadeira da pessoa deve emergir mais cedo ou mais tarde altera a situação toda: modifica seu desespero com relação a você mesmo. Esse saber abre a porta para a percepção de seu potencial para a bondade, não importa o quanto você possa ser malévolo agora; abre a porta para a generosidade a despeito de quão mesquinho você possa ser agora; para o amor, sem levar em conta seu possível grau de egoísmo do momento; para a força e a integridade, independentemente da sua fraqueza atual e da grande tentação que o impele a trair o seu eu mais positivo; para a grandeza, independentemente da sua possível insignificância atual.

Observe a natureza, em qualquer circunstância da vida, e você verá que ela está sempre em mudança; ela morre e renasce ininterruptamente; está sempre se expandindo, se contraindo e pulsando. A natureza está sempre se movimentando e se ramificando. Isso se aplica especialmente à vida consciente e ainda mais à vida que tem consciência de si mesma. O poder do pensamento, da vontade e das emoções é infinitamente maior do que qualquer poder inanimado. E, todavia, o poder inanimado, digamos, da eletricidade, e ainda mais da energia atômica, é tão grande que você apenas começa a ter um vislumbre de suas possibilidades tanto para fins bons e construtivos como para fins destrutivos. Onde quer que haja vida e consciência, aí estarão ambas essas possibilidades.

O uso do poder da mente consciente

Pois bem, se no mais diminuto dos átomos – tão diminuto que não se pode sequer vê-lo a olho nu – existe um poder capaz de liberar energias ilimitadas para construir ou para destruir, tão infinitamente maior é o poder da mente: o poder do pensamento, do sentimento e da vontade. Pondere sobre este fato tão significativo, meu amigo, e ele lhe abrirá novas perspectivas. Por que você supõe tão cegamente que o poder de coisas inanimadas é maior que o poder da mente?

Os poderes de pensar, querer, sentir, expressar, agir e decidir são as marcas da consciência. Mas a humanidade subestima em demasia esses poderes. Por isso, a consciência viva merece um respeito que dificilmente pode ser expresso em palavras. Não importa como ela se manifeste; independentemente de quão indesejável e destrutiva possa ser a manifestação atual, a vida que emerge da destrutividade do momento contém todo o potencial para transformar-se em canais construtivos, pois a fonte da vida é verdadeiramente inexaurível.

Visto que a essência mesma da vida é o movimento, e portanto a mudança, é isso que justificada e realisticamente dá esperança, a despeito do grau de desesperança aparente de uma situação ou de um estado mental. As pessoas profundamente deprimidas e desesperadas estão no erro, pois negam a essência mesma da vida. E os que desesperam frente a si mesmos por se sentirem maus, rejeitados, destrutivos e negativos estão errados porque percebem e vivem a vida de um modo estático, como se o que é agora devesse ser sempre. Este é o erro da estagnação: "Isto é assim e assim deverá ser." Um pensamento desses ignora e nega o fluxo da vida verdadeira. Por estar vivo, essa fluidez é sua; na verdade, você é fluido.

A única coisa que o impede de ser fluido e, portanto, de mudar para um estado de esperança realista e de luz, para a essência da vida em si, é seu próprio enclausuramento, sua ignorância desta verdade – seu estado momentâneo de consciência. Esse estado de consciência está agora ligado à convicção de que a vida e seus traços de personalidade são estáticos e devem permanecer assim. Enquanto você não conhecer outra coisa, seu estado de consciência permanecerá imóvel nessa prisão sombria.

Você pode aplicar essas palavras à sua situação pessoal. Sobre o que se assenta sua desesperança? Por que você está sem esperança? Você não tem esperança por causa da vida em si, por acreditar que as possibilidades de expansão e felicidade são demasiadamente limitadas para dar-lhe espaço suficiente? Você não tem esperança por sentir que não merece e não pode ter uma experiência de vida mais significativa e realizada? Esta idéia pode estar ativa levando em conta sua percepção relativa às limitações da vida.

Se essas impressões fugidias puderem aflorar numa área de consciência mais precisa, você poderá perguntar-se: "Não tenho esperança quanto a merecer a felicidade porque, certamente com boa justificativa, rejeito certos traços presentes em mim?" Ao mesmo tempo, porém, você não acredita também que esses traços marcam e definem sua personalidade? Essa é sua grande luta, meu amigo: erroneamente, você acredita que o que mais você detesta é precisamente você. Esta também é a causa da grande resistência, inerente em todos os seres humanos, contra a mudança. Por não acreditar que pode, em essência, ser outra coisa que não aquilo que rejeita, você se agarra a isso, porque não quer deixar de existir. Este é o ponto crucial dessa confusão dualista. É por isso que você se aferra tão inexplicavelmente às características destrutivas.

Você se aferra porque acredita piamente que você é assim; você está num estado de imobilidade e nele nenhuma mudança é possível porque você não percebe que todas as possibilidades estão dentro de você. Você já é o que pensa que deveria produzir artificialmente, laboriosamente, violentando a sua natureza. Mas, por não acreditar nisso, você não consegue deixar de se agarrar justamente às facetas que tanto rejeita, porque elas parecem representar a sua essência.

Na verdade, este é um círculo vicioso. O fato é que a verdadeira auto-estima só pode acontecer se você sentir a sua capacidade de amar e de doar-se. Entretanto, essa capacidade não pode ser conhecida quando você parte do pressuposto de que ela simplesmente não existe; quando acredita que qualquer estado que não seja o que você expressa agora lhe é alheio – intrinsecamente alheio, e que seu eu verdadeiro, definitivo e imutável é aquele que você rejeita. Enquanto este for o caso, você continuará envolvido num círculo vicioso.

A saída desse círculo está na compreensão da vida na sua essência. Por mais imutável que a sua vida possa parecer, isso é apenas uma parte diminuta da história. Sob todas as características da personalidade que você acredita serem fixas e definitivas existe uma vida fluida como um regato de inverno sob a neve. Ela é constante; os sentimentos se ramificam a partir dela e se estendem em todas as direções, sempre se auto-renovando espontânea e prodigiosamente. Essa vida pulsa com toda vibração; é movimento em si. Acima de tudo, é uma vida em que você está livre a todo o instante para ter idéias novas e diferentes que criam uma expressão de vida e de personalidade nova e diferente.

Enquanto você ignorar seu verdadeiro estado de vida, ou seja, seu próprio estado verdadeiro, você não poderá dar-se o profundo respeito que merece como criatura humana. Enquanto você confundir vida com morte, com matéria inanimada, você se desesperará. E a própria matéria inanimada, como você agora sabe pela ciência atual, tem uma vida intrínseca e um movimento incrível, desde que essa vida seja liberada. Pense nisso, meu amigo. Mesmo um objeto aparentemente morto não está morto; ele contém vida, movimento e mudança total. Pense no movimento, na vida e na mudança em cada átomo da matéria que na aparência está totalmente morta.

Assim, nada do que existe no universo está de fato sem vida. O que dizer, então, da consciência! Seu pensamento é um movimento constante. O único problema é que você se condicionou a permitir que ele fique se remoendo na negatividade habitual, na auto-rejeição e na limitação inútil. Uma vez que você se decida a usar o seu pensamento de uma nova maneira, você sentirá a verdade da mutabilidade cheia de esperança da vida, as possibilidades infinitas que ela tem de se movimentar em novas direções. Você pode expandir constantemente o seu pensamento, adotar idéias novas, abraçar novas realizações, e portanto atrair a você mesmo novas direções da vontade, novas expansões, novas metas, notas energias e novos sentimentos. Tudo isso é mudança da personalidade. Sem mesmo estar bem consciente disso, esses novos modos de pensar e de sentir alteram aquelas atitudes que você agora tanto rejeita.

Quando falo em novas maneiras de ser, quero deixar bem claro que isto não significa que essas maneiras não tenham existido em você como uma essência dormente. São novas apenas no que diz respeito à função da sua consciência, pois elas estão todas aí, sempre prontas a serem utilizadas, bastando para isso que se ative a sua participação. Mas enquanto você se fechar na moldura estreita de suas percepções limitadas a respeito de você mesmo e da vida, você não poderá fazer uso do que já está aí. Veja a si mesmo como um solo fértil antes do plantio das sementes. Um solo fértil dispõe de um poder inacreditável para originar novas expressões de vida. Os potenciais se agitam dentro dele, quer as sementes sejam ou não lançadas.

Sua consciência toda e seu potencial de vida são o solo mais fértil que se possa imaginar. O solo fértil está permanentemente aí com poder extraordinário para criar novas expressões de vida em seu pensamento, em seus sentimentos, em sua vontade, em suas energias e em suas possibilidades de ação e reação.

Cada situação em que você se encontre contém novas possibilidades de reação. Você faz escolhas o tempo todo. Você pode estar numa nova situação e automaticamente resvalar para os antigos reflexos condicionados, seu enfoque negativo, sem prestar atenção ao que está fazendo. Talvez você lamente a miséria da vida porque lhe aconteceu isto ou aquilo que você detesta, e nunca percebe a conexão entre seu descontentamento e falhas de um lado, e suas reações automáticas unilaterais e negativas, de outro. Enquanto você sustentar que esse enfoque habitual é o único possível, você não captará as possibilidades e energias da sua vida.

Assim, quando se sentir infeliz e desesperançado, pergunte-se: "Não tenho outra maneira de reagir a esta situação cuja origem desconheço e à qual decido reagir negativa e destrutivamente, perdendo a esperança, queixando-me e irritando-me com ela?" Essa escolha é sua. Sua raiva e suas lamúrias contra o mundo são inúteis, pois toda essa energia poderia ser melhor utilizada para construir uma nova vida para você mesmo, se fosse utilizada apropriadamente. Você não pode mudar os outros, mas certamente pode mudar suas próprias atitudes e seu modo de pensar. Então a vida põe à sua disposição suas possibilidades ilimitadas.

Primeiramente mudam o seu pensamento e suas atitudes; em seguida, seus sentimentos; e por fim, suas ações e reações começam a reagir a novos impulsos espontâneos. E esses, por sua vez, produzem novas experiências de vida. Quanto mais você experimenta a reação em cadeia desse processo, mais percebe que você é uma unidade de expressão da vida que vive, que se movimenta e que muda indefinidamente. E nenhuma característica merece que você avalie e rejeite todo o seu eu por causa dela. Uma vez que se dê conta disso, você pode dispor do luxo maravilhoso e reconfortante de tranqüilamente admitir qualquer característica desagradável e indesejável sem, em última análise, deixar de gostar de você mesmo por causa disso; sem sequer imaginar perder o seu sentido de ser uma expressão divina, independentemente de quais características possa se tratar.

Somente, e só então, você pode transformar verdadeiramente essas características.

Por mais paradoxal que isto possa parecer, a auto-rejeição total, o tipo de culpa destrutivo que está sendo analisado é incapaz de superar qualquer coisa. Você não entenderá por que isso é assim, a menos que veja que é impossível superar qualquer coisa quando você acredita que é uma gota fixa, imutável. [Você já ouviu dizer o que, de acordo com sua crença, você deve experimentar, mas quando chega a montar um sistema de crenças falso você não consegue ver além dele.] Suas ações então são determinadas por suas crenças e devem assim apresentar prova de sua veracidade, não importa quão erradas essas crenças sejam e quantas outras alternativas existam na realidade.

Assim, se está convencido de que não pode mudar, você não consegue dar um passo significativo sequer na direção da mudança. Portanto, você não consegue experimentar a mudança e deve estar convencido de que ela é impossível. A convicção negativa impossibilita também reunir o esforço necessário para provocar a mudança. A energia, a disciplina, a resistência, a iniciativa essencial para efetuar a mudança são facilmente reunidas quando você sabe que a mudança é possível; quando sabe que mudança simplesmente significa desvelar suas qualidades latentes. Quando sabe isso, e sem levar em conta o aspecto indesejável que essas características possam ter, você não se desesperará por não ser merecedor de afeto. Você utilizará os poderes em você para ir em frente; você mergulhará nos recursos de seu ser mais profundo que lhe permitem superar qualquer característica destrutiva.

O poder que criou o universo, com tudo que nele existe, incluindo tudo o que você é, possui a força capaz de mudar tudo. Mesmo as coisas que devem ser mudadas foram criadas pelo mesmo poder, e, em essência, são algo mais do que parecem ser agora. Esse poder é também você e é manifestado desde que você o contate intencionalmente. Isto pode acontecer somente quando você conhece a fonte em seu interior, a qual está sempre mudando, movendo-se e expandindo-se com possibilidades infinitas.

Conexão com a vida instintiva

Você vê, meu amigo, que a vida inerente à natureza é também inerente em você. A vontade e o intelecto puro são estéreis, como você bem sabe. Somente o sentimento de vida, de vida natural, pode lhe proporcionar a realização, sem a qual a vida é na verdade algo triste. É sobre isto que viemos falando e a que visamos neste caminho. Mas, por que a humanidade perdeu o contato com a fonte de sua própria vida, a fonte de seus sentimentos, de seus instintos, de sua própria natureza, entranhada nas profundezas do eu? Simplesmente porque você tem horror à sua própria destrutividade e não sabe como controlá-la. Por milênios a civilização negou a vida instintiva para resguardar-se de seus perigos. Fazendo isso, porém, a humanidade rompeu sua ligação com a essência da vida em si. Ela não se deu conta de que há outros modos de eliminar as forças distorcidas, pervertidas, naturais, modos esses que não precisam negar a vida em si. A vida instintiva sempre foi erroneamente igualada à destrutividade. Somente na medida em que a humanidade amadurece é que se torna capaz de aprender que a vida instintiva não precisa ser negada para evitar o mal. Na verdade, ela não deve ser negada, pois a negação frustra a vida tanto quanto o faz o próprio mal temido. Somente no núcleo profundo dos instintos é que Deus pode ser encontrado, pois é somente aí que a vitalidade verdadeira pode ser encontrada. Assim, a humanidade deve encontrar outros meios de dominar seus instintos destrutivos se não quiser aniquilar-se por outros modos diferentes, mas tão fatais como dar vazão a esses instintos negativos.

Esta palestra lhe dá uma ferramenta a mais para encarar seu lado destrutivo. Você aprenderá a valorizar e a acalentar os instintos profundos de que sempre desconfiou e a encontrar a verdade do espírito criador vivo que existe neles e através deles. Então, com satisfação, você favorecerá sua vida instintiva, desenvolvê-la-á e a integrará. Você acreditará e confiará nela. Não a negue nem a tema por ainda ter dificuldades em aceitar e em encontrar suas características destrutivas indesejáveis. Se realmente as observar de uma maneira objetiva e imparcial, você descobrirá que o medo e a negação realmente se opõem à vida dos instintos. Os instintos são simples e inocentes em si mesmos: sua destrutividade é sempre resultado do orgulho, da teimosia, do medo, da vaidade, da cobiça, da separatividade, da falta de amor e do sentimento de superioridade.

Desse modo, você descobrirá que se torna cada vez mais possível encontrar, reconhecer, admitir e aceitar qualquer coisa em você, não importa o quanto ela seja desagradável; verá também que é possível nunca perder por um segundo sequer o sentido de sua maravilhosa vitalidade intrínseca, e de merecer sua própria estima. Este estado interior será a mola propulsora a partir da qual a mudança se torna possível. Não será apenas uma possibilidade abstrata, mas um modo efetivo de viver, todos os dias, um movimento de evolução constante.

Todos os aqui presentes que puderem aplicar de fato este tópico tão importante ao estado em que se encontram neste momento superarão um enorme obstáculo. Muitos de vocês podem estar exatamente presos a essa dolorosa confusão interior. Alguns de vocês podem não saber disso conscientemente; outros podem sentir isso vagamente; outros ainda podem estar bem conscientes dessa luta. A maioria dos seres humanos esquece completamente o fato de que essa mesma batalha se deflagra dentro deles; de que essa batalha criou as restrições instintivas e o medo, a auto-alienação, a aridez e o empobrecimento das almas que não podem florescer num clima de auto-rejeição. As pessoas ignoram também que todos os mandamentos religiosos para amar não podem ser cumpridos até que essa divisão dualista seja curada e a unificação encontrada, de modo que o fato de gostar de si não seja mais confundido com auto-indulgência, e a autoconfrontação honesta não precise ter como conseqüência a auto-rejeição. Você somente encontrará a paz quando aceitar verdadeiramente o que há de mais desagradável em você e quando não perder de vista sua beleza intrínseca.

Alguém gostaria de fazer alguma pergunta?

Pergunta: Sinto uma terrível batalha sendo travada neste exato momento com relação à minha auto-estima. A impressão que tenho é a de uma explosão atômica. Percebo que estou agarrado às minhas próprias limitações. Dou-me conta de que não consigo encontrar o prazer nas coisas. Nascido do meu estado habitual de insatisfação, o prazer quase parece ser algo antinatural.

Resposta: Se puder se considerar como a essência da vida, com todas as suas forças extraordinárias, possibilidades e potencialidades inerentes, você realmente saberá que merece sua própria estima e aceitação. Você será capaz de ver as características que odeia e ainda assim não perder de vista quem você é na essência.

Sugiro também um exercício específico que você pode considerar muito proveitoso. Anote tudo aquilo de que não gosta em você. Ponha tudo preto no branco. Observe esses traços de que você não gosta quando estão escritos. Então sinta o seu íntimo e pergunte: "Acredito realmente que isto é tudo o que há com relação a mim? Acredito realmente que vou carregar essas características por toda a minha vida? Acredito que tenho a possibilidade de amar? Conservo presas em mim forças que contêm todo o bem imaginável? Fazendo a si mesmo essas perguntas com seriedade você obterá uma resposta num nível profundamente sentido, um nível em que a resposta é mais do que um conceito teórico. Você experimentará um novo poder em você do qual não precisa ter medo e uma nova delicadeza e suavidade que dispensam hostilidade ou outras defesas. Então você saberá o quanto há em você para amar e respeitar.

A unificação do amor e do prazer

Na sua caminhada pessoal, há pouco tempo, vocês se defrontaram com uma concepção errônea muito específica que impossibilita o ato de amar enquanto abrigarem essa concepção no seu interior. [Se vocês erroneamente igualarem o amor com o perigo enorme de ficar totalmente empobrecidos e mesmo privados da própria vida, como podem querer amar?] Como podem permitir-se amar? Segundo essa idéia falsa, dar de si mesmo significa perder o que você dá, sem jamais ser novamente preenchido. Se isso fosse verdade, o amor seria impossível e o ato de dar seria uma loucura. Você pode agora perceber que isso não é assim; você é capaz de aprender que a realidade é diferente? E se pode ver que o amor tem sua origem na mesma fonte inexaurível que a sabedoria, como acontece com a vida toda, você pode também perceber que não precisará negar seu próprio instinto natural que quer expandir-se, que quer o prazer de sentir o amor, o calor e a auto-entrega? E você pode ainda prever o passo natural e orgânico seguinte, ou seja: se você for capaz de amar, será que inevitavelmente amará a você mesmo? É por isso que você tem medo do prazer. Não só o prazer parece totalmente imerecido, mas o amor e o prazer são intercambiáveis. O verdadeiro prazer é o amor, e sem amor o prazer simplesmente não existe. Se você abriga sentimentos de amor, todo seu corpo está numa vibração de felicidade, com certeza, com segurança, com paz, com estimulação, com excitação na maneira mais solta e prazerosa. Isto não lhe chega através de nada que lhe é dado quando você é meramente um recipiente. Isto chega quando você vibra com esse sentimento. Isto também não significa que você não receba amor. O dar e o receber se tornam intercambiáveis, tanto que muitas vezes não se consegue discernir o que é dar e o que é receber. Ambos se tornam indistinguíveis num único movimento.

Mas se sua natureza ainda não é capaz de permitir o sentimento de amor, você deve ter medo da felicidade, visto que felicidade e amor são a mesma coisa. A concepção errônea de que dar é perder faz com que você se feche e se contraia em todas as situações que poderiam trazer à tona seus instintos naturais. Quando você nega o amor e o prazer, inevitavelmente você nega sua auto-estima. A chave está em ver que sua inabilidade para amar não é um aspecto inato que você abriga para sempre. Trata-se de um bloqueio temporário para o amor, baseado em algumas falsas premissas que existem num nível mais profundo de sua experiência emocional. Você pode mudar essa concepção errônea a qualquer momento que a observar verdadeira e plenamente.

Sejam todos abençoados. Fiquem em paz. Sejam o que são, honesta e verazmente, para que Deus possa se manifestar cada vez mais em vocês.

14

Meditação em relação a três vozes: ego, eu inferior, eu superior

Nesta meditação, especificamente ligada à autotransformação, envolvemos o ego consciente para facilitar um diálogo entre o eu superior e o eu inferior, com o objetivo último de fazer com que o conteúdo do inconsciente se revele à mente consciente. Fazer isso, anotando o que chega à superfície porque precisa ser identificado e transformado, pode ser uma prática diária de valor inestimável. Com a energia assim adquirida, podemos aprender a arte de criar uma vida positiva.

* * *

Saudações a todos os meus amigos aqui presentes. Amor e bênçãos, apoio e força interior estão à disposição para dar-lhes suporte e para ajudá-los a abrirem seu ser mais recôndito. Espero que todos continuem fomentando esse processo para que tenham condições de trazer à vida seu ser total – gerando plenitude em vocês.

Há muitas espécies diferentes de meditação. A meditação religiosa consiste em fazer orações já estabelecidas, prescritas. Temos também a meditação em que a ênfase maior é posta no desenvolvimento dos poderes de concentração. Num outro tipo de meditação, contemplamos e refletimos sobre as leis espirituais. Existe ainda a meditação em que tornamos o ego totalmente passivo e privado de vontade para que o divino siga seu próprio fluxo. Essas e outras formas de meditação podem ter maior ou menor valor, mas a sugestão que dou aos amigos que trabalham comigo é que, de preferência, utilizem a energia e o tempo disponíveis para observar de frente aquela parte do eu que cerceia a felicidade, a realização e a plenitude. Você jamais poderá criar a plenitude a que aspira realmente, quer este objetivo seja claro ou não, se evitar essa confrontação. Este enfoque inclui a ação de dar expressão ao aspecto recalcitrante do eu egoísta e destrutivo que nega a felicidade, a realização e a beleza.

Para compreender bem a dinâmica, o sentido e o processo de meditação e haurir dela o maior benefício possível, você deve ter clareza com relação a certas leis psíquicas. Uma dessas leis diz que uma meditação eficaz de fato deve envolver ativamente três camadas fundamentais da personalidade.

Esses três níveis fundamentais da personalidade podem ser assim denominados:

(1) *o nível do ego consciente*, com todo conhecimento e vontade conscientes;

(2) *o nível infantil egoísta inconsciente*, com toda sua ignorância, destrutividade e arroubos de onipotência; e

(3) *o eu universal supraconsciente*, com sua sabedoria superior, seu poder, seu amor e sua compreensão abrangente dos fatos da vida humana.

Na meditação verdadeira, o ego consciente ativa tanto o eu inconsciente, egoísta e destrutivo quanto o eu universal, superior e supraconsciente. Deve sempre acontecer uma interação constante entre esses três níveis, para o que se exige grande atenção por parte do ego consciente.

O ego como mediador

O ego consciente deve ter a determinação de permitir que o eu egoísta inconsciente se revele, se desdobre, se manifeste na consciência, se expresse a si mesmo. Isto não é tão fácil nem tão difícil quanto possa parecer. É difícil unicamente devido ao medo de não ser tão perfeito, evoluído, bom, racional e ideal quanto se gostaria de ser e até que se faz de conta de ser, de modo que na superfície da consciência o ego quase se convence que é a auto-imagem idealizada. Essa convicção de superfície é permanentemente contrariada pelo conhecimento inconsciente de que essa imagem é falsa, com a conseqüência de que secretamente a personalidade toda se sente fraudulenta e amedrontada com a exposição. É um sinal significativo de auto-aceitação e de desenvolvimento quando um ser humano permite que a parte egoísta, irracional e francamente destrutiva se manifeste na consciência interior e a identifica em todos os seus detalhes específicos. Isto apenas é suficiente para impedir uma manifestação *indireta* perigosa da qual a consciência não tem percepção porque não está ligada com ela, parecendo assim que os resultados indesejados provêm de fora.

Assim, o ego consciente deve aprofundar-se e dizer: "O que quer que esteja em mim, o que quer que esteja escondido e que eu deva saber sobre mim, qualquer negatividade e destrutividade que exista deve ser exposta. Quero vê-la, comprometo-me a vê-la, por mais que isso possa ferir minha vaidade. Quero estar consciente do modo como deliberadamente me recuso a ver a parte de mim a que estou agarrado, o que traz como conseqüência o fato de ater-me demasiadamente aos erros dos outros." Este é um sentido que se presta para a meditação.

O outro sentido é favorável ao eu superior universal, o qual dispõe de poderes que ultrapassam as limitações do eu consciente. Esses poderes superiores também devem ser chamados para ajudar a expor o pequeno eu destrutivo, para que a resistência seja vencida. A vontade do ego sozinho pode ser incapaz de realizar isso, mas o seu ego consciente pode e deve pedir que os poderes superiores ajudem. O pedido de ajuda deve ser dirigido também à consciência universal para que esta o ajude a compreender corretamente as expressões da criança destrutiva, sem exageros, de modo que você não vá do extremo de ignorar essa criança até o extremo de torná-la um monstro. Uma pessoa pode facilmente oscilar de um auto-enaltecimento externo a uma autodepreciação interna, oculta. Quando a criança destrutiva se revela, pode-se chegar à crença de que esse eu destrutivo é a realidade última, deplorável. Precisa-se pedir a orientação constante do eu universal para se ter uma perspectiva completa da revelação da criança egoísta.

Quando a criança começa a expressar-se mais livremente porque o ego o permite e a recebe como um ouvinte aberto, interessado e isento de julgamento, recolha esse material para estudo mais aprofundado. Tudo o que se revela por si mesmo deve ser pesquisado para se chegar às suas origens, resultados e outros desdobramentos. Pergunte a você mesmo que concepções errôneas subjacentes são responsáveis pelo ódio, rancor, malícia ou quaisquer outros sentimentos negativos que chegam à superfície. Quando essas concepções são identificadas, a culpa e o ódio de si mesmo diminuem em termos proporcionais.

Outra pergunta a formular é esta: Quais são as conseqüências que advêm do fato de você ceder aos impulsos destrutivos em nome de um prazer momentâneo? Quando você trabalha questões como essa, os aspectos destrutivos enfraquecem – mais uma vez na proporção da compreensão da causa e do efeito específicos. Sem esta parte do caminho, a tarefa é cumprida apenas pela metade. A meditação deve abarcar o problema todo da negatividade inconsciente, etapa por etapa.

A interação é tríplice. O ego observador deve inicialmente desejar e comprometer-se a alcançar e a expor o lado negativo. Ele deve também pedir a ajuda do eu universal. Quando a criança se revela, o ego deve *novamente* pedir a ajuda do eu universal para fortalecer a consciência com vistas num trabalho mais profundo, que é a exploração das concepções errôneas subjacentes e o preço enorme pago por elas. Se você permitir, o eu universal pode ajudar a vencer a tentação de ceder sempre de novo aos impulsos destrutivos. Este fato de ceder não se verifica necessariamente na ação, mas pode manifestar-se em atitudes emocionais.

A atitude meditativa

Uma meditação assim exige muito tempo, paciência, perseverança e determinação. Sempre que você se deparar com algum aspecto seu não realizado, com algum problema ou conflito, sua atitude não deve ser a de fixar-se pesarosamente nos outros ou nas circunstâncias fora de seu controle, mas sim a de interiorizar-se e investigar as causas encravadas em seu próprio nível infantil egocêntrico. A meditação é um pré-requisito absoluto aqui: ela significa *recolher-se em você mesmo*, calma e serenamente desejando conhecer a verdade dessa circunstância em particular e suas causas. Depois você precisa *esperar tranqüilamente uma resposta*. Nesse estado de espírito, a paz chegará antes até de você compreender plenamente por que abriga uma determinada negatividade. Essa abordagem autêntica à vida lhe dará imediatamente uma medida da paz e do auto-respeito que lhe faltavam quando responsabilizava os outros pelos sofrimentos que padecia.

Se praticar essa meditação, você descobrirá um lado seu que nunca chegou a conhecer. De fato, você conhecerá dois aspectos: os poderes universais superiores entrarão em contato com você para ajudá-lo a descobrir seu lado mais destrutivo e ignorante, o qual necessita de percepção, purificação e mudança. Através de sua disposição a aceitar seu eu inferior, o eu superior tornar-se-á uma presença mais real em você. De fato, você vai senti-lo cada vez mais como o seu verdadeiro eu.

Muitas pessoas meditam, mas negligenciam o duplo aspecto do esforço e por isso não realizam a integração. Elas podem realizar alguns poderes universais que entram em ação nos casos em que a personalidade é suficientemente livre, positiva, aberta, mas as áreas não-livres, negativas e fechadas são negligenciadas. Por si sós, os poderes universais realizados não irão propiciar uma integração com a parte não desenvolvida do eu. O ego consciente deve decidir por essa integração e lutar por ela, pois de outro modo o eu universal não terá condições de chegar às áreas bloqueadas. A integração parcial com o eu universal, por si só, pode levar a uma decepção ainda maior se a consciência é enganada pela integração parcial que existe realmente com poderes divinos e tende a ser mais indiferente ainda ao aspecto já desconsiderado. Isso leva a um desenvolvimento desequilibrado.

As mudanças efetuadas pela meditação do "caminho"

Um fortalecimento expressivo ocorre em todo seu eu quando você passa pelo processo todo. Várias coisas começam a acontecer em sua personalidade. Em primeiro lugar, seu ego-personalidade consciente torna-se mais forte e mais saudável. Mais forte num sentido positivo, solto, com mais determinação, percepção, direcionalidade significativa e um grande poder de concentração com atenção focalizada. Em segundo lugar, você cultivará uma auto-aceitação e uma compreensão da realidade muito maiores. A auto-rejeição e a auto-aversão irreais desaparecerão. As exigências igualmente irreais de ser alguém especial e perfeito também cessarão. O orgulho espiritual e a falsa vaidade, bem como a humilhação de si mesmo e a falsa vergonha também deixarão de existir. Através da firme ativação dos poderes superiores, o eu se sente cada vez menos desamparado, desalentado, perdido, desesperançado e vazio. O sentido todo do universo em todas suas maravilhosas possibilidades revela-se a partir de dentro, à medida que a realidade desse mundo mais amplo lhe mostra o caminho para aceitar e para mudar sua criança interior, destrutiva. Essa mudança gradual lhe permite aceitar todos seus sentimentos e deixar que o fluxo de energia passe por todo seu ser. Quando você aceita seu lado pequeno, mesquinho e insignificante sem chegar a pensar que ele é a realidade plena e última, então a beleza, o amor, a sabedoria e o poder infinitos do eu superior tornam-se mais reais. O fato de trabalhar com seu eu inferior conduz a um desenvolvimento equilibrado, à integração e a um sentido profundo e tranqüilizador de sua própria realidade. O resultado que se espera é uma afeição realista e bem alicerçada por você mesmo.

Quando vê a verdade em você mesmo e se torna uma segunda natureza querer essa verdade e entregar-se a ela, você detecta um aspecto seu desagradável, aspecto esse que até agora você não queria perceber. Simultaneamente, você também detecta esse poder imenso, universal, espiritual que está em você e que na verdade é você. Por paradoxal que possa parecer, quanto mais você aceita a pequena criatura mesquinha, a pequena criança ignorante em você sem perder seu sentido de valor próprio, melhor você perceberá a grandiosidade do seu ser mais íntimo, com a condição de que não use suas descobertas a respeito do pequeno eu para entrar em depressão. O eu inferior quer induzir o ego consciente a ficar dentro dos estreitos limites da autoflagelação neurótica, da desesperança e da capitulação mórbida, que sempre encobrem um ódio reprimido. O ego consciente deve frustrar esse estratagema utilizando todo seu conhecimento e seus recursos. Observe esse hábito de autoflagelação, de desesperança e de capitulação em você mesmo e reaja contra – não o reprimindo uma vez mais, mas utilizando tudo o que sabe. Falando a essa sua parte, você pode concentrar nela todo o conhecimento que seu ego consciente possui. Se isso não for suficiente, solicite aos poderes que estão além de sua consciência que venham em seu auxílio.

À medida que for aumentando o seu conhecimento tanto do inferior como do superior do seu íntimo, você descobrirá a função e as capacidades, mas também as limitações do ego consciente. No nível consciente, a função do ego é ver a verdade plena tanto do mais baixo como do mais elevado em você, desejando, com todas as suas forças, mudar e renunciar à destrutividade. A limitação é que o ego-consciência não pode fazer isso sozinho e deve buscar ajuda e orientação junto ao eu universal, esperando com paciência, sem duvidar, e sem forçar com impaciência. Essa espera precisa de uma atitude aberta com relação ao modo como a ajuda pode manifestar-se. Quanto menos numerosas forem as idéias preconcebidas que alguém possa ter, mais rapidamente a ajuda estará à disposição e será reconhecida. A ajuda da consciência universal pode chegar de uma maneira totalmente diferente daquela que seus conceitos possam pressupor, e isso pode ser um obstáculo. Uma atitude positiva aberta, de espera e de aceitação é também necessária, embora a percepção de sua ausência possa também tornar-se uma percepção construtiva da situação do eu no momento.

A reeducação do eu destrutivo

Discutimos até aqui as duas fases do processo de meditação: primeiro, o reconhecimento do eu egoísta inconsciente e destrutivo, e em seguida a compreensão das concepções errôneas subjacentes, as causas e os efeitos, o sentido e o preço a ser pago pelas atitudes destrutivas atuais. *A terceira fase é a reorientação e a reeducação da parte destrutiva do eu.* A criança destrutiva já não está totalmente inconsciente agora. Essa criança com suas crenças falsas, com sua resistência obstinada, com seu rancor e raiva impiedosa, precisa ser reorientada. A reeducação, porém, somente acontecerá se você estiver plenamente consciente de todos os aspectos das crenças e atitudes dessa criança destrutiva. É por isso que a primeira parte da meditação – a fase de exploração, de revelação – é tão fundamental. Não se precisa dizer que essa primeira fase não é algo que tenha um fim, para então começar a segunda fase e depois a terceira. Não se trata de um processo seqüencial; as fases se sobrepõem.

O que direi a seguir deve ser considerado com muito cuidado, pois do contrário as sutilezas envolvidas não serão captadas. A reeducação pode facilmente ser mal entendida e levada a uma supressão ou repressão renovada da parte destrutiva que começa a se desenvolver. Você deve estar bem atento e ter como meta evitar isso, sem, contudo, permitir que a parte destrutiva o absorva. A melhor atitude com relação ao desdobramento da parte destrutiva é a da observação imparcial, do não-julgamento, da aceitação serena. Quanto mais ela se desenvolve, mais você deve lembrar-se de que nem a verdade de sua existência nem suas atitudes destrutivas são definitivas. Elas não são as únicas atitudes que você tem nem são absolutas. Acima de tudo, você dispõe do seu poder inerente de mudar o que quiser. Pode faltar-lhe o incentivo de mudar quando você não está plenamente consciente do dano que sua parte destrutiva causa à sua vida quando ela não é identificada. Por isso, outro aspecto importante dessa fase do trabalho de meditação é observar em profundidade e em extensão as manifestações indiretas. Como o ódio não expresso se manifesta em sua vida? Talvez ele o faça sentir-se desmerecedor e temeroso ou talvez iniba suas energias. Este é apenas um exemplo; todas as manifestações indiretas precisam ser estudadas.

É importante que, neste ponto, você se lembre de que onde há vida, há movimento constante, mesmo que este esteja momentaneamente paralisado: matéria é substância vital paralisada. Os bloqueios de energia solidificados em seu corpo são substância vital temporariamente enrijecida, imobilizada. Essa substância vital sempre pode retomar seu movimento, mas somente a consciência pode fazer isso, porque a substância da vida é impregnada de consciência e de energia. Não importa se essa energia está momentaneamente bloqueada e solidificada ou se essa consciência está temporariamente obscurecida. Acima de tudo, a meditação significa que a parte de você que já está consciente e em movimento tem realmente a intenção de fazer com que a energia bloqueada e a consciência embaçada novamente se movimentem e se tornem perceptivas. A melhor maneira de fazer isso é deixar que, antes de mais nada, a consciência endurecida e empanada se expresse. Nessa hora você precisa ter uma atitude receptiva, e não reagir como se o que aflora fosse algo devastador e catastrófico. A atitude de pânico com relação à própria criança destrutiva em desenvolvimento causa mais dano do que a criança destrutiva em si. Você deve aprender a ouvi-la, a compreendê-la, a calmamente receber suas expressões sem odiar a você mesmo e sem repelir a criança. Somente com essa atitude é que você pode compreender as causas da destrutividade subjacente dessa criança. Somente então é que o processo de reeducação pode começar.

A atitude de negação, de pânico, de terror, de auto-rejeição e de exigência de perfeição que, em geral, você assume, inviabiliza cada parte dessa meditação. Essa atitude não possibilita o desenvolvimento; ela não permite a pesquisa das causas do que poderia ser desenvolvido; e certamente impede a reeducação. É a atitude de aceitação e de compreensão que possibilita que o ego consciente reivindique seu domínio benigno sobre a matéria psíquica violentamente destrutiva e estagnada. Como afirmei muitas vezes, a bondade, a firmeza e a determinação profunda contra sua própria destrutividade são indispensáveis. Estamos diante de um paradoxo: identificar-se com a destrutividade e, todavia, não apegar-se a ela. Aceitar que se trata de você mesmo, mas também saber que existe uma outra parte sua que pode dizer a palavra final, se você assim o decidir. Por isso, você precisa expandir as fronteiras das expressões de seu ego consciente para incluir a possibilidade de dizer a qualquer momento: "Serei mais forte do que minha destrutividade e não me deixarei tolher por ela. Decido que minha vida será a melhor e a mais plena possível, e que posso, e por isso o farei, superar os bloqueios em mim que me fazem querer continuar infeliz. Essa minha determinação atrairá os poderes superiores que me tornarão capaz de vivenciar cada vez mais felicidade porque posso abandonar o prazer duvidoso de ser negativo, que agora identifico plenamente." Esta é a tarefa do ego consciente. Então, e somente então, ele poderá trazer à cena os poderes de orientação, de sabedoria e de força, e um novo sentimento interior de amor que brota do fato de ser permeado pelo eu universal.

Também a reeducação deve prosseguir através do relacionamento dos três níveis interativos, do mesmo modo que esse relacionamento foi necessário para conscientizar o lado destrutivo e para investigar seu sentido mais profundo. A reeducação depende dos esforços tanto do ego consciente, com suas instruções para a criança egoísta, ignorante e com seu diálogo com ela, como também da intervenção e orientação do eu universal, espiritual. Cada um a seu modo promoverá a maturidade gradual dessa criança. O ego estabelece seu objetivo de mudar a consciência da criança interior negativa desejando essa mudança e entregando-se a ela. Esta é sua tarefa. A realização plena dessa tarefa é possível devido ao influxo espiritual proveniente da personalidade mais profunda que deve ser deliberadamente ativada. Aqui a consciência deve novamente adotar uma dupla abordagem: a primeira é a atividade que estabelece seu desejo de transformar os aspectos autoderrotistas, conduzindo o diálogo e instruindo a criança ignorante, calmamente, mas com firmeza. A segunda é uma espera mais passiva, mais paciente, de uma manifestação final, mas sempre gradual, dos poderes universais. São esses que causam a mudança interior quando os sentimentos conduzem a reações novas e mais elásticas. Assim os bons sentimentos substituirão os que eram negativos ou entorpecidos.

Apressar e pressionar a parte que resiste é tão inútil e ineficaz quanto aceitar sua recusa direta de sair de onde está. Quando o ego consciente não reconhece que há uma parte do eu que efetivamente se recusa a dar os passos necessários na direção da saúde, do desenvolvimento e da vida agradável, um movimento contrário pode ser o de pressão agitada e impaciente. Ambas as situações derivam do ódio a si próprio. Quando você se sente fechado em si mesmo e desesperançado, tome isso como um sinal para pesquisar aquela sua parte que diz, "Não quero mudar, não quero ser construtivo". Comece a busca e encontre essa voz. Use mais uma vez o diálogo meditativo para pesquisar e deixar que o pior em você se expresse.

Vocês podem ver, meus amigos, que expressar a parte negativa, pesquisar seu significado, sua causa e seus efeitos e reeducá-la deve ser um processo em mutação constante, com momentos de alternância e de simultaneidade. Veja como os três níveis de interação se combinam no esforço de purificação e de integração. A meditação funciona aqui como uma articulação constante do que antes estava desarticulado. Trata-se de uma tríplice comunicação e confrontação: do ego para o eu destrutivo e do ego para o eu universal de modo que o eu universal possa afetar tanto o ego como o eu destrutivo. Sua própria sensibilidade crescerá dia após dia para sentir o que exatamente é necessário em qualquer etapa do seu caminho evolutivo.

Uma técnica para começar a meditação

Cada dia traz novas tarefas, tarefas excitantes, maravilhosas. Não devemos nos aproximar delas como se fôssemos nos livrar de uma obrigação, com a idéia de que só então a vida pode começar. Pelo contrário, o processo de meditação é algo vívido. Você pode iniciar cada meditação perguntando-se: "O que sinto realmente neste momento com relação a essa ou àquela questão? Em que aspecto estou insatisfeito? O que é que, talvez, estou observando superficialmente?" Em seguida, você pode pedir ao Espírito universal em você que o ajude a encontrar respostas pertinentes. Espere com confiança os desdobramentos possíveis. É só com o desenvolvimento de alguma parte sua que você pode ter o encontro direto, a comunicação, ou o diálogo com ela, fazer-lhe mais perguntas e também instruí-la. Com paciência e determinação, você pode remodelar a parte distorcida, mas somente depois que ela se expressa plenamente. Você pode dar nova forma à energia psíquica estagnada, reorientá-la, através de sua disposição de ser totalmente honesto, plenamente construtivo, amoroso e aberto. Se você se achar indisponível com relação a esse aspecto, encare-o, estude-o e reeduque-o.

Este é o único modo significativo pelo qual a meditação pode movimentar sua vida para a solução de problemas, para o desenvolvimento e a realização e para o desvelamento do seu melhor potencial. Se você fizer isso, meu amigo, chegará o tempo em que a vida confiante não mais parecerá uma teoria vaga e distante que você não pode inserir na sua prática pessoal. Em vez disso, sua confiança na vida, bem como o amor a você mesmo no sentido mais saudável, irá preenchê-lo cada vez mais, com base em considerações realistas e não em veleidades.

Reconciliação dos paradoxos da sua vida

À medida que sua consciência se expande, os paradoxos e oposições que constantemente o desorientam serão reconciliados. Examinemos inicialmente o paradoxo do desejo. Tanto a presença como a ausência do desejo são atitudes espirituais importantes. Somente à mente dualista, dividida, é que estas parecem atitudes opostas, levando à confusão sobre o que é certo e sobre o que é errado.

Os seres humanos desejam. Somente o desejo pode conduzir você ao quarto aspecto da meditação. O quarto aspecto é a expansão de seus conceitos conscientes para criar uma substância de vida nova e melhor, e daí a expansão da vida. Se você não deseja um estado de ser mais aperfeiçoado e uma realização mais plena, você não terá material para criar e modelar a substância da vida. A visualização de um estado mais pleno pressupõe o desejo. Esses conceitos devem ser nutridos pelo ego consciente, e a Consciência universal deve intervir para ajudar a criar um estado de maior expansão.

Se considerar o desejo e a ausência dele como mutuamente excludentes, você não poderá apreender ou sentir a atitude apropriada. O desejo deve existir para que se possa acreditar em novas possibilidades e para evoluir a estados superiores de plenitude e de auto-expressão. Mas um desejo tenso, premente e contraído forma um bloqueio. Um desejo desses implica afirmações do tipo: "Não acredito que o objeto de meu desejo possa se concretizar", e que é, talvez, o resultado de um conceito subjacente do tipo "De fato, não quero isso", devido a alguma concepção errônea, a um medo infundado ou a uma falta de disposição para pagar o preço. Essa negação subjacente cria um desejo muito tenso. Portanto, deve existir uma espécie de falta de desejo que poderia ser expressa pela afirmação: "Sei que posso ter tal e tal coisa, e tê-la-ei, mesmo que não se realize neste momento, sob essa ou aquela forma específica. Confio no universo e em minha própria boa vontade capaz de esperar; e me fortalecerei ao longo do caminho para enfrentar adequadamente a frustração temporária desse desejo."

Quais são os denominadores comuns do desejo saudável e da falta de desejo saudável que fazem da meditação e de toda a expressão de vida algo real e belo? Primeiro, verificamos uma ausência de medo e uma presença de confiança. Se você teme a frustração e a não-realização, bem como suas conseqüências, a tensão do movimento de sua alma impedirá a realização que você deseja. Você chegará até a renunciar a todo desejo. Então a falta de desejo será distorcida, mal entendida e da espécie errada porque existe um desejo demasiadamente tenso. Em última análise, esse desejo tenso deriva do medo provocado pela crença infantil de que você será aniquilado se não conseguir o que deseja. Assim, você não acredita na sua habilidade de lidar com a falta de realização, fato que o torna desmedidamente temeroso dela.

Assim, o círculo vicioso continua. O medo induz a uma limitação que se transforma numa negação de desejo. Essas atitudes sutis e obscuras precisam ser exploradas em sua meditação para que você possa chegar ao quarto estágio da meditação significativa. Nesse estágio, você expressa seu desejo com confiança em sua habilidade de lidar tanto com a não-realização como com a realização e, portanto, com um universo benigno, capaz de conceder-lhe aquilo a que você aspira. Os obstáculos ao longo do caminho podem ser superados quando você sabe que o estágio supremo de felicidade será seu de qualquer modo. Então o desejo e a ausência de desejo não serão paradoxos irreconciliáveis, mas atitudes complementares.

De modo semelhante, parece paradoxal postular que tanto o envolvimento como o desapego devem existir numa psique saudável. Novamente, há uma abordagem dupla à compreensão dessa contradição aparente. Se o desprendimento é indiferença porque você tem medo de ser envolvido, de arriscar o sofrimento e de amar, então esse desprendimento é uma distorção da atitude verdadeira. Se o envolvimento é meramente a expressão de uma vontade supertensa gerada por sua insistência infantil em ter imediatamente o que quer, então a versão de envolvimento produtivo e saudável está invertida.

Escolherei um terceiro exemplo de opostos aparentes que, quando não distorcidos, constituem um todo abrangente. Tomemos as atitudes interiores de *atividade* e *passividade*. No nível dualista, essas duas atitudes parecem ser mutuamente excludentes. Como você pode ser ativo e passivo ao mesmo tempo de modo harmonioso? A interação interior correta inclui ambos esses movimentos interiores. Por exemplo, a meditação, como a expliquei aqui, deve incluir ambos. Você é ativo quando explora seus níveis interiores de consciência; você é ativo quando se compromete e se empenha em reconhecer e superar a resistência; você é ativo quando se questiona com mais profundidade para deixar que se expresse o lado destrutivo que não admitia anteriormente; você é ativo quando tem um diálogo com os aspectos infantis e ignorantes de você mesmo e os reeduca; você é ativo quando usa seu ego-consciência para atrair a ajuda da consciência espiritual; você é ativo quando cria um novo conceito de experiência de vida, em oposição a um conceito velho e restritivo. Quando o ego estabelece a ligação com os outros dois ''universos'', você é ativo. Mas você deve também aprender a esperar passivamente pelo desenvolvimento e expressão desses dois outros níveis. Então a fusão correta de atividade e passividade prepondera na psique. Os poderes universais não podem realizar-se num ser humano a menos que ambos os movimentos, o ativo e o passivo, estejam presentes.

Aí estão conceitos muito importantes que precisam ser aplicados e observados no seu interior. Descubra onde estão distorcidos e onde estão operando adequadamente. Quando a interação tríplice dentro de você acontece, existe sempre uma fusão harmoniosa entre desejo e ausência de desejo; entre envolvimento e desprendimento, entre atividade e passividade. Quando esse equilíbrio se torna um estado estável, *a criança destrutiva se desenvolve*. Ela não morre nem é aniquilada. Ela não é exorcizada. Seus poderes enrijecidos se transformam em energia de vida, que vocês, meus amigos, sentirão realmente como uma *força viva*, nova. Essa criança não deve ser trucidada. Deve ser instruída para que a salvação chegue até ela, liberando-a e levando-a ao desenvolvimento. Se trabalhar com esse intuito, você se aproximará mais e mais da unificação entre o nível do ego e o eu universal.

Este é um material muito rico. Sejam abençoados, fiquem em paz e permaneçam com Deus.

15

Conexão entre o ego
e o poder universal

A energia e a consciência se manifestam como o poder indiviso do universo. Esse poder é o princípio de vida criadora presente em todos nós. Entretanto, os seres humanos freqüentemente perdem o contato consciente com esse poder divino e criador e confiam mais no ego limitado do que no eu superior dentro deles. Qual é o medo que está por trás dessa separação? Como podemos detectar a vergonha que temos do que é melhor em nós e como nos entregar ao poder universal dentro de nós?

* * *

Saudações, meus caríssimos amigos. Possa esta palestra proporcionar a todos vocês uma nova percepção e uma força renovada, para que suas tentativas de encontrar a vocês mesmos – quem são, qual sua origem e como realizar-se – se tornem um pouco mais fáceis. Que essas palavras sejam um novo raio de luz para que todos possam abrir-se de fato a novas nuanças de idéias que talvez já tenham ouvido antes, mas que ainda não se tornaram uma verdade experimentada pessoalmente.

O princípio de vida universal e o ego "desmemoriado"

Em última análise, o significado e a realização da vida de uma pessoa dependem totalmente da relação entre seu ego e o princípio de vida universal – o eu verdadeiro, como também o denominamos. Se essa relação é equilibrada, tudo se encaixa ordenadamente. O princípio de vida universal é a vida em si. É consciência eterna em seu sentido mais profundo e mais elevado, movimento eterno e prazer supremo. Por ser vida, não pode morrer. Ele é a essência de tudo o que respira, se move e vibra. Ele sabe tudo, porque constantemente se cria e se perpetua a si mesmo, porque não pode ser não-verdadeiro à sua própria natureza.

Toda consciência individual é consciência universal – não apenas uma parte dela, pois uma parte é apenas uma pequena porção – mas onde quer que haja consciência, lá está a consciência original. Essa consciência original, ou princípio de vida criadora, assume várias formas. No processo de individualização, quando uma entidade ultrapassa o ponto em que deveria se lembrar de sua conexão com sua origem, ocorre uma desconexão. A consciência particular continua existindo e contendo a consciência universal, mas se esquece de sua própria natureza, de suas leis e de seus potenciais. Em síntese, este é o estado da consciência humana como um todo. Chamamos de ego separado à parte que esquece sua conexão com o princípio de vida.

Quando começa a tomar consciência do princípio de vida, você descobre que ele sempre esteve aí, mas que você não o percebeu, porque estava sob a ilusão de que existia separadamente. Portanto, não é bem exato afirmar que a consciência universal se "manifesta". Seria mais correto dizer que você começa a dar-se conta dela. Você pode perceber o poder sempre presente do princípio de vida como consciência autônoma ou como energia. O ego-personalidade separado possui ambas, mas o ego-inteligência é inferior à inteligência universal, quer você o reconheça e o ponha em ação ou não. O mesmo se aplica à energia. *Consciência e energia não são aspectos separados da vida universal; antes, constituem uma unidade.*

Uma das características básicas do princípio de vida universal, quer seja expresso como consciência autônoma ou como energia, é que ele é espontâneo. Ele não pode revelar-se através de um processo laborioso ou de um estado comprimido, superconcentrado. Sua manifestação é sempre um resultado indireto do esforço. O esforço deve ser feito para que se veja a verdade pairando sobre si mesmo, para que se abandone uma determinada ilusão, para que se vença uma barreira com o intuito de ser construtivo em vez de destrutivo, e não para um processo ainda teórico chamado auto-realização, que promete ser bom.

Cada passo dado para ver a verdade no eu, com um desejo autêntico de participar construtivamente no processo criador de vida, libera o eu. É assim que os processos espontâneos começam. Eles nunca são conscientemente volitivos. Quanto mais você tem medo do desconhecido, da renúncia, dos processos involuntários em seu próprio corpo, menos você pode experimentar o princípio de vida espontâneo no eu.

O princípio de vida pode se manifestar como sabedoria não-imaginada anteriormente para a solução de problemas pessoais ou para o cultivo das habilidades criativas. Ele pode se tornar um novo modo vibrante de experimentar a vida, de dar um novo sabor a tudo o que se faz e se vê. O princípio de vida é sempre seguro e sempre oferece justificada esperança que nunca será desapontada. Não há nenhum temor nessa nova experiência de vida, embora ela possa ser pressionada e forçada. Ela acontece exatamente na medida em que você deixou de ter medo dos processos involuntários, aqueles mecanismos interiores que não estão sob o controle direto do ego.

O conflito entre o anseio e o temor do eu verdadeiro

A humanidade se acha na posição paradoxal de desejar ardentemente os frutos desses processos involuntários e de ao mesmo tempo temê-los e debater-se com eles. O conflito é terrível e trágico, e só pode ser resolvido quando você se livra do medo.

Em última instância, todos os problemas psicológicos derivam desse conflito existencial profundo, muito além das dificuldades pessoais que a criança vivencia e que mais tarde causam problemas e concepções errôneas interiores. A vida toda se move na direção da solução desse conflito básico. Mas a solução só acontece se antes encontramos e compreendemos os conflitos neuróticos individuais. Você precisa aprender a ver e a aceitar tudo o que é real e verdadeiro em você, nos outros e na vida. A honestidade deve prevalecer para que se possam eliminar as tentativas de enganar a vida, por mais sutis que essas sejam. Todos os defeitos de caráter devem ser removidos pela identificação plena e pela observação objetiva deles, sem mergulhar no desespero e sem negá-los. Esta atitude por si só dilui os defeitos de modo bem mais eficaz do que outra técnica qualquer. Só assim pode a pessoa perceber o conflito existencial entre o ego e a consciência universal.

Interpretações errôneas do princípio de vida universal por parte da religião

A consciência universal que se manifesta espontaneamente não tem nada que ver com preceitos religiosos de uma divindade distante ou com uma vida além dessa vida física. Essas são interpretações errôneas que se verificam quando alguém sente o princípio de vida universal e, tateando, tenta passar sua experiência àquele cujo ego ainda está em conflito com esse princípio. Tais interpretações errôneas alienam a pessoa de seu eu imediato e de sua vida prática diária.

As pessoas querem encontrar um meio-termo entre seu anseio, que provém da sensação profunda das possibilidades presentes que lhes são disponíveis, e seu medo. Elas o criaram em todas as religiões formais, institucionalizadas, que afastaram Deus do eu e da vida diária, que dividiram a natureza humana em dois seres distintos, o espiritual e o físico. Assim, a realização plena é forçosamente desvinculada do *agora* e jogada para uma vida após a morte. Todas essas visões e enfoques da vida nada mais são do que uma conciliação entre o que a pessoa sente que poderia existir e o que ela teme. Esse temor vai além dos medos neuróticos causados pelas concepções errôneas e pelos traumas vividos pessoalmente.

Que medo básico é esse de se afastar do ego exterior e de deixar que os processos universais se desenvolvam e arrastem você? É o falso entendimento de que renunciar ao ego significa renunciar à existência. Para entender um pouco melhor este problema, analisemos como o ego se formou a partir da vida universal.

A individuação é um aspecto essencial da força da vida universal. A vida criadora está sempre se movimentando, sempre se estendendo, expandindo e contraindo, procurando novas áreas de experiência e se ramificando para novos territórios. Ela encontra sempre novos modos de experimentar a si mesma. À proporção que uma consciência individual vai se separando cada vez mais de sua fonte original, ela "esquece" sua essência e seus próprios princípios e leis até dar a impressão de ser uma entidade totalmente separada. Em seu estado atual, a existência individual está associada unicamente com a existência separada. Por isso, a impressão que o indivíduo tem é que renunciar ao ego é uma *aniquilação* de sua existência pessoal única.

Esta é a condição atual dos seres humanos. Você vive sob a ilusão de que a vida, o sentido do "Eu sou", somente pode ser encontrada em sua existência "separada". Essa ilusão trouxe a morte para dentro do domínio humano, pois a morte nada mais é do que essa ilusão levada à sua absurdidade última.

A percepção de que o ego-existência separado é uma ilusão constitui uma etapa extremamente importante na evolução da humanidade. Qualquer trabalho de auto-realização aborda essa questão de uma maneira muito clara. À medida que observar atentamente a verdade imediata de você mesmo como indivíduo, você perceberá que você e o princípio de vida criadora são uma coisa só. Quanto mais você se observar na verdade e se livrar de suas ilusões sobre você mesmo, mais perceberá que a existência individual não fica anulada quando os processos involuntários do princípio de vida criadora assumem a direção e se integram com os papéis do ego.

Os que começaram a experimentar o imediatismo dessa vida mais ampla numa renovação de energia, embora pareça paradoxal, descobrem que quanto mais energia oferecem, mais energia renovada geram em si mesmos. Esta é a lei do princípio de vida universal. O estado separado opera dualisticamente; parece "lógico" que quanto mais alguém dá, menos tem e mais vazio se torna. Essa idéia deriva da ilusão de que o ego externo é tudo o que existe para a individualidade. A raiz do medo de renunciar a todas as defesas compactas do ego é precisamente essa concepção errônea.

Aqueles que começam a vivenciar esses poderes e energias também começam a perceber o influxo de uma inteligência inspiradora que parece ser muito maior do que qualquer outra coisa que conheçam em seu intelecto externo, tomado como oposto à sabedoria interior. Todavia, trata-se essencialmente de seu "eu melhor". Inicialmente, parece ser um poder estranho, mas não é. Apenas parece assim quando esses canais foram entupidos devido à ignorância da pessoa. Essa inteligência maior se manifesta como inspiração, orientação e como uma nova forma de intuição que não chega num sentimento vago, mas em palavras concisas, em conhecimento definido, apreensível e traduzível em vida todos os dias.

A descoberta dessa nova vida reconcilia os opostos aparentes de ser um indivíduo e de ser uma unidade com todos os outros, uma parte integrante de um todo. Esses não são mais opostos irreconciliáveis, mas realidades interdependentes. Esses opostos, todos alternativas na aparência mutuamente excludentes que causam tanta angústia à humanidade, começam a se encaixar quando o ego se liga à vida universal.

Como renunciar ao ego

Quando falo em renunciar ao ego, eu não quero dizer aniquilálo ou mesmo subestimar sua importância. O ego fez de si mesmo uma parte separada da vida universal que pode ser encontrada nas profundezas do eu. Podemos ter acesso imediato a essa vida, se assim o desejarmos, quando o ego está pronto para religar-se à sua fonte original. Quando o ego se torna suficientemente forte para correr o risco de confiar em outras faculdades que não suas capacidades conscientes, limitadas, ele encontra uma nova segurança que nem sequer sonhava existir.

Antes de dar esse novo passo, o ego tem medo de ser esmagado, de cair no nada e de cessar de existir. Parece que o fato de agarrar-se a substâncias psíquicas petrificadas, imóveis, atenua esse temor. A imutabilidade parece segura; a mutação parece perigosa. Querer agarrar-se torna a vida ameaçadora, pois a vida é movimento eterno. Quando você acha que o movimento é seguro porque o arrasta, você encontra a única segurança verdadeira que existe. Qualquer outra segurança – confiar no estático, ou apoiar-se nele – é ilusória e torna o medo cada vez maior.

Analogia com a lei da gravidade

O princípio é o mesmo que rege o movimento dos planetas, os quais não despencam no espaço. No cerne da situação humana está sempre o sentimento "Se não me agarrar a mim mesmo, estarei em perigo". Se estiver consciente desse sentimento, você terá à sua disposição uma chave importante, pois pode entrever a possibilidade de se tratar de um erro. Não há nada a temer; você não pode ser esmagado ou aniquilado. Você apenas pode ser levado, como os planetas são levados no espaço.

Como muitas vezes digo, o estado de consciência atual da humanidade cria o mundo em que você vive, incluindo suas leis físicas. Você está habituado a antepor o efeito à causa porque em seu estado dualista você é incapaz de ver o quadro todo e pensa em termos de ou ... ou. A verdade é que você não está relegado a essa esfera; antes, essa esfera, com tudo o que ela contém, é uma expressão do estado de consciência global da humanidade. Uma das leis físicas que expressa esse estado de consciência é a lei da gravidade. É uma lei especial que só pertence à sua consciência dualista. A lei da gravidade se equipara a, ou expressa no nível físico a reação emocional à, ou apreensão da, queda e destruição quando se renuncia ao ego como forma única de existência individual. Esferas de consciência que transcenderam o dualismo desse plano têm diferentes leis físicas, e essas correspondem à consciência global daquelas. A ciência do espaço prova isso, porque no espaço externo não existe gravidade. A Terra dos homens não é a realidade única e última.

Essa analogia é mais do que meramente simbólica. É um sinal que pode ampliar seu horizonte ao pensar sobre novas fronteiras de realidade e experimentá-las interiormente, diminuindo assim seu medo e seu ego-existência ilusório e isolado.

Como aplicar isso, meu amigo, ao ponto onde você se encontra na busca do verdadeiro eu? Observe as várias camadas de sua consciência. Quanto mais você obtém êxito em transformar o material inconsciente em material consciente, e conseqüentemente em reorientar os reflexos defeituosos do material inconsciente, mais próximo você chega da realidade do princípio de vida universal dentro de você. Este princípio torna-se assim mais livre para revelar-se, e você se liberta dos medos, da vergonha e dos preconceitos, até poder se abrir à sua disponibilidade. Qualquer um pode comprovar que quanto mais coragem reúne para observar a verdade nua e crua de si mesmo, mais fácil se torna ligar-se com uma vida interior mais ampla, mais segura e mais feliz. Digo isto a cada um: quanto mais você se liga com algo que remove a incerteza e o conflito, mais você sente uma segurança e uma habilidade interiores para agir que nem sequer imagina que poderiam existir em você. Aí estão as funções do poder, da energia; as funções da inteligência que resolvem todo conflito e fornecem soluções para problemas aparentemente insolúveis. Todos os "se" e "mas" da vida prática diária se soltam – não por meios externos mágicos, mas por intermédio de sua capacidade crescente de lidar com tudo o que acontece como parte integrante de você mesmo. Além disso, você desenvolve uma capacidade ampliada de sentir prazer, o que é direito seu. Quanto mais você se desliga da vida universal, mais você anseia por esse modo de vida.

Durante nossas palestras, deparamo-nos com muitos aspectos dessa tríade. Falei antes de um fenômeno freqüente, ou seja, de que as pessoas muitas vezes se envergonham do seu eu superior – do que têm de melhor. Essa vergonha que têm do eu superior é um sentimento muito importante relacionado com o modo de expor o verdadeiro eu. Um tipo específico de personalidade sente essa vergonha acima de tudo com relação às qualidades boas, ao ato de dar e de amar. Essas pessoas relutam em ceder às exigências da sociedade, acreditando que se fizessem isso perderiam a integridade de sua individualidade. Elas têm medo de se submeter e de depender da opinião dos outros e por isso se sentem envergonhadas por qualquer impulso sincero de agradar aos outros. Elas se sentem mais "elas mesmas" quando são hostis, agressivas e cruéis.

A reação humana ao verdadeiro eu – vergonha e fingimento

Todos os seres humanos têm uma reação semelhante com relação ao seu verdadeiro eu. Isto não se aplica somente à bondade efetiva e à generosidade amorosa dos humanos, mas também a todos os seus outros verdadeiros sentimentos e modos de ser. Essa vergonha estranha se manifesta como embaraço e como uma sensação de exposição do modo como a pessoa é realmente. Essa vergonha faz com que a pessoa se sinta como se estivesse nua e exposta. Não se trata da vergonha da falsidade e da destrutividade da pessoa, nem da sua complacência. Ela está num nível totalmente diverso e é de uma qualidade diferente. Seja de um modo ou de outro, a pessoa se sente vergonhosamente nua – independentemente de pensamentos, sentimentos ou comportamentos bons ou maus. A vergonha é mais aguda quando diz respeito ao que se é no momento.

Por causa dessa sensação, as pessoas fingem. É um tipo de fingimento diferente daquele que encobre a falta de integridade, a destrutividade e a crueldade. Essa dissimulação é mais profunda, mais sutil. Você pode fingir coisas que realmente sente. Você pode sentir amor, mas mostrá-lo é como sentir-se nu, e por isso você cria um amor falso. Você pode realmente sentir raiva, mas a raiva verdadeira se sente desnuda, e assim você cria uma raiva falsa. Você pode sentir tristeza, mas fica mortificado ao reconhecer esse estado até para você mesmo, e assim cria uma tristeza falsa, que você facilmente exibe aos outros. Você pode verdadeiramente sentir prazer, mas expor isto também é humilhante, e assim você cria um prazer falso. Isso se aplica também a reações como confusão e perplexidade. O sentimento verdadeiro fica nu e exposto, e por isso você cria um sentimento falso. Esse fingimento se assemelha a uma capa protetora conhecida apenas pelo eu profundo, geralmente inconsciente. Essa ''veste protetora'' anestesia a pessoa frente à vibração e ao entusiasmo pela vida. Todas essas imitações constroem uma tela entre você e seu centro vital. Isto também o separa da realidade, porque é a realidade de seu próprio ser que você não suporta e que se sente compelido a imitar, desse modo falsificando sua própria existência. A corrente da vida em movimento parece perigosa, não somente enquanto sua segurança está em jogo, mas também enquanto afeta seu orgulho e sua dignidade. Mas tudo isso é ilusão pura e trágica. Como você somente pode encontrar a verdadeira segurança quando se une à fonte da vida dentro de você, assim também só pode encontrar verdadeira dignidade quando supera a vergonha de ser verdadeiro — seja lá o que isto possa significar no momento.

Às vezes, a aniquilação parece um mal menor do que a sensação estranha de vergonha e da exposição do verdadeiro ser da pessoa. Quando você reconhece essa vergonha e não a afasta como inconseqüente, você dá um grande passo, meu amigo. Sentir essa vergonha é a chave para descobrir o torpor que causa desespero e frustração, porque leva a um tipo específico de auto-alienação e de desligamento. Esse sentimento não é traduzível em linguagem racional, porque somente o sabor da experiência e sua qualidade distingue o verdadeiro do falso. Os sentimentos de imitação muitas vezes são sutis e tão

215

profundamente entranhados que se tornam uma segunda natureza. Portanto, há necessidade de um "soltar-se" profundamente sensível, de um "permitir-se" ser você mesmo e de um "permitir-se" sentir; é preciso também ter vontade de ser judicioso com relação às suas descobertas. Tudo isso é necessário antes que você se torne agudamente cônscio da sensação aparente de exposição e nudez que os sentimentos verdadeiros causam em você. A imitação sutil não só reproduz sentimentos opostos àqueles que você registra, mas até com a mesma freqüência reproduz também sentimentos idênticos. O passo seguinte então é a intensificação, que serve de medida para fazer o falso parecer verdadeiro.

Quando você encontra o eu verdadeiro momentâneo, ele está longe de ser "perfeito". Esta não é uma experiência dramática – todavia é crucial. Porque o que você é agora contém todas as sementes de que precisará para viver profunda e vibrantemente.

Você já é esse poder de vida universal. Quando você tem a coragem de ser seu eu verdadeiro, um novo enfoque à sua própria vida interior pode começar, após o que todas as dissimulações se dispersam.

O simbolismo bíblico da nudez

A vergonha da própria nudez ao mostrar o próprio eu como este é agora é explicada pelo simbolismo profundo da história de Adão e Eva. *A nudez da realidade é o paraíso.* Quando não se nega mais essa nudez, uma nova experiência de felicidade pode começar – exatamente aqui e agora, não em outra vida no além. Mas há necessidade de certa aclimatação depois que a pessoa se torna consciente da vergonha e dos hábitos sutis arraigados com que recobre sua nudez interior. Mas depois de aprender a desnudar-se, você finalmente sairá de sua concha protetora e se tornará mais verdadeiro. Você será o eu nu, como é agora – não melhor, não pior, nem diferente de como é. Você dará um fim à imitação, aos sentimentos e modos de ser dissimulados, e se aventurará no mundo do modo como você é.

Há alguma pergunta relacionada com o tema desta palestra?

Pergunta: *Como se pode determinar se os sentimentos são verdadeiros ou dissimulados?*

Resposta: Somente você pode determinar isso, pesquisando com seriedade e, acima de tudo, levando em conta a possibilidade de que seus sentimentos podem ser dissimulados, e não se assustando com isso. As pessoas se aterrorizam ante o pensamento de que seus sentimentos podem ser falsos – mesmo de um modo sutil. O medo dessas pessoas é o de que, se esses sentimentos não são verdadeiros, elas não têm sentimentos. Elas têm medo de seu próprio vazio. E esse medo é devastador. Ele exerce uma pressão sutil para continuar fingindo. Mas há sempre um ponto interior em que você diz: "Não, não quero sentir." Quer isto brote de experiências traumáticas da infância e pessoais, quer se relacione com o problema humano mais profundo que se aplica a todos os indivíduos, problema esse que analisei nesta palestra, há sempre um desejo de não sentir. Muitas vezes esse desejo é totalmente inconsciente, e assim a pessoa está desligada dele e indefesa com relação ao resultado – que é, naturalmente, não haver sentimentos. O medo é infinitamente maior quando o eu consciente que deseja ter sentimentos ignora o lado do eu que teme os sentimentos. O medo de ser incapaz de sentir não se compara a nenhum outro. É muito útil, portanto, dar-se conta de que ninguém é desprovido de sentimentos e esses não podem morrer permanentemente. Vida e sentimentos são uma coisa só; onde está um, necessariamente deve estar o outro, mesmo que um deles esteja momentaneamente inativo. Saber isso faz com que seja possível que se pesquise interiormente e que se pergunte: "Onde decidi não sentir?" No momento em que se conscientiza plenamente de seu medo de sentir, você deixa de ter medo de não ter sentimentos. Será então possível reativar seus sentimentos com a ajuda da razão, através de uma avaliação realista e racional das circunstâncias.

Dei-lhes bastante assunto para pensar. Usem-no na continuação da sua jornada, deste caminho por onde estão seguindo.

Sejam abençoados todos vocês. Possam todos tornar-se verdadeiros; possam todos encontrar a coragem de ser desnudamente verdadeiros consigo mesmos sem nenhuma falsa roupagem. Se desejarem verdadeiramente, serão bem-sucedidos. Os que não se movem, os que não se desenvolvem e os que não se libertam, é porque não querem – e é importante saber isso [e encontrar em vocês a voz interior que se recusa a mover-se]. Possam dissolver-se todas as suas falsas camadas, porque é isso o que realmente desejam e pelo que se decidem. Descobrirão então a glória da vida. Estejam em paz, fiquem com Deus!

16

Consciência: fascínio com a criação

Além de nos apresentar as leis universais que governam a criação positiva com consciência, o Guia também explica como surge a criação negativa. A alegoria da "queda dos anjos" se expressa aqui em termos acessíveis à mente moderna. Colocar nossos recursos a serviço da criação positiva pela reconquista da nossa Consciência divina original é a nossa meta. Nesta palestra, o Guia indica os passos que devem ser dados para que isso aconteça.

* * *

Saudações a todos os meus amigos aqui presentes, que recebem bênçãos tangíveis sob a forma de correntes de energia cheias de consciência e força. Elas fluem até vocês e os permeiam. São uma realidade que pode ser percebida à medida que sua própria consciência cresce e se aventura a seguir em frente.

Gostaria de falar-lhes sobre alguns aspectos da consciência e seu significado no esquema da criação. Na verdade, a criação é um resultado da consciência, e não o contrário, como geralmente se afirma. *Nada pode existir sem que antes ocorra na consciência.* Não faz diferença se a fonte é o eu universal ou o individualizado. Quer sua consciência perceba, crie e formule algo importante, algo que forme um mundo, ou uma atitude insignificante passageira, o princípio é o mesmo.

Você precisa compreender o enorme significado de suas criações conscientes; estar desligado delas é causa de um sofrimento intenso.

218

Nenhum sofrimento é tão agudo quanto o que é sentido quando você não sabe que criou aquilo que vive. Numa amplitude menor, isto se aplica mesmo a experiências positivas. Se você não sabe que cria suas experiências, vai sempre sentir-se indefeso nas mãos de um poder que não compreende. Este poder é verdadeiramente sua própria consciência, meu amigo.

Conhecimento, sentimento e vontade como ferramentas da consciência criadora

Vamos agora tentar compreender um pouco melhor alguns dos atributos mais importantes da consciência. A consciência não é somente o poder de pensar, de discriminar e de escolher; isso é óbvio. Ela não é apenas o poder de saber, de perceber e de sentir. Ela é também a capacidade de *querer*. Querer é um aspecto muito importante da consciência. Não faz nenhuma diferença se seu querer está ligado ou desligado de sua consciência. Sua vontade é um aspecto de sua consciência e, portanto, daquilo que você cria continuamente. Querer é um processo em movimento, exatamente como saber e sentir o são. Onde existe consciência, também sempre existe o saber, o sentir e o querer.

Freqüentemente, algumas correntes de querer contraditório produzem um curto-circuito na superfície, o que se manifesta como falta de consciência ou entorpecimento. A consciência diminui na superfície mas continua sob ela. Seus produtos se manifestam como experiências de vida tangíveis e você se sente perdido, acreditando que o que a vida oferece é totalmente independente de seu próprio querer e saber. Qualquer caminho de desenvolvimento verdadeiro deve fazer emergir todos os desejos, crenças e conhecimento interior confusos e contraditórios, para que as circunstâncias da vida apareçam na sua luz verdadeira como criação do eu. Esta compreensão lhe dá o poder de recriar.

Querer, decidir, formular, conhecer e perceber são ferramentas da sua consciência criadora. A humanidade pode ser dividida em dois grupos: os que sabem isso, e usam essas ferramentas deliberada, criativa e construtivamente e aqueles que não percebem isso e estão constantemente criando destruição sem mesmo o saber.

Os humanos são as primeiras entidades da escala evolucionária ascendente que deliberadamente podem criar através de sua consciência. Você, meu amigo, que busca sua verdadeira identidade, precisa experimentar seu poder criador e, especificamente, precisa descobrir como criou tudo o que possui e o que não possui agora. Você pode então ver como o fato de lutar contra suas próprias criações aumenta a dor e a tensão em seu ser. Isto é inevitável quando você ainda não tem consciência, de modo geral e específico, de como sua vida é o resultado de sua própria atividade mental. Você forçosamente se rebelará contra aquilo de que não gosta, sem nunca saber que, na verdade, se prejudica ainda mais. A rebeldia pode até não ser inteiramente consciente; ela pode manifestar-se como um vago descontentamento com a vida, como uma ânsia irrealizável, um sentido de futilidade e frustração para o qual você não vê saída. O descontentamento também é uma forma de rebelião.

Para compreender a natureza da consciência ainda mais profundamente, você precisa ponderar que direções positivas e negativas ela pode tomar. Você tem dentro de si a sabedoria mais pura, fluindo em direção à bem-aventurança em expansão permanente, uma infinita variedade de novas expressões de vida. Este é o espírito universal. Não estou dizendo que o espírito universal está em você; estou dizendo que *você é ele*, mas na maior parte do tempo não sabe disso. Você também abriga em seu interior a expressão distorcida da sua consciência criadora com a qual você quer alcançar resultados negativos e destrutivos. Alguém poderá dizer que esta é a eterna luta entre Deus e o demônio, entre o bem e o mal, entre a vida e a morte. Não importa o nome que você dá a esses poderes; quaisquer que sejam, eles são seus próprios poderes. Você não é um peão indefeso nas mãos de qualquer um. Esse é o fato de importância absoluta que realmente altera sua autopercepção toda e sua atitude frente à vida. A ignorância desse fato o fará sentir-se constantemente vitimado por circunstâncias que estão além de seu controle.

Três condições para conhecer a si mesmo como espírito universal

Para perceber e viver a sua verdadeira identidade como espírito universal, são necessárias três coisas básicas:

1) *Que você entre em sintonia com ele.* Você ativa o espírito universal pela sua tentativa deliberada de ouvi-lo. Você deve aquietar-se interiormente e permitir que aconteça. Isso não é tão fácil como parece, porque a estática tumultuada da mente ocupada bloqueia essa possibilidade. Sua mente precisa de treinamento para tornar-se suficientemente calma sem produzir pensamentos involuntários. Uma vez feito isso num determinado nível, você experimentará um vazio. Você terá a impressão de ouvir um nada que pode ser assustador ou decepcionante. Finalmente, o espírito universal começará a se manifestar – não porque ele "decide", porque você foi um "bom menino" que agora "merece isso", mas porque você começa a perceber sua presença contínua, e então você saberá que ele esteve sempre presente e perfeitamente acessível – quase que perto demais para ser percebido.

As primeiras manifestações podem não chegar a você diretamente como uma voz, como um saber interior direto, mas através de desvios – através de outras bocas, ou como idéias aparentemente coincidentes que de repente lhe ocorrem. Se estiver alerta e sensível, sintonizado com a realidade, você saberá que esses são os primeiros sinais de estabelecimento do contato com o eu universal. Mais tarde o vazio se mostrará numa plenitude extraordinária, impossível de se expressar em palavras. O imediatismo do vazio também impede você de perceber a presença constante do espírito universal. O imediatismo certamente é maravilhoso. Quando você descobre que abriga essa presença no seu interior o tempo todo, essa descoberta o encherá de segurança, de força, do conhecimento de que não precisará mais sentir-se inadaptado e desamparado, porque a fonte de toda vida o abastece com cada pequeno detalhe da vida que é importante para você. Essa fonte interior inunda-o de sentimentos preciosos, estimula-o, acalma-o e mostra-lhe como lidar com os problemas. Oferece soluções que juntam a decência, a honestidade e o interesse por si mesmo; o amor e o prazer; a realidade e a alegria; o cumprimento de seus deveres sem diminuir sua liberdade. Ele contém tudo. Entretanto, esse suceder imediato maravilhoso apresenta problemas no início, porque você acredita que tudo isso só pode ser buscado muito, muito longe. Por ter sido orientado a vivenciar o espírito universal apenas como uma realidade remota, você acha impossível sentir sua proximidade.

2) É necessário *vivenciar e compreender plenamente a parte negativa de sua consciência* que se tornou destrutiva. Isso não é fácil,

exatamente porque, mais uma vez, você está condicionado a crer que sua vida é um molde fixo, dentro do qual você foi colocado, e deve aprender a relacionar-se com ele, independentemente de suas capacidades interiores de pensar, querer, saber, sentir e perceber. Como você pode avaliar agora, isso requer um grande grau de honestidade, disciplina e esforço para vencer a resistência de concretizar essa superimportante mudança em todo seu modo de ver a vida: desde o sentir-se desamparado até o considerar a vida como sua própria criação em todos os aspectos. Realmente, não é possível ativar a presença do eu universal enquanto você permanece cego às suas criações negativas. Às vezes alguns canais são desobstruídos, mas você não pode contatar o seu eu universal enquanto persistirem os bloqueios, a cegueira e o desamparo imaginário.

3) *Seus processos de pensamento consciente são o primeiro contato com o espírito universal.* Você cria com seus pensamentos conscientes tanto quanto cria com seu pensamento e vontade inconscientes. Sua habilidade de pensar corresponde exatamente aos processos criativos da Mente universal. Embora sua consciência seja um fragmento separado do todo, ela tem os mesmos poderes e possibilidades. A separação nem mesmo é real; ela existe unicamente porque é assim que você se sente agora. No momento em que descobrir a imediaticidade dessa presença, você não mais sentirá a separação entre seus pensamentos e os do Ser maior. Eles terminarão por fundir-se e você compreenderá que os dois sempre foram um. Torna-se evidente que você não utilizou seus poderes interiores antes. Você os deixou em desuso, ou mesmo, em seu estado de cegueira, os usou mal.

Você pode, por fim, começar a se sentir como o espírito universal usando seus pensamentos conscientes de uma maneira deliberada, construtiva. Você pode fazer isso em duas etapas. Primeiro, você deve ver claramente como, sem saber, usou seus processos mentais de modo negativo, criando assim destrutivamente. Em seguida, você pode formular o que deseja, desta feita, produzir na sua vida. Você faz isso declarando que é possível e percebendo, sabendo e querendo isso numa atitude de relaxamento. O processo inclui também a disposição de mudar as atitudes interiores defeituosas e desonestas, pois do contrário você bloqueará o que deseja.

Pela formação de pensamentos criativos você pode explorar a rica fonte interior do seu próprio ser. Você começa com o pensamento consciente, que exige a focalização da atenção nos seus processos de pensamento, observando como os usa, como eles criam o que você tem e o que não tem. Ao inverter esse processo, você terá em mãos um meio de criação; você se tornará verdadeiramente o seu verdadeiro eu, porque você é o espírito universal que criou o mundo. Você está constantemente criando o seu próprio mundo neste preciso momento: ele é a vida que você leva.

Auto-observação e purificação em três níveis

O fato de prestar atenção a seus processos interiores revelará que muito do que você pensava ser inconsciente não está assim tão escondido. Observe isso especialmente quando você se encontra numa situação desconcertante. Veja como você dá tanta coisa por definitivo que encobre suas atitudes mais óbvias, exatamente aquelas que lhe darão pistas para compreender como seu poder criador trabalha; embora neste caso, certamente, elas estejam invertidas, manifestando-se negativamente. O fato de considerar cada detalhe da situação, de voltar sua atenção a um novo enfoque, favorecer-lhe-á a percepção que lhe faltou até agora.

Esse autoconhecimento é purificação no seu verdadeiro sentido, porque estabelece, definitivamente, a consciência do seu poder de criar a sua própria vida. Descobrir como você criou destrutivamente nunca é uma experiência realmente ruim, porque logo se torna óbvio que você também tem o poder de criar belas experiências de vida para você mesmo. Você passa a perceber imediatamente sua própria natureza eterna com seu infinito poder de expansão.

Assim você vê, meu amigo, que estamos tratando aqui com três níveis. Todos eles devem tornar-se acessíveis. Ao mesmo tempo, são difíceis de se perceber. Seria um erro acreditar que seus processos de pensamento diários são mais fáceis de perceber do que sua vontade negativa ou sua natureza divina com seu poder e sabedoria infinitos. Eles estão na mesma proximidade – e parecem distantes apenas porque sua visão não está voltada para eles. Tanto a destrutividade deliberada como o grande espírito criador que você realmente é, são ''inconscientes'' somente porque você não dá à sua existência o benefício da dúvida como primeiro passo para sua descoberta. Acontece praticamente o mesmo com sua atividade mental diária, que não é observada, que não passa por nenhuma avaliação crítica, e assim você continua totalmente inconsciente do modo como seus pensamentos sempre percorrem os mesmos canais negativos improdutivos. E também você deixa de ver que continua a extrair uma espécie de satisfação em deixar que a falta de atenção prossiga.

Ao observar seus pensamentos negativos, é importante você compreender (a) o que eles lhe fazem, como se conectam com os resultados que você mais deplora em sua vida; e (b) que você tem o poder de alterá-los e de encontrar novos modos de expressão para seus pensamentos. Essas duas constatações farão toda a diferença do mundo, porque trarão a libertação e a autodescoberta verdadeiras, a entrada na própria interioridade de cada um de que tanto falamos. A descoberta da sua verdadeira identidade traz de fato boas novas. Mas antes você deve observar-se perseguindo pensamentos negativos. Veja-se ruminando sobre os mesmos círculos viciosos; veja-se quase perseguindo intencionalmente os mesmos canais de pensamento tortuosos, estreitamente confinados, sem nunca se aventurar além deles.

Suponhamos que você esteja convencido de que pode experimentar somente esta ou aquela manifestação negativa na vida. Ao observar a tenacidade com que dá isso como certo, você pode perguntar: "É realmente preciso que seja assim?" No momento em que faz essa pergunta, você começa a abrir uma brecha na porta. Mas a inconsciência de estar convencido de ter somente esta possibilidade estreitamente limitada, torna-lhe impossível imaginar outras alternativas. Você pode aventurar-se nelas – mas, antes, você deve formular seus pensamentos como projetos de criação. Então o mundo começa a se abrir. Esta abertura deve ser obtida para poder começar, pensando e dizendo para você mesmo, "Não precisa ser desse modo, pode ser diferente. Eu quero desse outro modo. Quero eliminar tudo que se interpõe entre mim e esta maneira mais desejável. Tenho a coragem de encarar isso e de ultrapassar essa experiência de vida que me impus até agora dando como certo que não poderia ser de outro modo." Nesse nível de consciência você deve ver como tomou por definitivo que uma determinada manifestação negativa devia ser vivida por você.

Talvez você queira um resultado positivo, mas ao mesmo tempo não queira aceitar certas conseqüências lógicas decorrentes daquilo que deseja. Isso se deve à concepção errônea de que essas conseqüências são indesejáveis para você. Agora, como se fosse criança, você resiste a dar de você mesmo, numa tentativa desordenada de burlar a vida e de ganhar mais do que deseja dar. A vida não pode concordar com esses desejos injustos, e você se sente trapaceado e ressentido porque realmente não examinou a questão com clareza. Você também não está ciente do seu falso raciocínio quando resiste a dar de si. Assim você cria erros e distorções que se interpõem no caminho do desabrochar de suas possibilidades.

Portanto, você pode ver que seu nível de pensamento consciente é influenciado tanto por seu lado destrutivo como pelo espírito universal. Você pode escolher conscientemente em qual direção vai posicionar seu pensamentos já que está consciente dos padrões habituais que eles ostentam. Essa autodeterminação é a chave para a sua libertação.

Você verá cada vez mais claramente que seu lado destrutivo também é algo que você escolhe: não é algo que lhe acontece. Depois de realmente progredir neste caminho, você chega ao ponto de finalmente poder admitir este desejo deliberado de escolher atitudes destrutivas. Você pode ver que é infeliz, desistindo de fato da felicidade, da plenitude, da alegria e de uma vida fecunda. Você pode sentir-se terrivelmente infeliz com o resultado, mas apesar disso insiste em agarrar-se à sua vontade negativa. Você percebe como é essencial descobrir isso.

A origem do "pecado" ou do mal

A milenar questão é: "O que causou tudo isso? Por que os seres humanos fomentam esses desejos inteiramente desprovidos de sentido? Por que a mente insiste em tomar essa direção? A religião a chama de pecado ou de mal. A psicologia a chama de neurose ou psicose, entre outras coisas. Qualquer que seja o nome que se lhe dê, trata-se de fato de um mal. Para sanar esse mal é preciso ter certa compreensão dele. Isto é feito, primeiro, seguindo as idéias e crenças errôneas que você tem, assim como as emoções e o rumo que elas imprimem à vontade. Isto só pode ser feito até certo ponto, sem também compreender a dinâmica da criatividade mental, tanto no sentido positivo como no negativo.

As pessoas freqüentemente perguntam, "De que modo o mal

começa a existir?'' Ou, "Por que Deus pôs o mal dentro de nós?'' – como se outro que não nós tivesse "posto" alguma coisa em algum lugar. Uma vez que você tenha suficiente autopercepção e sua própria rejeição da felicidade esteja na superfície, a mesma questão intrigante pode ser levantada: "Por que faço isso? Por que não posso querer o que é bom para mim?'' Essa pergunta foi feita aqui, e em muitos outros lugares do mundo, muitas vezes, onde quer que ensinamentos espirituais estejam sendo transmitidos. Certa vez, há muito tempo, no início desse contato, cheguei a fazer uma narração alegórica da assim chamada queda dos anjos, sobre um espírito que já fora totalmente positivo e que se expandia em reinos cada vez mais luminosos e abençoados, e depois desviou-se desse curso, separou-se de seu Eu divino mais profundo e fragmentou-se. Como ele entrou nesses canais sombrios, destrutivos? Qualquer narração, tal como a que lhes fiz e que tem sido apresentada em outros lugares, é facilmente mal compreendida porque é sempre interpretada como um evento histórico que aconteceu num determinado tempo e espaço. Vou arriscar-me agora a dar outra explicação sobre como a destrutividade começa a existir numa consciência inteiramente construtiva. Tentarei encontrar um enfoque diferente que talvez possa tocá-lo em algum nível e dar-lhe uma compreensão mais profunda desse tópico extremamente importante. Você poderá então encarar sua própria destrutividade com uma nova compreensão e quiçá possa sair dela.

Imagine, meu amigo, uma consciência, um estado de ser, no qual exista apenas felicidade e poder infinito para criar com a própria consciência. Entre outras coisas, a consciência é um instrumento pensante. Assim, ela pensa – e eis que... algo começa a existir. Ela quer – e eis que... o que é desejado e pensado passa a existir. A vida é infinitamente preenchida com essas possibilidades. A criação começa com o pensamento; então o pensamento toma forma, torna-se um fato da vida além dos limites do ego, a consciência que flui e flutua livremente. E é assim que o pensamento imediatamente toma forma e torna-se ato. É somente no ego humano que o pensamento parece separado da forma e do ato, da obra. Quanto menor a consciência de uma entidade, mais separados parecem o pensamento, a forma e o ato, até o nível em que a forma parece totalmente independente do ato, e este do pensamento ou da vontade. Esses três estágios, então, não parecem ter conexão entre si.

Uma parte essencial do despertar da consciência individual está precisamente em fazer essa conexão. Não importa o quanto possam estar separados, no tempo e no espaço, pensamento e vontade, ato e ação, forma e manifestação, todos constituem uma unidade. No estado de ser, onde não há limites, onde não há estrutura rígida, esta unidade é vivenciada como uma realidade viva. A experiência disso causa uma felicidade e um fascínio indescritíveis. O universo inteiro está aberto para ser explorado, aberto para novas maneiras de auto-expressão e autodescoberta, dando forma a mundos sempre mais numerosos, a mais experiências, e a mais efeitos. O fascínio de criar é infinito.

Visto que as possibilidades são infinitas, a consciência também pode explorar a si mesma, confinando-se, fragmentando-se para, por assim dizer, "ver o que acontece". Para se experimentar, ela se contrai em vez de se expandir; ela quer ver como é sentir e vivenciar a escuridão. *A criação é puro encantamento.* Esse encantamento não é eliminado simplesmente porque o que é criado, de início, talvez, seja apenas levemente menos agradável, menos ditoso ou brilhante. Mesmo aí pode residir uma fascinação e uma aventura especiais. Assim, a criação começa a assumir um poder próprio. Porque tudo o que é criado tem energia investida e essa energia se autoperpetua. Ela assume seu próprio *momentum.* O ser consciente que criou esses caminhos pode experimentar por mais tempo, e seguir mais além do que lhe parece "seguro" porque não se reserva poder suficiente no momento para inverter o curso. Assim a consciência pode perder-se em seu próprio *momentum* e sentir relutância em parar. Mais tarde, ela não mais vê como parar. A criação então acontece num sentido negativo, até que os resultados sejam tão desagradáveis que o ser consciente procura controlar-se a si mesmo e neutralizar o momento "recordando" seu conhecimento do que poderia ser. Seja como for, ele sabe que não há perigo real, porque qualquer sofrimento que você, ser humano, sinta, é realmente ilusório no seu sentido último. Ao encontrar sua verdadeira identidade interior, você saberá disso. Tudo é um jogo, um fascínio, um experimento, do qual seu estado real de ser pode ser recuperado, bastando simplesmente que você tente verdadeiramente.

Entretanto, muitos seres humanos ainda se encontram numa situação em que ainda não querem tentar realmente. Ainda sentem fascínio na exploração da criação negativa, pelo menos até certo ponto. Algumas entidades separadas nunca foram além do ponto em que perdem a percepção imediata de quem são realmente e de seu poder de redirecionar suas pesquisas. Outras perderam temporariamente sua consciência. Mas a encontrarão novamente no momento em que realmente o desejarem. É bom que todos se lembrem disso.

O impulso criativo contém energias incrivelmente poderosas. Essas energias causam impacto; elas imprimem a substância criadora que tudo impregna – a matéria que responde à mente criadora. Essa substância é então moldada numa forma, fato, objeto, estado mental ou qualquer outra coisa. As impressões na substância da alma são tão profundas que nada mais senão o grande poder da mente modeladora pode apagar impressões falsas, as quais governam os acontecimentos da vida. A mente ou consciência imprime; a substância da vida é impressa. Tudo ao seu redor e dentro de você participa tanto do princípio masculino de uma consciência determinante, modeladora, como do princípio feminino de uma substância de vida que é modelada, receptiva. Encontre essa verdade dentro de você e o universo voltará a ser seu, como já o foi uma vez.

Assim, se a consciência criadora não altera o curso num determinado ponto, ela fica presa em seus próprios esquemas. Parte do poder e do *momentum* da consciência é a qualidade de ser "auto-imitadora". É muito difícil transmitir esse aspecto da energia criadora. Os seres humanos freqüentemente experimentam um impulso para imitar os outros. Isso assume muitas formas e aplica-se também à auto-imitação. É um processo de imprimir profundamente alguma coisa sobre a substância da vida.

Permita que lhe dê um exemplo do poder de imitação e de criação de novas experiências. Muitos de vocês já sentiram o estranho impulso que têm de imitar as aberrações físicas ou faciais ao ver aleijados que claudicam ou pessoas com algum tique facial. Você nunca experimentou o desejo, às vezes irresistível, de imitar algo totalmente indesejável para você? Ao mesmo tempo, porém, existe uma espécie de reação súbita e medo de fazer isso porque você sente, de algum modo, que fazendo isso você se põe num movimento de imitação repetida que não pode mais parar. O poder e as energias da criação têm esse efeito autoperpetuador que apenas a consciência, com seu conhecimento, vontade e determinação, pode alterar. O ato de criar torna-se tão envolvente, e o prazer que dele deriva tão absorvente, que uma vez posto numa direção negativa, o prazer continua a

228

manter a alma no seu encantamento, até que a consciência, deliberadamente, entre com sua força contrária. Mesmo que o que é criado seja doloroso, é difícil abandonar o prazer de criar enquanto o indivíduo ignorar que a criação positiva também é possível.

Enquanto as criações negativas prosseguem, a consciência parece fragmentar-se cada vez mais – não de fato, meu amigo, mas ela não pode vivenciar sua conexão com o Espírito universal que você é.

Não sei até que ponto essas palavras podem tocá-lo. Mas se puderem, elas se mostrarão de grande ajuda para você quando meditar e pensar sobre elas. Elas o ajudarão não somente a compreender, mas também a descobrir o modo correto de eliminar a destrutividade de dentro de você. É o poder da sua mente que cria o negativo. Essa força é até mais potente quando usada positivamente porque no negativo há sempre conflitos, anseios contraditórios e direções da vontade que a enfraquecem. Na direção construtiva, de expansão, isso não precisa ser assim. Uma vez que a alteração seja feita, alguma coisa fará a ligação em sua mente. Sua consciência fluirá numa nova direção que surge mais fácil e natural, sem a tortura que a criação negativa sempre acarreta.

Quanto mais a consciência se separa do todo, mais fragmentada se torna e maior a estrutura que cria. Mas a totalidade da consciência não é estruturada; é o estado de ser em absoluta bem-aventurança. Depois de ocorrida a fragmentação, a consciência perdida aos poucos passa a atuar na direção de um estado de autoconsciência. Esse estado precisa de estrutura para proteger-se do caos da negatividade e da destruição. Quando a negatividade é encontrada e eliminada, a consciência não-estruturada, em estado de bem-aventurança, é novamente obtida.

Como sair da criação negativa

O ego, no seu confinamento, é a estrutura que protege a entidade de sua própria criação destrutiva. Ele mantém os impulsos destrutivos sob controle. Somente quando a consciência se expande em bem-aventurança e verdade é que a estrutura pode ser removida. Assim, num ponto em sua evolução, você era caoticamente desestruturado. À medida que cresce e evolui, a estruturação forma uma barreira contra esse caos, de modo que por algum tempo a consciência fica protegida desse caos interior.

Os processos de pensamento disponíveis podem então tornar-se as ferramentas para mostrar a saída das criações negativas e da estrutura de confinamento. Observando além da estrutura e para dentro do caos, compreendendo, percebendo o poder dos processos mentais constantemente em uso, você tem a possibilidade de inverter a curva descendente que o faz constantemente buscar caminhos que negam a vida, o amor, o prazer, a felicidade; que cortejam a queda, a perda e a dor. A parte de seu eu universal que permaneceu inteira sabe que a dor é breve e ilusória, mas a parte que está no caos não sabe disso e sofre.

Vamos fazer uma revisão. Processos conscientes podem oscilar o pêndulo da extremidade da criação destrutiva para o estado original de consciência, uma criação ditosa em expansão. A estrutura de confinamento se dissolverá, e o estado último de ser, a consciência não-estruturada e a experiência, a energia e a felicidade, reintegrar-se-ão e se tornarão a sua existência. É para esse ponto que tudo está convergindo, meu amigo. Parte de seus esforços devem, portanto, visar pôr ordem na confusão do funcionamento da sua mente, no seu auto-envolvimento, na sua cegueira e na sua tendência a perder-se. Não é o mundo externo que o confunde; é o mundo dentro de sua própria consciência que o desconcerta.

Você pode começar agora a observar como pode deliberadamente *querer* construções criativas; você pode fazer isso formulando, pensando e querendo conscientemente um estado de felicidade, de vitalidade, de plenitude, verdade, amor, crescimento, tanto no geral como no particular. O clima para isso pode de início parecer estranho e pouco familiar. Você precisa aclimatar-se. Imagine-se em tais estados e invoque o poder universal interior para fortificar sua mente consciente com a energia criadora necessária. A vontade de ser feliz deve tornar-se tão forte que as causas de infelicidade sejam vistas e eliminadas, e isso, também, deve ser desejado verdadeiramente. Então o poder criador crescerá; o Eu divino o inspirará e lhe mostrará o caminho. Você aprenderá a reconhecê-lo e o receberá em seu cérebro consciente.

Usem o que lhes disse aqui. Quero dizer, usem *ativamente*, não apenas lendo isso como uma bela teoria, mas conhecendo profundamente seu valor imediato e aplicando-o todos os dias de sua vida. No dia em que virem sua criação destrutiva e a mudarem deliberadamente, terão feito verdadeiramente algo maravilhoso. A vontade de ser feliz e de se expandir na vida é o fundamento de seu poder criador. Quanto mais concisamente isso for formulado e quanto maior sua vontade de eliminar atitudes que impedem o resultado, mais efetiva será sua criação.

Seja abençoado. Receba o poder que está jorrando e aumente-o através de suas expressões e formulações conscientes, livres e voluntárias. Expresse sua vontade de crescer, de ser feliz, de ser construtivo. Não faça isso desejando de modo rígido, insistente, constrangido, mas de uma forma descontraída, confiante, observando que todas as possibilidades existem como realidades em potencial, realizáveis no momento em que você toma consciência disso e o deseja com todo seu ser. O poder está aí, em você. Tudo o que tem a fazer é extraí-lo, usá-lo, construir com sua mente consciente os canais que podem libertá-lo, e tornar-se sereno e tranqüilo. Ouça e entre em sintonia. O poder está aí sempre e para sempre, na sua sabedoria maravilhosa, no seu conhecimento definitivo de que não existe senão bem-aventurança dentro de você, já, a partir de agora.

17

O vazio criador

Para atingir as esferas superiores de espiritualidade, precisamos aprender a nos tornar canais receptivos à Consciência divina. Não podemos alcançar esse estado sem a capacidade de aquietar nossa mente exterior. Este é outro passo em direção ao desconhecido, ao encontro de uma sensação temporária de vazio interior. A recompensa por tomar essa decisão é a abertura de um canal através do qual sempre podemos entrar em contato com a voz do Deus dentro de nós.

* * *

Meus amigos muito amados, bênçãos a cada um de vocês. Uma força dourada flui através de seu ser interior agora e sempre, se se abrirem a ela.

Tenho lhes falado sobre a chegada de uma nova era. Este fato requer que muitos seres humanos estejam preparados para ele. Vocês que estão neste caminho vêm trabalhando para esse propósito há muitos anos, estejam ou não conscientes disso. Vocês vêm eliminando as impurezas. E assim se tornam disponíveis a uma força poderosa que vem sendo liberada no universo – o universo interior.

Muitos mestres e canais espirituais sabem disso, mas vários interpretam esse fato erroneamente. Acreditam que ele trará cataclismos geológicos com efeitos num nível humano. Como disse anteriormente, isto não é verdade. As mudanças que já estão em curso são mudanças na consciência. E vocês estão trabalhando nisso. Vejam, à medida que se desenvolvem e se purificam, vocês se preparam mais adequadamente para uma iluminação interior que ainda não ocorreu e que na verdade está se perpetuando na sua força. Ela não tem precedentes, porque em nenhum outro momento da história humana este poder esteve tão disponível como agora.

O que você experimenta cada vez mais é o resultado da descida desse poder sobre um canal receptivo. Como você sabe, se esse poder atinge um canal não-receptivo, surge uma crise. Mesmo que apenas uma parte sua bloqueie as forças criativas que poderiam fazê-lo florescer de um modo inteiramente novo, você estará sob um grande *stress* espiritual, emocional e psíquico. Isso deve ser evitado.

No seu caminho, você aprendeu a contatar os níveis profundos da intencionalidade onde você nega a verdade, o amor e o grande poder que opera de modo diferente do poder do ego exterior pelo qual você tanto se esforça. O amor e a verdade reais, assim como o poder real, vêm de dentro.

Como se abrir à nova consciência

Falarei agora sobre a importância de ser receptivo a essa força, a essa energia, a essa consciência: a consciência de Cristo que está se espalhando através da consciência humana onde seja possível. Para tornar-se receptivo a ela, você também precisa compreender um outro princípio: o do vazio criador.

Muitos seres humanos criam uma mente agitada porque temem estar vazios, temem não haver nada dentro deles que lhes dê sustentação. Este pensamento raramente é consciente, mas num caminho como este chega um momento em que você se conscientiza desse pensamento terrível. Então, sua primeira reação, muito freqüentemente, é: "Recuso-me a reconhecer que tenho medo disso. Prefiro continuar ocupando minha mente para não encarar o temor de que não sou nada por dentro, de que sou apenas uma casca que precisa suporte do exterior."

Este auto-engano, obviamente, é fútil. É da maior importância que você encare esse medo e trate dele abertamente. Você precisa criar uma atmosfera dentro de você mesmo na qual permita que esse vazio exista. De outro modo, enganará a si mesmo, perpetuamente, o que é destrutivo porque o medo é injustificado. Como pode viver em paz com você mesmo se não sabe o que teme, e por isso faz com que seja impossível descobrir que o que teme não é assim?

Como resultado de um processo que continua há séculos, a humanidade se condicionou a transformar a mente exterior num lugar muito agitado, e desse modo, quando a agitação cessa temporariamente, o sossego é confundido com o vazio. A mente realmente parece vazia. O barulho diminui, e o que você deve realmente fazer é abraçar e receber com alegria o vazio como o mais importante canal através do qual você recebe o seu Eu divino mais íntimo.

O caminho conduz através de contradições aparentes

Há várias leis espirituais e psíquicas que você precisa compreender para alimentar este vazio e torná-lo uma aventura criadora. Algumas dessas leis parecem ser contraditórias. Deixe-me colocar desse modo: Se você não pode esvaziar-se, jamais poderá ser preenchido. Uma nova plenitude surgirá do vazio, embora não possa desconsiderar o medo que sente. Como tudo o mais, ele também deve ser atravessado. Minha recomendação é que você desafie esse medo e ao mesmo tempo saúde o vazio como a porta de entrada para sua divindade. Isto parece contraditório, mas não é. Ambas as atitudes são necessárias.

Outra contradição aparente: É extremamente importante que você seja receptivo e tenha expectativa, mas sem idéias preconcebidas, sem impaciência e sem pensamentos baseados no desejo. Isto é muito difícil de explicar em palavras humanas. É algo que você deve sentir interiormente. Deve haver uma expectativa positiva, que todavia seja livre de noções preconcebidas de como e do que deve acontecer.

Ainda uma outra contradição aparente: Você precisa ser específico, mas essa especificidade deve ser suave e neutra. Você deve ser específico de um modo, mas não de outro. Se isso parecer confuso agora, peça a seu ser interior que conceda compreensão à sua mente, em vez de tentar compreender tudo diretamente com seu ego-mente.

A atuação do eu superior ultrapassa tanto a imaginação da mente que a especificidade seria um obstáculo. Contudo, a mente deve saber o que quer, estar preparada para ele, procurar obtê-lo e exigi-lo, saber que merece o que quer e que não fará mau uso dele. A mente exterior deve fazer mudanças constantes para se adaptar ao objetivo maior da Consciência divina interior. Sua mente exterior deve esvaziar-se e tornar-se receptiva, embora deva estar preparada para todas as possibilidades. Assim, ela será capaz de adequar-se com a quietude interior e com aquilo que a princípio aparece como vazio.

Uma nova plenitude começa a se manifestar

À medida que você fizer isso, num espírito de paciência, de perseverança e de expectativa positiva, porém vazio na mente e na alma, uma nova plenitude começa a se manifestar. A quietude interior, por assim dizer, começará a cantar. Do ponto de vista energético, essa quietude trará luz e calor. Uma força que você não sabia possuir, surgirá. Do ponto de vista da consciência, aparecerá uma nova orientação tanto para os assuntos mais importantes quanto para os menos significativos de sua vida.

O vazio receptivo, criador, deve ser realmente alimentado. Ouça com seu ouvido interno, sem pressa, mas receptivo para o momento e para o modo como você será preenchido. Este, meu amigo, é o único modo para encontrar a sua sustentação interior, para encontrar a sua divindade e para tornar-se um receptáculo para o grande poder universal que está sendo liberado e que se manifestará em sua vida, muito mais do que você já experimentou.

Este é um momento importante na história da evolução, e todos precisam compreender e perpetuar uma grande mudança no pensamento e na percepção com relação às leis e valores que a consciência de Cristo está espalhando. O caminho deve estar aberto a partir do interior e do exterior para criar tantos receptáculos quantos for possível criar.

A mente pode ser um obstáculo ou uma ajuda a esse processo. Você sabe que sua mente é limitada apenas por causa do seu próprio conceito da sua limitação. Na proporção em que limita sua mente, você não percebe o que está além dela. A mente é finita e deve expandir os limites da sua finitude até atingir os limites do infinito que está além dela e que está dentro de você mesmo, exatamente aqui, exatamente agora. Então a mente imerge na consciência infinita de seu universo interior, no qual você é um com tudo que existe e, no entanto, permanece infinitamente seu eu pessoal.

No seu estádo atual, você carrega a mente quase como uma carga, porque ela se tornou um circuito fechado. Dentro desse circuito há um certo espaço para idéias, opiniões e possibilidades que você reuniu em sua vida como resultado de sua educação e dos costumes da sociedade. Esse circuito contém o que você decidiu aprender e adotar como conhecimento, tanto como parte da consciência de grupo como também de sua experiência pessoal. Na medida em que você cresceu e se expandiu, o circuito fechado da sua mente alargou-se; entretanto, ele ainda é um circuito fechado. Você ainda está sobrecarregado por idéias limitadoras sobre você mesmo e seu mundo. Portanto, para trazer à tona o vazio criador, é necessário que você visualize os limites de sua mente questionando-se sobre todas as coisas que acredita serem impossíveis para você. Onde você estiver desesperançado e atemorizado deve haver uma idéia da finitude que simplesmente está trancada em sua mente; assim, você libera o grande poder que está aí para todos aqueles que estão prontos a recebê-lo honestamente.

A abertura do circuito fechado da mente

Novamente encontramos uma contradição aparente. De um lado, é preciso que essa mente limitada se abra a novas idéias e possibilidades, como você já aprendeu a fazer em sua meditação. Você já percebeu que onde abriu espaço para uma nova possibilidade desejada, ela realmente aconteceu em sua vida. Você também viu que quando ela não aconteceu, por alguma razão, você nega que ela possa ocorrer. É necessário, portanto, que você comece a abrir esse circuito fechado. Não é possível dissolvê-lo de imediato; você vive com a mente e precisa dela. Mas onde você a abre, o fluxo de nova energia e consciência pode penetrar. Onde ela não se abre, você continua trancado em seus estreitos limites, os quais seu espírito está superando rapidamente. Por outro lado, sua mente precisa descansar e não sustentar opiniões, precisa ficar neutra, de forma a tornar-se receptiva à grande força nova que varre o universo interior de toda consciência.

Mas voltemos ao processo de abertura da mente limitada. Como fazer isso? Primeiro, diga a você mesmo que apenas mantém crenças limitadas, em vez de tomá-las como definitivas. O passo seguinte é desafiá-las. Isso exige que se passe pela dificuldade de, na atitude bem praticada de auto-observação e de autoconfrontação, avaliar suas crenças limitadas e realmente pensar sobre elas. Às vezes não é que você apenas tenha uma falsa crença [e possivelmente uma intencionalidade negativa em apegar-se a ela], mas pode também ver que mantém o circuito fechado e se priva da plenitude interior à qual aspira.

Outra lei de grande importância para esse propósito é que a abertura para a consciência universal maior não deve ser considerada com um espírito de magia que supostamente eliminaria o processo de crescimento e de aprendizagem. Espera-se que esse poder último o preencha e o sustente; entretanto, sua mente exterior deve passar pelas etapas que levam à aquisição do conhecimento que seja necessário. Pode-se ver isso nas artes e nas ciências. Por mais genial que seja, você não consegue ter a inspiração de um grande artista, se não aprender a habilidade e a destreza técnica. Se o eu inferior infantil quiser usar o canal para o universo superior evitando o tédio inicial da aprendizagem e da evolução, o canal permanecerá fechado. Isso implicaria trapaça, e Deus não pode ser trapaceado. Quando você trapaceia, a personalidade pode começar a duvidar seriamente de que possa existir algo além da mente, porque nenhuma resposta inspiradora surge ao usar a "mágica" para afagar a preguiça e a auto-indulgência. O mesmo se aplica à ciência ou a qualquer outro campo.

Agora, o que dizer dessa mesma lei com respeito à inspiração para sua vida e decisões pessoais? Aqui, também, você não pode deixar de executar o trabalho que o ego exterior tem de realizar a fim de tornar-se um canal apropriado para a consciência divina. Você faz isso no caminho. Você precisa realmente se conhecer, conhecer suas fraquezas, seu eu inferior, os pontos em que é venal, em que é desonesto ou tende a sê-lo. Como todos sabem, este é um trabalho difícil, mas precisa ser feito. Se você o evitar, o canal nunca será realmente confiável e poderá conter uma grande quantidade de pensamentos queridos, os quais brotam da sua "natureza de desejo", ou pode revelar a "verdade" que se baseia na culpa e no medo, e por isso também não é confiável.

Somente quando você trabalha em seu desenvolvimento dessa forma é que chegará ao ponto em que não mais confundirá credulidade e pensamento de desejo com fé, ou dúvida com critério. Como um grande pianista pode ser um canal para inspiração superior somente quando se exercita com os dedos e pratica durante horas e horas para que sua execução seja sem esforço, assim também as pessoas inspiradas pelo Divino devem trabalhar em seu processo de purificação, em seu autoconhecimento profundo e em sua auto-honestidade. Somente então o receptáculo será proporcional às verdades e valores superiores e estará pronto a ser influenciado e utilizado para propósitos superiores, para o enriquecimento do mundo e do eu.

Paralelamente, você precisa cultivar a neutralidade. Sua devoção em cumprir a vontade de Deus deve incluir uma atitude de aceitação de tudo o que vier de Deus, esteja conforme seu desejo ou não. Desejo em excesso é um obstáculo tanto quanto a ausência total de desejo, a qual se manifesta como resignação e desesperança. A recusa em suportar qualquer espécie de frustração cria uma tensão interna e uma estrutura defensiva que fecham o recipiente da mente e mantêm o circuito fechado. Em outras palavras, você, como receptáculo, precisa ser neutro. Você precisa renunciar ao *sim* ou *não* forte, rígido e obstinado a fim de abrir espaço para uma confiança flexível guiada pelo seu Deus interior. Você precisa ser disponível, maleável, flexível, confiante, e sempre pronto para outra mudança que não tenha considerado. O que é certo hoje pode não sê-lo amanhã.

Não há fixidez quando se trata da vida divina que brota do interior do seu ser mais íntimo. Essa idéia o deixa inseguro, porque você acredita que a segurança repousa em regras fixas. Nada pode estar mais longe da verdade. Esta é uma daquelas crenças que precisam ser questionadas. Imagine que na idéia de sempre encontrar cada nova situação por uma inspiração renovada repouse uma nova espécie de segurança que você ainda não havia encontrado. O que é certo numa situação pode não ser correto em outra. Esta é uma das leis da nova era que se opõe às velhas leis "estáveis" de acordo com as quais o que é fixo e imutável é seguro.

As leis que dizem respeito a esta nova aventura para o interior de sua vida e criatividade precisam ser estudadas muito cuidadosamente; você precisa trabalhar com elas. Essas não são apenas palavras que devem ser ouvidas; você precisa torná-las suas próprias palavras. Essas leis parecem estar cheias de contradição. Você precisa adquirir conhecimento, a mente deve expandir-se, deve tornar-se apta a formular possibilidades verdadeiras e, no entanto, você tem de manter sua mente neutra e vazia. Isto parece contraditório do ponto de vista da consciência dualística mas, do ponto de vista da nova consciência que está se expandindo através de seu universo interior, não há nenhuma contradição. Durante anos tentei mostrar-lhe, em muitas áreas, como este princípio funciona: algo que está na verdade e se harmoniza com as leis superiores da vida concilia opostos que são mutuamente excludentes no nível inferior de consciência. O que gera conflitos no nível inferior é mutuamente útil e interativo no nível superior.

Como tornar sua mente um instrumento de unificação

Você descobrirá cada vez mais a verdade da unificação, estado em que as dualidades deixam de existir e em que as contradições não se contradizem mais; estado em que você experimenta dois opostos existentes como aspectos válidos da mesma verdade. Quando você começar a compreender este princípio e a aplicá-lo à sua vida, a seus pontos de vista e a seus valores, então você estará realmente pronto a receber a nova consciência liberada nos reinos muito além do seu próprio.

Quando digo que você não deve se aproximar do seu canal divino, dando a impressão de que ele deveria poupar-lhe o trabalho de viver e de crescer, não estou contradizendo a necessidade de ser passivamente receptivo. Trata-se simplesmente de uma transferência de equilíbrio: onde você foi ativo em demasia com sua mente, agora você precisa aquietar-se e deixar as coisas acontecerem; onde insistia em assumir os controles, você deve agora abrir mão deles e deixar um novo poder interno assumir o comando. Por outro lado, onde antes você tendia a ser preguiçoso, auto-indulgente e procurava seguir a lei do mínimo esforço, tornando-se assim dependente dos outros, você agora precisa assumir a direção e fomentar ativamente os princípios que o ajudam a estabelecer os canais que levem a seu Deus interior. Você precisa também expressar ativamente suas mensagens na vida. Desse modo, atividade e passividade precisam ser invertidas.

Assim, sua mente tornar-se-á um instrumento. Ela se abrirá, superará suas limitações e adquirirá novos conceitos – suavemente, não rigidamente – com os quais "brincará" por algum tempo. Essa atitude de leveza em suas percepções, de flexibilidade e de mobilidade mental o tornará mais receptivo para seu vazio aparente.

Agora, meu amigo, qual a sensação que sentimos quando nos aproximamos desse vazio? Do que se trata? Novamente, a linguagem humana é extremamente limitada, e é quase impossível comprimir este tipo de experiência no contexto da linguagem. Farei todo o possível, porém, para passar-lhe algumas ferramentas.

Quando você ouve o seu "buraco" interior, a princípio parece tratar-se de um abismo negro de vazio. O que você sente nesse ponto é medo. Esse medo parece apossar-se de você. O que é esse medo? É um medo tanto de descobrir-se realmente vazio como de deparar-se com uma nova consciência, com um novo ser desenvolvendo-se dentro de você. Embora anseie por isso, você também o teme. O medo existe em ambas as possibilidades: você quer tanto a nova consciência que tem medo da decepção e, todavia, teme também perceber essa consciência por causa de todas as obrigações e mudanças que a descoberta poderia impor-lhe. Você deve passar por ambos esses medos. Neste caminho você recebe as ferramentas para lidar com tais medos pelo questionamento de seu eu inferior.

Em direção ao vazio

Chega o momento que, apesar do medo, você está pronto, porque já estabeleceu as conexões. Você sabe, por exemplo, o que seu eu inferior deseja e por que você tem intenções negativas. Chega o momento que, a despeito do medo, você decide entrar no vazio, calma e serenamente. Você então esvazia sua mente para encontrar o vazio no âmago profundo. Eis que... veja... rapidamente esse mesmo vazio se encherá, não do mesmo modo a que você está acostumado, mas sim contendo uma nova vitalidade que a velha plenitude artificial de sua mente tornava impossível. De fato, você descobrirá muito em breve que se tornou artificialmente embotado por acondicionar-se de modo muito hermético: hermético na mente devido a seu barulho, e hermético em seu canal por contrair sua energia em firmes nós de defesa. Você matou sua vitalidade com seu enchimento artificial. Assim você se tornou mais necessitado porque sem sua vida interior você não poderia ser preenchido num sentido verdadeiro. Um círculo vicioso se estabeleceu enquanto você se esforçava para obter plenitude do exterior, uma vez que se recusava a passar pelas etapas necessárias para que a realização primeiro se manifestasse interiormente.

Num sentido, você teme mais a vitalidade do que o vazio. E talvez seja melhor encarar assim. Quando você se esvazia suficientemente, o movimento inicial é uma vitalidade interior, e imediatamente você tende a fechar hermeticamente a tampa outra vez. Entretanto, negando seu medo você também nega que é realmente muito infeliz devido à sua falta de vitalidade. Mas a falta de vitalidade provém do medo dela. Você pode fazer com que o medo ceda seu lugar à vitalidade deixando-se ser criativamente vazio.

A experiência efetiva

Você experimentará todo seu interior, incluindo seu corpo e sua energia, como um "tubo interior" vibrantemente vivo. A energia passa por ele, os sentimentos passam por ele, e alguma coisa mais, algo a que você ainda não consegue dar nome, surge dentro de você com toda intensidade. Se você não se esquivar desse algo sem nome, cedo ou tarde ele se tornará uma orientação interior constante: verdade, motivação, sabedoria, direção, especificamente destinadas à sua vida nesse preciso momento, para o aspecto que você mais necessite. Esse vazio, esse vácuo vívido vibrante, é Deus falando com você. A qualquer momento do dia ele fala com você, onde você mais precisa. Se realmente desejar sintonizar-se com ele e ouvi-lo, você o distinguirá, primeiro vagamente, depois com maior clareza. Você precisa condicionar seu ouvido interior a reconhecê-lo. Quando você começa a identificar a voz vibrante que fala em sabedoria e amor – não em geral, mas especificamente para você – você saberá que essa voz sempre existiu em seu íntimo, mas você se condicionou a não ouvi-la. E nesse condicionamento você enrijeceu o "tubo interior" que o preencherá com a música vibrante dos anjos.

Quando digo a "música dos anjos", não quero necessariamente atribuir a isso o significado literal, embora ela possa realmente existir. O que você mais necessita é a orientação relativa a qual opinião ou atitude adotar numa determinada situação. Essa orientação compara-se efetivamente à música dos anjos em sua glória. Essa plenitude não pode ser descrita quanto ao seu prodígio; trata-se de um tesouro que está além das palavras. É o que você constantemente busca e pelo que anseia, mas na maior parte do tempo não está

241

consciente dessa busca e a projeta em preenchimentos substitutivos que espera virem de fora.

Volte a focalizar o que sempre existiu dentro de você. Sua mente e vontade externa confundiram e complicaram sua vida, e por isso esse novo contato é como encontrar seu caminho de saída de um labirinto – um labirinto que você criou. Agora você pode recriar sua paisagem interior sem esse labirinto.

A nova pessoa como receptáculo da inteligência universal

Agora, meu querido amigo, gostaria de dizer algumas palavras sobre a nova pessoa na nova era. O que é a nova pessoa? Na verdade, a nova pessoa é sempre um receptáculo da inteligência universal, a consciência divina, a consciência de Cristo que permeia cada partícula do ser e da vida. A nova pessoa não opera a partir do intelecto habitual. Por muitos séculos o intelecto teve de ser cultivado para cumprir seu papel como importante ponto de apoio na evolução da humanidade. Agora, porém, essa ênfase foi longe demais. Isso não significa que você deva retornar à "natureza de desejo" puramente cega, emocional; antes, significa que você deve abrir-se para um reino superior de consciência dentro de você e deixá-lo desdobrar-se.

Ao longo da evolução, houve um período em que foi tão difícil para as pessoas descobrirem a habilidade de pensar, de ponderar, de discriminar, de fixar o conhecimento, de lembrar, em suma, de usar todas as faculdades mentais, como agora parece difícil entrar em contato com o eu superior. A nova pessoa estabeleceu um equilíbrio novo no sistema interior. O intelecto não deve ser excluído; ele é um instrumento que deve estar a serviço, unificar-se com a consciência maior. Por muitas eras, as pessoas acreditaram que as faculdades intelectuais eram a forma por excelência do desenvolvimento, e algumas ainda acreditam nisso hoje em dia. Assim, não fazem nenhuma tentativa de ir além e de descer profundamente em sua natureza interior para encontrar tesouros mais valiosos. Por outro lado, há muitos movimentos espirituais que observam a prática de renunciar à mente e de desativá-la. Isto também é indesejável porque cria mais cisão do que unificação.

A função do intelecto na nova pessoa

Estes dois extremos são meias-verdades, embora possam ter uma relativa validade. No passado, por exemplo, as pessoas eram como animais, indisciplinadas e irresponsáveis no que se referia a seus desejos mais imediatos. Eram totalmente dirigidas pelas emoções e pelos desejos, indiferentes à ética e à moralidade. Assim, naquele estágio, o desenvolvimento do intelecto preenchia sua função. E o intelecto também cumpria seu papel como ferramenta aguçada do aprendizado, do discernimento. Mas quando conclui sua tarefa, ele se torna inútil. As pessoas tornam-se dignas de compaixão quando não são animadas por sua divindade. E por sinal, a prática de deixar a mente temporariamente inativa é recomendável, e eu mesmo a recomendo. Mas tratar a mente como se fosse o demônio e desalojá-la de sua vida é errar o alvo.

Em ambos os extremos, as pessoas sentem que falta alguma coisa; elas precisam estar com todas as suas funções em ordem para expressar sua divindade. Sem a mente, você se torna uma ameba passiva; quando a mente é considerada a faculdade mais elevada, você se torna um robô excessivamente ativo. A mente então se transforma numa máquina computadorizada. A vitalidade verdadeira existe somente quando você alia a mente com o espírito e permite que a mente expresse o princípio feminino durante algum tempo. Até agora, a mente esteve muito ligada com o princípio masculino: ação, direção, controle. Agora, a mente deve expressar o princípio feminino: receptividade. Isto não significa que você se tornará passivo. Num sentido, você se tornará mais ativo, mais verdadeiramente independente do que era antes. Porque quando a mente recebe inspirações da Consciência divina, elas devem ser postas em ação. Mas este pôr em ação é harmonioso, suave, não forçado. Quando sua mente é receptiva, ela pode ser preenchida com o espírito superior dentro de você. Então o funcionamento se torna totalmente diferente, sempre novo e excitante. Nada vira rotina, nada se torna corriqueiro, nada é redundante. Porque o espírito está sempre vivo e em mudança. Esta é a energia e a experiência que você encontra de maneira crescente na sua comunidade, onde o novo influxo trabalha intensamente.

A nova pessoa toma todas as suas decisões a partir dessa nova consciência depois de todo o esforço para se tornar verdadeiramente receptiva ao ser espiritual interior. Os resultados podem soar utópicos para alguém que ainda não tenha começado a experimentar isso. Sinto-me feliz em dizer que um grande número de pessoas já é parte desse forte movimento cósmico para o qual você se tornou disponível. Até aqui, você experimenta uma expansão e alegria jamais sonhadas, soluções de problemas que nunca pensou serem possíveis. E isso continua. Não há limites para sua plenitude, para a paz, para a produtividade, para a criatividade no viver, para a alegria, amor e felicidade, e para o sentido que sua vida adquire ao servir a uma causa maior.

Entrada na vida nova e mais ampla

Passou o tempo de o indivíduo viver apenas para uma pequena vida egoísta, imediatista. Isto não pode mais continuar. Aqueles que insistem nesse caminho fecham-se para um poder capaz de tornar-se destrutivo numa mente que ainda está atrelada ao egoísmo. Porque esse egoísmo vem da falsa crença de que você só é feliz quando é egoísta, e infeliz quando é altruísta. Essa falsa crença é um dos primeiros mitos que você precisa analisar e desafiar.

Você está criando uma nova vida para você mesmo e para o seu meio, uma vida de uma espécie que a humanidade ainda não conhece. Você está se preparando para ela, outros estão se preparando para ela, aqui e lá, em todo o mundo, silenciosamente. Esses são núcleos dourados que saltam da matéria cinzenta, sombria, do pensar e do viver não-verdadeiros. Desenvolva esse canal em você. Ele lhe trará o estímulo e a paz que você sempre quis. Entre nessa nova fase, meu querido amigo, com coragem e determinação. Levante-se e torne-se o que você realmente é, e viva a vida no que ela tem de melhor.

Sejam todos abençoados, meus queridos. As bênçãos lhes darão o suporte de que precisam para prosseguir no caminho com inteireza e para se tornarem plenos de vida, ativos e realizados pelo Deus interior. Estejam em paz.

A voz interior:
Uma meditação inspirada pelo Guia

... Se você se aquietar e prestar atenção ao seu eu interior, você ouvirá a sua voz. Com variações, ele dirá:

Eu sou o Deus eternamente amoroso,
o Criador eternamente presente
que mora dentro de ti
que se move através de ti
que se expressa como tu em miríades de formas –
como tu, e tu, e tu –
como os animais
como as árvores e o céu e o firmamento
como tudo o que existe.

Habitarei em ti
e se Me permitires agir através de ti
ser conhecido através da tua mente
ser sentido através de teus sentimentos
experimentarás o Meu poder ilimitado.

Não temerás esse poder
que se manifesta em todos os níveis.
O poder é grande, mas entrega-te a Mim.
Entrega-te a este poder
a esta torrente que se lança vigorosa,
que te fará chorar
e que te fará sorrir,
ambos em alegria.

Porque tu és EU e EU sou tu.
Não posso atuar nesse nível
sem que sejas o Meu instrumento.
E se Me ouvires,
guiar-te-ei em cada etapa do caminho.

Sempre que estás na escuridão,
estás distante de Mim.
E se te lembrares disso,
darás os teus passos para voltar a Mim.
Não estou longe.
Estou aqui, em cada partícula do teu próprio ser.

Se fizeres a Minha vontade,
tu e Eu nos uniremos mais,
e Eu farei a tua vontade.

Panorama geral:
O Guia, Eva Pierrakos e a Fundação Pathwork

O Guia nunca se identificou pelo nome. Ele dizia que sua identidade não era importante, que não importava o que dissesse. Afinal, também não teríamos condições de averiguar essa identidade. A única coisa com que deveríamos nos ocupar eram os seus ensinamentos. E mesmo com relação a esses ensinamentos, não deveríamos acreditar neles apenas por terem origem numa entidade espiritual. Deveríamos consultar nosso coração e somente aceitar suas palavras se encontrássemos um eco interno que ratificasse sua verdade.

Eva Pierrakos nasceu em Viena em 1915, filha do conhecido romancista Jakob Wassermann. Cresceu entre a elite intelectual de sua cidade natal; seu primeiro marido era filho de outro escritor famoso, Hermann Broch. Jovem, brilhante e expansiva, Eva gostava de dançar e de esquiar; mais tarde, tornou-se instrutora de dança. A última coisa que poderia imaginar era ser escolhida para servir de instrumento de comunicação espiritual.

Eva conseguiu deixar a Áustria antes da invasão nazista. Recebeu um visto dos Estados Unidos e mudou-se para Nova York. Foi na Suíça, entretanto, onde viveu durante algum tempo, que seu talento psíquico começou a se manifestar sob a forma de escrita automática. Meditando por longas horas, mudando sua dieta alimentar e assumindo o compromisso de usar seu dom somente para ajudar as pessoas – mesmo com o risco de perder seus amigos, que pensavam que ela estava enlouquecendo – Eva pôde finalmente tornar-se um canal puro de modo a possibilitar que uma entidade espiritual de elevada sabedoria como o Guia se manifestasse através dela e nos oferecesse a dádiva de seus ensinamentos.

Quando Eva voltou aos Estados Unidos, um pequeno grupo formou-se ao seu redor. Ela mantinha "sessões do Guia" individuais, e duas vezes por mês proferia uma palestra ou uma sessão de perguntas e respostas.

Eva era miúda, tinha cabelos escuros e olhos também escuros, luminosos e um corpo de dançarina. Geralmente bronzeada, exibia um aspecto muito saudável, com grande capacidade para se divertir. Quando John Pierrakos, um psiquiatra de tradição reichiana e co-fundador da bioenergética, a encontrou, o trabalho de ambos ficou enriquecido. Além de trazer-lhes felicidade pessoal, seu casamento ajudou John a transformar sua prática de bioenergia em "energética da essência" (*Cone energetics*) pela incorporação dos ensinamentos do Guia. Por outro lado, a introdução do elemento energético na prática do processo do Caminho contribuiu para a eficácia deste.

Um número cada vez maior de pessoas foi atraído pelos ensinamentos do Guia, exigindo a instalação de um centro. Este foi fundado num dos solitários vales de Catskills, onde podem ser realizados trabalhos de transformação profunda em meio à beleza e à quietude da natureza. Em 1972, o Caminho foi transformado em fundação educacional sem fins lucrativos, a "Pathwork Foundation".

Eva morreu em 1979, legando-nos uma rica herança de material canalizado. Além de 258 palestras que traçam um esboço do Caminho, há o registro de centenas de sessões de perguntas e respostas e de consultas particulares com o Guia.

Até o momento, milhares de pessoas leram suas palestras – que estão disponíveis isoladamente – e muitas centenas estão seguindo este ensinamento, embora o Caminho não tivesse grande publicidade. Há dois Pathwork Centers muito ativos: um em Phoenicia, Nova York, e outro em Madison, Virgínia. Há também vários grupos de estudo e de trabalho que se ocupam com as palestras do Guia em muitos locais dos Estados Unidos e do mundo.

Para maiores informações sobre o Pathwork

Há numerosos Pathwork Centers em atividade e uma rede de vários grupos de estudo e de trabalho com as palestras sobre Pathwork na América do Norte, na América do Sul e na Europa. Acolhemos com alegria a oportunidade de ajudá-lo a estabelecer contato com outras pessoas interessadas em aprofundar-se nesse estudo. Para pedir qualquer palestra ou livros sobre Pathwork, ou para obter mais informações, entre em contato com os centros regionais marcados com um asterisco (*):

Califórnia
Pathwork of California, Inc*
1355 Stratford Court # 16
Del Mar, California 92014
Ph. (619) 793-1246
Fax: (619) 259-5224
E-mail: CAPathwork@aol.com

Região Central dos Estados Unidos
Pathwork of Iowa
24 Highland Drive
Iowa City, Iowa 52246
Ph. (319) 338-9878

Região dos Grandes Lagos
Great Lakes Pathwork*
1117 Fernwood – Royal Oak,
Michigan 48067
Ph./Fax (248) 585-3984

Eixo América-Inglaterra
Sevenoaks Pathwork Center*
Route 1, Box 86 – Madison, Virginia
22727
Ph. (540) 948-6544
Fax: (540) 948-3956
E-mail: SevenoaksP@aol.com

Nova York, Nova Jersey,
Nova Inglaterra
Phoenicia Pathwork Center*
Box 66, Phoenicia
New York 12464
Ph. (800) 201-0036
Fax: (914) 688-2007
E-mail: PATHWORKNY.ORG

Noroeste
Northwest Pathwork
811 NW 20th, Suite 103-C Portland,
Oregon 97209
Ph. (503) 223-0018

Filadélfia
Philadelphia Pathwork
901 Bellevue Avenue
Hulmeville, Pennsylvania 19407
Ph. (215) 752-9894
E-mail: dtilove@itw.com

Sudeste
Pathwork of Georgia
120 Blue Pond Court –
Canton, Georgia 30115
Ph./Fax (770) 889-8790

Sudoeste
Path to the Real Self/Pathwork
Box 3753 – Santa Fe,
New Mexico 87501
Ph. (505) 455-2533

Estados Unidos
Pathwork Foundation
P.O. Box 6010, Charlottesville,
VA 22906-6010 – USA
Tel.: (434) 817-2660
E-mail: pathworkfoundation@pathwork.org
http://www.pathwork.org

Pathwork Brasil
http://www.pathwork.com.br

Brasil
Pathwork Regional Bahia
Bahia, Ceará, Pará
Av. ACM, 2501, Sala 412/Candeal
41288-900 – Salvador – BA
Tel./Fax: (71) 3353-7091
E-mail:pathworkbahia@yahoo.com.br
http://www.pathworkba.com.br

Brasil
Pathwork Regional São Paulo
Rua Roquete Pinto, 401
05515-010 – São Paulo – SP
Fone: (11) 3721-0231
E-mail:pathwork@pathwork.com.br
http://www.pathworksp.com.br

Brasil
Pathwork Regional Paraíba
Paraíba, Pernambuco e Alagoas
Rua Josias Lopes Braga, 497
Bairro Bancários
58051-800 – João Pessoa
Paraíba – PB
Tels. (83) 3235-5188/9967-
8303/3224-2362
E-mail:claubetenobrega@terra.com.br

Brasil
Pathwork Regional Brasília
Brasília e Goiânia
Setor Terminal Norte, Conj. 0,30
Centro Clínico Life Center, sala 113
70630-000 – Brasília – DF
Tel: (61) 3340-5253
E-mail: eloisaprata@brturbo.com.br

Brasil
Pathwork Regional Sul
Rio Grande do Sul e Santa Catarina
Av. Iguaçu, 485/401
90470-430 – Porto Alegre – RS
Tel: (51) 9963-0623
http://www.pathworksul.com.br

Brasil
Pathwork Regional Rio
Rio de Janeiro e Espírito Santo
Rua Duque Estrada da Barra, 57 –
Apto. 102 – Gávea
22451-090 – Rio de Janeiro – RJ
Tel: (21) 2529-2322/8224-4333
E-mail: gmdell@globo.com
http://www.pathworkrio.com.br

Brasil
Pathwork Regional Minas Gerais
Rua Santa Catarina, 1630 – Pilotis
Bairro de Lourdes
30170-081 – Belo Horizonte – MG
Tel: (31) 3335-8457
E-mail: rnlac@terra.com.br

Luxemburgo
Pathwork Luxembourg
L8274 Brilwee 2
Kehlen, Luxembourg
Ph. (352) 307328

Países Baixos
Padwerk
Amerikalaan 192
3526 BE Utrecht
The Netherlands
Ph./Fax (035) 6935222
E-mail: Trudi.groos@pi.net

Uruguai
Uruguai Pathwork
Mones Rose 6162
Montevideo 11500, Uruguay
Ph. (598) 2-618612
E-mail: lgf@adinet.com.uy

Argentina
Pathwork Argentina
Castex 3345, piso 12 – Cap. Fed.
Buenos Aires, Argentina
Ph. 0054-1-801-7024

Canadá
Ontario/Quebec Pathwork
P. O. Box 164
Pakenham, Ontario KOA - 2X0
Ph. (613) 624-5474

Alemanha
Pfadgruppe Kiel
Ludemannstrasse 51
24114 Kiel, Germany
(0431) 66-58-07

Holanda
Padwerk*
Boerhaavelaan 9
1401 VR Bussum, Holland
Ph./Fax (03569) 35222

Itália
Il Sentiero*
Via Campodivivo, 43 – 04020 Spigno
– Saturnia (LT) Italy
Ph. (39) 771-64463
Fax: (39) 771-64693
E-mail: crisalide@fabernet.com
http://www.saephir.it/crisalide.

Mexico
Pathwork Mexico
Pino # 101, Col Rancho Cortes
Cuernavaca, Mor 62120 Mexico
Ph. 73-131395
Fax: 73-113592
E-mail: andresle@infosel.net.mx

Há traduções do material sobre Pathwork disponíveis em holandês, francês, alemão, italiano, português e espanhol.

Lista das palestras da *"Pathwork Foundation"*

1. The Sea of Life
2. Decisions and Tests
3. Choosing Your Destiny
4. World Weariness
5. Happiness as a Link in the Chain of Life
6. God as Father-Image – Negative Attachment to Matter
7. Asking for Help and Helping Others
8. Mediumship
9. The Lord's Prayer
10. Male and Female Incarnations: Their Rhythms and Causes
11. Know Yourself
12. The Order and Diversity of the Spiritual Worlds – The Process of Reincarnation
13. Positive Thinking
14. The Higher Self, the Lower Self, and the Mask
15. Influence Between the Spiritual and the Material Worlds
16. Spiritual Nourishment
17. The Call
18. Free Will
19. Jesus Christ
20. The Communication of Spiritual Truth to Humanity – God and the Creation
21. The Fall
22. Salvation
25. Fundamentals of the Pathwork – Purification Through Self-Knowledge
26. Finding One's Faults
27. Escape Also Possible on the Path

28. Communication with God – Daily Review
29. Activity and Passivity – Finding God's Will Through the Right Use of Inner and Outer Will
30. Selfwill, Pride, and Fear
31. Shame
32. Decision-Making
33. Occupation with Self
34. Preparation for Reincarnation
35. Turning to God
36. Prayer
37. Acceptance – Dignity in Humility
38. Images: Erroneous Assumptions About Life and Self
39. Image-Finding
40. More on Images
41. Images: The Damage They Do
42. Objectivity and Subjectivity
43. Three Basic Personality Types: Reason, Will, Emotion
44. The Forces of Love, Eros, and Sex
45. Conscious and Unconscious Desires
46. Authority
47. The Wall Within
48. The Life Force
49. Guilt: Justified and Unjustified – Obstacles on the Path
50. The Great Vicious Circle of Immature Love
51. Independent Opinions
52. The God-Image
53. Self-Love
55. Three Cosmic Principles: The Expanding, the Restricting, and the Static
56. Healthy and Unhealthy Motives in Desire
57. The Mass Image of Self-Importance
58. Desire for Happiness and Unhappiness
60. The Abyss of Illusion – Freedom and Self-Responsibility
62. Man and Woman
64. Outer Will and Inner Will
66. Shame of the Higher Self
68. Suppression of Creative Tendencies – Thought Processes
69. The Valid Desire to Be Loved
71. Reality and Illusion
72. The Fear of Loving
73. Compulsion to Recreate and Overcome Childhood Hurts
74. Confusions

75. The Great Transition in Human Development: From Isolation to Union
77. Self-Confidence: Its True Origin and What Prohibits It
80. Cooperation, Communication, and Union
81. Conflicts in the World of Duality
82. Conquest of Duality Symbolized by the Life and Death of Jesus
83. The Idealized Self-Image
84. Love, Power, and Serenity as Distorted by the Idealized Self-Image
85. Self-Preservation and Procreation
86. The Instincts of Self-Preservation and Procreation in Conflict
88. True and False Religion
89. Emotional Growth and Its Function
90. Moralizing – Disproportionate Reactions – Needs
92. Relinquishing Blind Needs
93. Main Image – Needs and Defenses
94. Split Concepts Create Confusion – Neurosis and Sin
95. Self Alienation – The Way Back to the Real Self
96. Laziness, Symptom of Self-Alienation
97. Perfectionism Obstructs Happiness – Manipulation of Emotions
98. Wishful Daydreams
99. Falsified Impressiqons of Parents: Cause and Cure
100. Meeting the Pain of Destructive Patterns
101. The Defense
102. The Seven Cardinal Sins
103. Harm of Too Much Love-Giving – Constructive and Destructive Will
104. Intellect and Will as Tools or Hindrances to Self-Realization
105. Humanity's Relationship to God in Various Stages of Development
106. Sadness versus Depression – Relationship
107. Three ASpects That Prevent Loving
108. Fundamental Guilt for Not Loving – Obligations
109. Spiritual and Emotional Health Through Restitution for Real Guilt
110. Hope and Faith
111. Soul Substance – Coping with Demands
112. Humanity's Relationship to Time
113. Identification with the Self
114. Struggle: Healthy and Unhealthy
115. Perception, Determination, Love as Aspects of Consciousness
116. The Superimposed Conscience
117. Shame and Unresolved Problems
118. Duality Through Illusion – Transference
119. Movement, Consciousness, Experience: Pleasure, the Essence of Life
120. The Individual and Humanity

121. Displacement, Substitution, Superimposition
122. Self-Fulfillment Through Self-Realization as Man or Woman
123. Overcoming Fear of the Unknown
124. The Language of the Unconscious
125. Transition from the No-Current to the Yes-Current
126. Contact with the Life Force
127. Evolution"s Four Stages: Reflex, Awareness, Understanding, and Knowing
128. Limitations Created Through Illusory Alternatives
129. Winner versus Loser
130. Abundance versus Acceptance
131. Expression and Impression
132. The Function of the Ego in Relation to the Real Self
133. Love as Spontaneous Soul Movement
134. The Concept of Evil
135. Mobility in Relaxation – Suffering Through Attachment of the Life Force to Negative Situations
136. The Illusory Fear of Self
137. Inner and Outer Control – Love and Freedom
138. Desire for and Fear of Closeness
139. Deadening of the Live Center Through Misinterpretation of Reality
140. The Conflict of Positive and Negative Pleasure as the Origin of Pain
141. Return to the Original Level of Perfection
142. Fear of Releasing the Little Ego: Positive and Negative Magnetic Fields
143. Unity and Duality
144. The Process of Growing from Duality to Unity
145. Responding to the Call of Life
146. Positive Concept of Life – Love Without Fear – Balance Between Activity and Passivity
147. The Nakture of Life and the Nature of the Human Being
148. Positivity and Negativity: One Energy Current
149. Cosmic Pull toward Union – Frustration
150. Self-Love as Condition of Universal State of Bliss
151. Intensity, an Obstacle to Self-Realization
152. Connection Between the Ego and the Universal Power
153. The Self-Regulating Nature of Involuntary Processes
154. Pulsation of Consciousness
155. Giving and Receiving
157. Infinite Possibilities of Experience Hindered by Emotional Dependency
158. The Ego's Cooperation with or Obstruction of the Real Self
159. Life Manifestation as Dualistic Illusion
160. Conciliation of the Inner Split

161. Unconscious Negativity Obstructs Surrender of the Ego to Involuntary Processes
162. Three Levels of Reality for Inner Guidance
163. Mind Activity and Mind Receptivity
164. Further Aspects of Polarity – Selfishness
165. Evolutionary Phases of Feeling, Reason, and Will
166. Perceiving, Reacting, Expressing
167. Frozen Life Center Becomes Alive
168. Two Basic Ways of Life, Toward and Away from the Center
169. The Masculine and Feminine Principles in the Creative Process
170. Fear of Bliss versus Longing for It
171. The Law of Personal Responsibility
172. The Life Energy Centers
173. Practices to Open the Energy Centers
174. Self-Esteem
175. Consciousness: Fascination with Creation
176. Overcoming Negativity
177. Pleasure, the Full Pulsation of Life
178. The Universal Principle of Growth Dynamics
179. Chain Reactions in the Dynamics of Life
180. The Spiritual Significance of Relationship
181. The Human Struggle: Self-Division
182. Meditation for Three Voices: Ego, Lower Self, Higher Self
183. The Spiritual Meaning of Crisis
184. The Meaning of Evil and Its Transcendence
185. Mutuality, A Cosmic Principle and Law
186. Venture in Mutuality: Healing Force to Change Negative Inner Will
187. Alternation of Expansive and Contracting States
188. Affecting and Being Affected
189. Self-Identification Determined Through Stages of Consciousness
190. Experiencing All Feelings Including Fear
191. Inner and Outer Experience
192. Real and False Needs
193. Resume of the Basic Principles of the Pathwork: Its Aims and Process
194. Meditation as Positive Life-Creation
195. Identification with the Spiritual Self to Overcome Negative Intentionality
196. Commitment: Cause and Effect
197. Energy and Consciousness in Distortion: Evil
198. Transition to Positive Intentionality
199. The Meaning of the Ego and Its Transcendence
200. The Cosmic Feeling
201. Demagnetizing Negative Force Fields – Pain of Guilt

202. Psychic Interaction of Negativity
203. Interpenetration of the Divine Spark into the Outer Regions – Exercises in Movement
204. What Is the Path?
205. Order as a Universal Principle
206. Desire: Creative or Destructive
207. The Spiritual Significance of Sexuality
208. The Innate Capacity to Create
209. The Roscoe Lecture: Inspiration for the Pathwork Center
210. Visualization Process for Growth into the Unitive State
211. Outer Events Reflect Self-Creation – Three Stages
212. Claiming the Total Capacity for Greatness
213. Let Go, Let God
214. Psychic Nuclear Points
215. The Now Point
216. Relationship of the Incarnatory Process to the Life Task
217. The Phenomenon of Consciousness
218. The Evolutionary Process
219. The Christmas Message – Message to the Children
220. Reawakening from Anesthesia Through Listening to the Inner Voice
221. Faith and Doubt in Truth and Distortion
222. Transformation of the Lower Self
223. The Era of the New Age and New Consciousness
224. Creative Emptiness
225. Evolution of Individual and Group Consciousness
226. Self-Forgiveness without Condoning the Lower Self
227. Change from Outer to Inner Laws in the New Age
228. Balance
229. Woman and Man in the New Age
229A. The Arosa Lecture – March 1975
230. Change: Reincarnation in the Same Life Span
231. New Age Education
232. Being Values versus Appearance Values
233. The Power of the Word
234. Perfection, Immortality, Omnipotence
235. The Anatomy of Contraction
236. The Superstition of Pessimism
237. Leadership – The Art of Transcending Frustration
238. The Pulse of Life on All Levels of Manifestation
239. Christmas Lecture 1975 and a Wedding Message
240. Aspects of the Anatomy of Love: Self-Love, Structure, Freedom

241. Dynamics of Movement and Resistance to Its Nature
242. The Spiritual Meaning of Political Systems
243. The Great Existential Fear and Longing
244. "Be in the World and Not of the World" – The Evil of Inertia
245. Cause and Effect
246. Tradition: Divine and Distorted Aspects
247. The Mass Images of Judaism and Christianity
248. Three Principles of Evil
249. Pain of Injustice
250. Exposing the Deficit – Faith in Divine Grace
251. New Age Marriage
252. Secrecy and Privacy
253. Continue Your Struggle and Cease All Struggle
254. Surrender
255. The Birthing Process – The Cosmic Pulse
256. Inner Space, Focused Emptiness
257. Aspects of the New Divine Influx: Communication, Group Consciousness, Exposure
258. Personal Contact with Jesus Christ